LOPE DE AGUIRRE, PRÍNCIPE DE LA LIBERTAD

MIGUEL OTERO SILVA

LOPE DE AGUIRRE,
PRÍNCIPE DE LA LIBERTAD

BIBLIOTECA BREVE
EDITORIAL SEIX BARRAL, S. A.
BARCELONA - CARACAS - MÉXICO

Diseño cubierta: △TRIANGLE

Primera edición: febrero de 1979

© 1979: Miguel Otero Silva

Derechos exclusivos de edición
reservados para todos los países de habla española:
© 1979: Editorial Seix Barral, S. A.
Tambor del Bruch, s/n - Sant Joan Despí (Barcelona)

ISBN: 84 322 0350 5
Depósito legal: 2.393 - 1979

Printed in Spain

A Fusa

LOPE DE AGUIRRE EL SOLDADO

—¡DIOS NOS AMPARE! A Lope de Araoz le cortaron la lengua.

El primer pleito de nuestra familia con el conde de Guevara sucedió un año antes de mi nacimiento, para ese entonces mi abuelo materno Lope de Araoz había sido elegido alcalde ordinario por los votos de la villa de Oñate, el conde de Guevara estaba comprometido por las leyes a escribir al pie del nombramiento: "Creo y pongo por tal mi alcalde", el Conde se escapó a Vitoria o se encerró a piedra y lodo en la torre de Zumelzegui, la obstinación y dureza del Conde eran no firmar, los oñatiarras rabiosos y enfurecidos de no encontrarlo hicieron tocar a rebato las campanas, se reunieron en bazaerre frente a la iglesia de San Miguel, decidieron arrancarle la vara al alcalde mayor que era el alcalde del Conde, dársela a mi abuelo materno Lope de Araoz que era el alcalde por ellos escogido, el Conde montó en cólera, hombres armados asaltaron nuestras tierras, a mi abuelo lo despojaron de la vara a la fuerza, le dieron la casa por cárcel, le prohibieron ejercer cargos de por vida.

El episodio de la lengua vino a pasar cinco años más tarde, ya yo había nacido y mi madre me había puesto el nombre de Lope en honor de su padre rebelde, yo Lope de Aguirre andaba a gatas por entre patas de nogal y roble, nadie me hacía caso, me superaban en importancia mi hermano mayor Esteban y un mastín ceniciento que me olfateaba el culo despectivamente, el rey Carlos recién coronado visitaba a los flamencos, el conde de Guevara formaba parte del seguimiento y las genuflexiones, mi incorregible abuelo Lope de Araoz voceó a grito alzado en la taberna de Calezarra: "¡Los que andan tras el Rey, comenzando por nuestro conde de Guevara, dueño y señor de Oñate, forman una cuadrilla de serviles y borrachos!".

A la vuelta del Conde más de veinte bellacos le fueron con el soplo, el Conde ordenó esta vez que a mi abuelo materno le fuesen confiscados los bienes y cortada la lengua, lo sacaron de la cárcel con una soga a la garganta, atravesó las calles de Oñate montado en un burro sucio y enano, al jinete le arrastraban las botas por el suelo empedrado, así lo llevaron hasta el Jaumendi que era el lugar donde el Conde tenía asentada la picota, el pregonero iba proclamando su vergüenza: "¡Lope de Araoz ha sido condenado a pena de destierro por tres años; si intenta volverse a Oñate le será cortada también su mano izquierda!", le arrancaron la lengua con una daga forjada en la ferrería de los Lazarraga, echaba tanta sangre por la boca que sin duda no le iba a quedar una sola gota roja dentro del cuerpo.

—Mi hermano apeló ante el Real Consejo y ganaría luego la sentencia, cuando ya la lengua se la habían cortado. A la hora de su muerte hubo de confesarse por señas —dice mi tío abuelo Julián de Araoz.

Mi tío abuelo Julián de Araoz me ha repetido cien veces esta historia para que nunca la olvide, mi tío abuelo Julián de Araoz parece un sarmiento de puro rugoso y exprimido, anda noche y día vestido de negro absoluto de modo que de lejos uno no sabe si es fraile o ser humano, del sombrero campanudo de copa se le escurren mechas amarillas de carnero viejo, en Araoz nació y de Araoz jamás ha intentado mudarse, Araoz no es un barrio establecido regularmente por el hombre sino un puñado de techos lanzados por la mano de Dios entre las abras de la montaña, de una a otra casa no van calles sino caminos espirales flanqueados por matorrales de helechos y cantos de pájaros, blanquea una plaza en el centro del disgregado caserío, no vale la pena llamarla plaza sino llanura pavimentada para servir de delantal a la iglesia y de aledaño al callejón techado donde se juega a la pelota, por entre la juntura de las baldosas asoman confusamente los yerbajos.

—¿Y los hombres de Araoz nunca protestan? —digo yo, a sabiendas de que sí protestan.

—Siempre hemos protestado, siempre protestaremos —dice mi tío abuelo Julián de Araoz.

Y comienza a recordar rencorosamente otra crónica humillante y muy antigua, "Iñigo de Guevara primer señor de Oñate se adjudicó a sí mismo un río entero para pescar él solo para bañarse él solo para mear él solo".

—Algún día los echaremos —dice mi tío abuelo Julián de Araoz arbolando su garrote contra la historia.

San Miguel Arcángel, patrono de Oñate, es un santo armado y combatiente, no un monje rezador ni un mártir desvalido. San Miguel es un espíritu celeste encarnado en piedra frenética, un adalid de las estrellas que clava su espada flamígera en las fauces de un dragón vencido. Luzbel ya no es claridad bienaventurada, ya no es el taimado favorito que acusaba a sus hermanos delante de Dios, sino un engendro horripilante, con siete cabezas y diez cuernos, rabo de culebra y garras de leopardo, colmillos torvos y belfo peludo, te mira amargamente como si tú tuvieras la culpa de su derrota, Lope de Aguirre. Las alas de San Miguel desbordan el peto de azuloso acero y se abren al viento como banderas desplegadas. La mano izquierda de San Miguel empuña una balanza, es él quien medirá las consecuencias de nuestros pecados y virtudes, es él quien decidirá cuáles almas ascenderán al Paraíso y cuáles nos sepultaremos en los Infiernos. Pero a ningún peregrino se le ocurre meditar en el simbolismo de la balanza, prefiere detenerse a contemplar embobado y suspenso la llama de la espada, la armadura bruñida que ampara al guerrero, la mirada rutilando bajo el filo del casco, el vencimiento despiadado de Satanás. Satanás verdoso y retorcido, apostado sobre la arena de un mar invisible, te mira ahora con un dejo de complicidad intolerable, Lope de Aguirre. Escúpelo, maldícelo, muéstrale la señal de la Cruz, demonio malvado, peste maligna, hijo de la Grandísima Puta, amén.

Lope de Aguirre bajó desde las casas de Araoz hasta el fondo del valle, hasta el rehoyo donde el río es devorado por el negror de una gruta. Sube ahora desde los hondones, en derechura hacia la calzada que conduce a Aránzazu. Lo cercan como duendes los cambiantes del verde, desde el transparente que es apenas linfa de remanso reflejando otros verdes, hasta el bronco y negruzco que oscurece los espolones de la montaña. Hay verdes destellantes como piedras preciosas y otros empalidecidos por una serenidad enfermiza. Lope de Aguirre pasa su juventud sumergido en un gran foso verde, acorralado por un cerco de cerros invulnerables, aturdido por el aroma de los cipreses y los enebros. El solo color discrepante es el gris de las inmensas rocas calcáreas que rompen los mares vegetales como quillas de barcos.

(Tú te sientes más pequeño de lo que eres, Lope de Aguirre, tu desdicha es que no has crecido lo necesario, le das por los hombros a, no hablemos de eso.)

Lope de Aguirre atraviesa los breñales montado en pelo sobre la yegua castaña, la que mejor lo conoce entre todas las bestias del aprisco. El oficio de Lope de Aguirre es cuidar caballos, los lleva a beber al río, aprenderá a domarlos algún día, dejó la escuela por el rebaño sin que nadie en su casa se diera por enterado, su única lectura es el muy mentiroso libro de Amadís de Gaula, mas su tío Julián se sabe las verdades de la Biblia y la historia de Roma y sobre ellas hace plática cuando van a cazar perdices.

La Virgen de Aránzazu no es una imagen erguida sobre los despojos del Diablo, como la de San Miguel, sino sobre un espino. El milagro de su aparición es otra de las conversas rituales del tío Julián. El pastor Rodrigo de Balzátegui descendía un sábado por las vertientes del Aloña y de pronto sus ojos descubrieron en la maraña del barranco un resplandor como de rosas sobre un azul endrino. Era la Virgen con el Niño en los brazos, acompañada por un espino verde y un cencerro pastoril. Los frailes mercedarios edificaron una ermita para ensalzar el prodigio, y los franciscanos se quedaron a la larga con el santuario y con la efigie, como se quedan con todo. En esta coyuntura se alzaron con la Virgen más milagrosa de la tierra: desata lluvias sobre las sequías, detiene la crecida de los ríos, deshace las hechicerías de los brujos, endulza los espíritus pendencieros, hace andar a los paralíticos y parir a las estériles.

El corazón cristiano de Lope de Aguirre viene a Aránzazu de peregrino, mas no a rendir culto exclusivo a la Virgen sino en igual medida a Juanisca Garibay, sobrina de fray Pedro Arriarán, único siervo mercedario que no se movió de Aránzazu cuando sus compañeros de cofradía abandonaron la plaza.

—Buenas tardes, Lope de Aguirre.

15

Juanisca Garibay habla enmarcada por una puerta de oscuro roble, clavos chanfones y cabezudos tachonan la madera, las paredes son grises y tristonas, la chimenea se empina como un espectro renegrido y deforme, sólo el delantal azul de la muchacha alivia la mirada.

Lope de Aguirre baja de la yegua y amarra el cabestro a una herradura que sobresale del muro. Juanisca Garibay se le apareja (ella es más alta que tú, te lleva de ventaja la cabeza entera, lo compruebas una vez más cuando se apoya en tu brazo para saltar la acequia, su pelo huele a las hojas de la albahaca) y echan a andar en yunta por las veredas, como si se tratara de un designio convenido. La pareja se desvía hacia un fresno apartado y solitario, para mirar el vuelo de las golondrinas, o tal vez la piel desgarrada de la tarde.

Fue entonces cuando se oscureció el cielo, cuando enmudecieron los pájaros, cuando comenzaron a sonar las esquilas en la hondonada. Por el tintineo de las esquilas se sabe desde muy lejos si una oveja trepa la ladera, o si desciende a tumbos por el despeñadero, o si camina en llano palmo a palmo, o si bruscamente se detiene. El tintineo de las esquilas es un aleteo de bronce cuya melodía lame y eriza la piel de la noche. Para oír caer intactas sus gotas en la sombra es preciso cerrar los oídos al rezongo del tiempo y a las letanías de nuestra propia sangre. De ese modo las escucha Juanisca Garibay, tan cerca del aliento de Lope de Aguirre que él respira el aura de sus cabellos, Juanisca Garibay no altera su resuello cuando él la besa en mitad de los labios, no se estremece entre los brazos que la ciñen, sigue escuchando pensativa y remota el tintineo de las esquilas.

—Te quiero, Lope de Aguirre —dice a media voz.

—No mezcles la sidra con el vino navarro, Antón Llamoso —le digo sin mirarlo.

Antón Llamoso acata sumisamente mis consejos, los malos y los buenos. Es más alto que yo, más forzudo que yo, pero procede en la vida como si yo fuese capataz suyo. Su voluntaria esclavitud de alma tuvo origen, supongo yo, en una pelea que nos encaró en la plaza de Santa Marina, hace ya tanto tiempo que todavía íbamos a la escuela. Antón Llamoso peludo y cejijunto, hosco y desgalichado, parecía desde muchacho un oso, de esos que por matarlos las ordenanzas municipales te gratifican con diez ducados. Su brazo invencible pulverizaba las pelotas contra los muros de la iglesia. Jamás cruzó por mi mente el pensamiento de vérmelas con él a los puños, nunca he creído que vine a este mundo para recibir palizas. Tuve que hacerle frente el día en que menos lo presentía, cuando se me nublan los ojos no calculo riesgos ni contingencias, dice mi tío Julián que me vuelvo un Famongomadán del Lago Hirviente.

—Enano Aguirre —me dijo Antón Llamoso aquel Domingo de Ramos en la plaza de Santa Marina. —¿Sabes tocar el tamboril?

—No me llames enano que no soy enano —le respondí.

—Está bien, enano Aguirre, no volveré a llamarte enano, pero todo Oñate piensa que eres enano —y se echo a reír.

Entonces le di una cachetada, aunque es más forzudo que yo, más alto que yo, se me nublaron los ojos, tío Julián. Antón Llamoso se lanzó sobre mí como toro derribador, yo recuperé en un santiamén la conciencia de mis limitaciones, esquivé zamarramente la embestida, le interpuse el pie izquierdo en garfio de zancadilla, Antón Llamoso se fue de cabeza contra el enlosado, antes de que intentara levantarse ya estaba yo a su lado encajándole patadas diestras y siniestras en las sienes, para su desgracia yo llevaba puestas mis botas claveteadas, pegándole seguí hasta que perdió el sentido, llegaron al trote los sarteneros de la cofradía de San Millán, me llevaron en vilo para que no lo matara, Antón Llamoso pasó una semana en la cama con la cabeza vendada y los ojos hinchados, no asomó por la escuela en mucho tiempo, dejó de hablarme hasta el día de San Miguel, para las fiestas se le habían olvidado los porrazos, no es rencoroso, volvimos a ser amigos, él sabe tocar el tamboril y yo la alboka. Cada día se vuelve más adicto a mis palabras, yo le explico los milagros que él no entiende, por ejemplo: el nacimiento de un nuevo mundo hace apenas cuarenta años, tal como tú me los explicas a mí, tío Julián.

—No sigas bebiendo, Antón Llamoso, que estás borracho como siete cubas —le digo yo.

Lo amosca algún tanto mi reproche, no se considera borracho, paga los vinos con mano brusca, luego grita:

—¡Te invito a tirar putas al río, Lope de Aguirre! —y se echa a reír.

—¡Vamos! —le respondo yo para asombro suyo, y salgo con resueltos pasos de la taberna, él me sigue.

Las dos congregaciones de este mundo que yo aborrezco con mayor desprecio son las putas y los franceses. Los franceses porque pecan de avarientos, mezquinos y usureros. Llegan a Oñate a hacer dinero, no importa cómo, las monedas van a parar primero al relleno de los colchones, seguidamente a Francia. En cuanto a las putas, tío Julián, no alcanzo a traducir en palabras los fundamentos de mi aversión, pero válgame Dios que las odio. La sola ordenanza saludable que ha dictado nuestro alcalde mayor es aquella que impone "diez días de cárcel a quien le preste albergue en su casa a una mujer vagamunda".

La casa de mancebía se distingue por su farol lacrimoso, allá al final desolado de la calle más funeraria de la ciudad. El aldabón es una cabeza de jabalí con los colmillos en guardia. Antón Llamoso está descaradamente borracho, el vino lo embrutece más de lo común, es más prudente que él no hable.

—El barco es de mi hermano Esteban, la noche está linda con tantas estrellas, el río parece de cristal, os convidamos a navegar —digo yo.

Las dos mujeres son vizcaínas, de Bermeo, quizá pescadoras desamparadas por sus maridos, no zorras propiamente dichas. La más corpulenta despliega ancas de yegua percherona, le corresponde a Antón Llamoso. La pequeña tiene hocico de sardina, habla a griticos de gorrión, huele a guiso de mariscos, camina a mi lado sin muestras de embeleso.

A la orilla del Olabarrieta está amarrado el barco. ¡Qué va a ser de mi hermano Esteban!, ¡sabe Dios de quién será!, Antón Llamoso sube el primero y tiende las manos nazarenamente a las dos magdalenas, yo subo el último y empuño los remos, hago avanzar el barco en zig-zag hasta situarlo en la mitad de la corriente.

Nuestras incautas convidadas no llegan a contemplar el cristal del río, ni a disfrutar la luz de las estrellas. Antón Llamoso empuja con ambas manos a la percherona, las inmensas nalgas retumban en el agua y elevan un torbellino de huracán. Sobre la marcha acuna entre sus brazos a la pequeña como niña de teta y la deja caer tiernamente en el río. Las putas saben nadar, son de Bermeo, no corren riesgo de ahogamiento. La giganta ha logrado asirse al filo del borde izquierdo, le magullo una y otra vez los nudillos con el remo, golpe a golpe la fuerzo a zambullirse de nuevo, ¡ballenaza! La otra, mi sardinita, sentada en el barro de la orilla, entrevera gimoteos de tonta con imprecaciones de arpía.

Allí las dejamos, empapadas, enronquecidas, infelices. A las primeras casas de Oñate, Antón Llamoso se detiene a orinar sobre la melena de piedra del león de la fuente.

—¡Qué linda fiesta, Lope de Aguirre! —dice, y se echa a reír.

En el entierro del padre se habla solamente de las Indias, del mundo de Cristóbal Colón, del colosal arcano desflorado por tres carabelas españolas. El padre está tendido en su ataúd de madera; una madera tan fresca que huele a árbol, no a cajón de difunto. Su perfil duro y afilado de gerifalte emerge como un cuchillo de los blancos rasos femeniles que lo arrebujan. No parece muerto sino ensimismado, aunque la verdad es que en vida nunca malgastó su tiempo en pensar: gruñía y trabajaba. Primero fue leñador. Al final no pudo con los inmensos árboles. Se resignaba a barbechar la tierra, volear la semilla, guadañar el trigo.

El padre era un viejo terco y áspero. Sacudió garrotazos sobre los lomos de los dos hijos hasta que cumplieron dieciséis años; mucho más duro le daba a Lope el pequeño que a Esteban el mayor. Motivos para romperles las costillas los había: arrojaban cacerolas de agua hirviente a los mendigos, enlazaban el gato de la señora Micaela y ahorcado lo izaban a la rama más alta del haya más propicia, arrancaban por la noche dos tablones al puente de Zubicoa que habrían de cruzar las recuas en la madrugada, criaban alacranes para esparcirlos luego en los camastros de las viejas santeras, una vez le untaron de mierda los hábitos al padre Calixto.

Nadie habla sino de las Indias, ninguno presta atención a los latines de fray Pedro Mártir, ni al llanto circunspecto de la madre, ni a la lluvia que cae reposadamente sobre el patio.

Al sonar la campana de las cuatro el tío Julián y otro viejo enlutado se acercan al difunto, Esteban y Lope de Aguirre también se acercan, lo llevarán en hombros hasta el cementerio que queda a no muchas varas de la casa. Adosada al portal del camposanto, una ermita se dirige a Dios por medio de plegarias escritas en sus muros. En el sendero que conduce a las tumbas exaltan el morir dos cruces de nogal en cuyos brazos el artista talló cráneos, fémures y sudarios. Entierran el cajón sin aspavientos, fray Pedro Mártir asperge con agua bendita los terrones mojados por la lluvia, regresan en silencio y cabizbajos, cuarenta hombres caminan paso a paso bajo los goterones, al cruzar una esquina vuelven a hablar de las Indias, de los conquistadores, del oro. En el país vasco, en España, en todo el viejo mundo no se habla de otra cosa.

FRAY PEDRO MÁRTIR *(de la Orden de Santo Domingo, natural de Segovia, confesor de la familia)*: —Vete a las Indias, Lope de Aguirre. Nuestra España es un pueblo elegido por Dios para preservar los bastiones de su doctrina, para batallar sin tregua contra la herejía y el paganismo. Más de siete siglos, desde Pelayo hasta Fernando, nos hartamos de combatir con armas y con puños y con dientes para librar al león ibérico de la coyunda musulmana, para arrojar de nuestro suelo a su Alá falso y a sus califas embusteros.

DON MIGUEL DE URIBARRI *(mi padrino de bautizo, propietario de yeserías y molinos de trigo)*: —Vete a las Indias, ahijado. En sus mares se encuentran perlas del grueso de una nuez y en sus cerros esmeraldas del tamaño de una manzana. Hay ciudades techadas con bóvedas de plata, donde el agua se bebe en cántaros de ágata y los niños juegan con aros de turquesa.

21

MI TÍO JULIÁN *(tejedor de quimeras, lector de libros de caballería y maestro de escuela)*: —Vete a las Indias, hijo mío. No son mentiras las hazañas de los Amadises y los Galaores que eternamente habíamos tenido por invenciones. Ni son patrañas las proezas griegas y romanas que glosan los trovadores. Ni son fantasías los mundos fabulosos que miramos cuando soñamos. En las Indias los ríos y los lagos semejan encarcelados mares de agua dulce de cuyas profundidades ascienden en la noche hidras de muchas cabezas que resoplan llamaradas por sus muchas narices.

JUANISCA GARIBAY *(en Aránzazu, cuando se callan las esquilas)*: —Vete a las Indias, *nere maitia*. Tú no naciste para segundón; no naciste para casarte conmigo ni con alguna otra muchacha de estas caserías, no naciste para que el lugar de tu nacimiento te pasmara el vuelo.

FRAY PEDRO MÁRTIR *(como si estuviera en el púlpito)*: —Vete a las Indias, Lope de Aguirre. Hemos echado de nuestro territorio a los judíos para preservarnos de sus cánticos anticristianos y de su sabiduría maligna. Nadie con tanta fuerza como la nuestra ha descargado el brazo de la Santa Inquisición para castigar sin contemplaciones los desvíos de la fe y las ofensas al Sumo Pontífice. No tardaremos en humillar la soberbia de los Solimanes y Barbarrojas que amenazan otra vez a la cristiandad con el poderío nefando del Islam. Borraremos de las páginas de la historia, por los siglos de los siglos, el nombre de Martín Lutero, injerto de Caín y Belcebú que predica la división de nuestra Iglesia y el quebrantamiento de nuestros símbolos.

MI PADRINO DON MIGUEL DE URIBARRI *(apartando los ojos de un grueso libro azul marino donde lleva las cuentas)*: —Vete a las Indias, ahijado. En las Indias hay comarcas sin límites donde se siembra la caña de azúcar, el algodón, el índigo; y la

22

tierra te devuelve mil veces tus sudores. Hay rebaños de indios que te son dados en propiedad para premiar tus servicios al Rey, y que trabajan noche y día para acrecentar tu hacienda. Y, refulgiendo por sobre todas las cosas, hay oro. No el oro brujo de los alquimistas, ni el oro que fabrican los judíos y los catalanes en sus cazuelas, sino oro verdadero, aquel que Dios puso entre los pliegues de la gleba para que los hombres se aprovecharan de él. Templos de oro macizo, príncipes que se bañan en polvos de oro, pesados collares de oro que los indios te truecan por un espejo.

MI TÍO JULIÁN DE ARAOZ *(los ojos fijos en la quietud del río donde ha hundido su cordel, las manos rígidas en espera del estremecimiento)*: —Vete a las Indias, hijo mío. En las Indias hay sirenas emplumadas que seducen al viajero con endulzadas melodías, y amazonas bravías que violan todas las noches a sus presos. Hay águilas fantasmales que trasladan al hombre entre sus garras hasta los despeñaderos nevados donde anidan sus polluelos, y mariposas inmensas cuyas alas azules ocultan la luz del sol. Hay árboles que al herirlos derraman manantiales de zumo perfumado, y hojas que al humearlas producen apariciones más tentadoras que las de San Antonio, y cactos que destilan un vino transparente y embriagador.

JUANISCA GARIBAY *(recostada al parral que trepa por las paredes, arrancando las uvas más gruesas de un racimo oscuro, sin volverse a mirarme)*: —Vete a las Indias, *nere bizia*. Nadie lo sabe, tan sólo yo lo sé, lo que esconde ese pequeño cuerpo tuyo cuya poquedad tanto te desvela. Caballero andante, héroe, conquistador, caudillo, gran rebelde, todas esas cosas habrás de ser.

FRAY PEDRO MÁRTIR *(solemne, predicador, al pie de una imagen de mármol de San Miguel Arcángel)*: —Vete a las Indias, Lope de Aguirre. En la hora presente Dios Todopoderoso

23

nos ha confiado la más sublime de las misiones, la de cristianizar un mundo desconocido donde nacen y mueren millones de seres extraños, nubes de indios bárbaros que aún no se sabe por cierto si tienen almas racionales. Mas, si por ventura las tienen, es indubitable deber nuestro el salvarlas del fuego eterno, acarrearlas al seno del Señor por obra y gracia de la mano gloriosa de nuestros guerreros y del verbo esclarecedor de nuestra Iglesia. Vete a las Indias, Lope de Aguirre, y reclama tu parte en el destino que a nuestra raza le ha trazado el Ser Supremo.

MI PADRINO DON MIGUEL DE URIBARRI *(su voz sobrepuja los rezos y murmureos de las mujeres de la casa)*: —Vete a las Indias, ahijado. Aquí en Oñate no pasarás de yegüerizo o clavetero, la vida se te consumirá forjando lanzas y curtiendo cueros, te morirás sentado junto a la chimenea con un perro dormitando a tus pies, igual que todos se han muerto y seguiremos muriéndonos en esta aldea. Vete a las Indias, ahijado, y vuelve mañana a Oñate convertido en poderoso, trayendo por bagaje grandes cofres atestados de doblones de oro y aderezos de plata.

MI TÍO JULIÁN DE ARAOZ *(apuntando con su garrote hacia la puesta del sol)*: —Vete a las Indias, hijo mío. En las Indias hay enanos chicos como dedales que se baten a flechazos con los escorpiones, y gigantes que arrancan de cuajo los enormes árboles y se los echan al hombro como rastrojos. Hay un elixir blanco como la leche que el beberlo devuelve a los viejos la inaccesible juventud, y vírgenes color de la canela que corren desnudas por las playas al encuentro de los conquistadores.

JUANISCA GARIBAY *(con los ojos cerrados)*: —Vete a las Indias, *nere biotza*. De tu nombre harán mención los libros más allá de tus nietos.

Durante no poco tiempo, pongamos un año, Lope de Aguirre malbarató las suelas de sus zapatos en callejas y avenidas, se cruzaba de día y de noche con frailes enfermos que pedían limosna y rezaban credos innecesarios. A Sevilla lo trajeron las aguas del Guadalquivir, pasajero de mogollón en una balsa cimbrada por un cargamento de melones, membrillos y zamboas. Lope de Aguirre dormía de espaldas sobre los tablones, si no dormía contaba resignadamente las estrellas, escuchaba la voz desgastada del otro vagabundo, un viejo asturiano que recitaba romances de desengaño y muerte. Lope de Aguirre descendió una mañana de mayo en un muelle escarchado de colorines y gritos, rebosado de gente deslenguada y mentirosa, los perros ladraban con acompañamiento de guitarra, Sevilla era un oleaje de cantos y pregones, dogaresa del trigo, sultana del aceite, emperatriz del vino. Lope de Aguirre fue a dar consigo en un corral de vecinos administrado por una guipuzcoana de Vergara, un patio inmenso cercado por cuartuchos lúgubres, el más oscuro era el suyo. Por las noches todos los recintos se apareaban en tinieblas, dependían de un candil maciento que se repetía en uno y otro aparador. Lope de Aguirre se alejaba de su zahurda al brote del alba, recorría las mismas calles de ayer, rezongaba las mismas maldiciones, se aferraba al mismo pensamiento. La mañana se llenaba pronto de soldados, mendigos, estudiantes, balandranes, togas, cofias, mantillas y abanicos. Lope de Aguirre se encaminaba tercamente hacia la Casa de la Contratación, allí se constituían las flotas, se anotaban los nombres de los aspirantes, se otorgaban licencias, se recaudaban impuestos, se repartían herencias, se sentenciaban juicios, se daban lecciones de pilotaje, en todos sus rincones se hablaba sin parar de las Indias. La Casa de la Contratación era un almacén espacioso y descolorido levantado a cierta distancia de la Giralda, lejos de su portal florecían las azaleas del río. Si lograbas esquivar las preguntas impertinentes del cancerbero entrabas a un corredor empedrado, en su extremo izquierdo resplandecía una fuente encostrada de azulejos, en el derecho cavilaba un pozo con brocal de mármol. Las dos plantas interiores del edificio eran salas anegadas de pergaminos y libracos, guaridas de ratones y cucarachas, cubiles de contadores y escribientes, desembarcadero de solicitantes e intrusos. Entraban y salían, subían y bajaban las escaleras personajes de diversa estofa y ánimo, éste suplicaba noticias del hermano desaparecido en La Florida, este otro deseaba comprar perlas de la Margarita. Tú te embriagabas de sueños el lunes, te descorazonabas el miércoles, te exasperabas el viernes, los cagatintas te aconsejaban volver la semana siguiente o te pedían una fianza que no podías alcanzar, don Rodrigo Durán te ofrecía plaza de labrador en Tierra Firme, tú le respondías que no eras labrador sino soldado, enfrente estaba la iglesia de Santa Isabel pero nunca se te ocurrió a la mente entrar a rezar en ella. Sevilla era una floreciente ciudad, el fénix del orbe, la reina del océano, olorosa a azahares y a vino moscatel, reflejada en los espejos de un río que tan sólo para mirarla había bajado de las montañas. Tú, Lope de Aguirre, morabas en un corral de vecinos, dormías en el más mugriento arrabal de Triana, para volver a tu casa era inevitable saltar por sobre basureros y gatos muertos, abrirse paso por entre nieblas de pestilencia y llantos de mendigos, apartar brutalmente a los enfermos reales o ficticios que te cerraban el camino, la Casa de la Contratación archivaba cuidadosamente tus solicitudes y tus imprecaciones, al final se te consumió la paciencia y te fuiste a vivir con los gitanos.

De cómo vine a compartir tienda con los gitanos, sin tener una gota de su sangre, es historia derivada del loco azar. El viejo tratante se metió de rondón en el patio con un jamelgo de las bridas, pretendía venderlo a un precio inmerecido, mintió cuando dijo la edad del animal, mintió cuando ponderó su alcurnia, mintió cuando juró que tenía los huesos intactos. Aquél era un matalote con las rodillas quebradas, las paletas se le salían del cuero, le eché más de quince años de sufrimientos. El tratante infirió de mi aspecto que yo no disponía de blanca para comprarlo, sospechó en mi mirada que mi natural malicioso me aconsejaba no creerle, incluso descubrió que yo entendía demasiado de caballos. Pero no me entremetí cuando se lo ofreció en venta a uno de mis vecinos, un portugués tacaño y ceremonioso, más todavía, lo ayudé a concertar el negocio, apoyé sus embustes con aprobaciones de cabeza. El gitano y yo pasamos del entendimiento a la amistad, se llama Tomás pero lo mientan el Tordillo, yo estaba harto de aquel miserable corral de vecinos, ahíto de la Casa de la Contratación que me daba cada día con el portón en las narices, le propuse al Tordillo irme a vivir con ellos y sus caballos, el gitano no salía de su asombro en oyendo a un cristiano hijodalgo y vascongado hablar de ese modo, le caí en gracia aunque carezco de ella, dijo que no me arrendaba la ganancia mas complació mis pretensiones.

Tal como me saben a hiel los franceses y los andaluces,

me endulzan el alma los gitanos. No se afane vuestra merced en replicarme que son ladrones porque ya lo sé. Mas admita en descargo vuestra merced que para ellos el robo no es un delito sino un medio de ganarse la vida, una profesión, y ninguna profesión es pecado, salvo la putería. De igual manera, matar a un semejante es un crimen, pero si quien lo mata es un soldado en guerra o en misión, ha cometido la dicha culpa por hacer su oficio y Dios lo perdona. El primer trabajo que me propuso mi amigo gitano fue el de robar en su compañía, y aunque el no hurtar es uno de los mandamientos capitales que recibió Moisés en el Sinaí, fui con el Tordillo de buen grado hasta el zaquizamí de un judío usurero, donde él apañó dos escudos de oro y no sé cuántos maravedís, en tanto que yo vigilaba los contornos a modo de centinela. Y si me negué porfiadamente a acompañarlo una segunda vez, no fue sólo por prescripción religiosa sino porque a los vascos, aunque luzca vanaglorioso el decirlo, no nos hace placer el dinero robado.

Tampoco arguya vuestra merced que los gitanos son aficionados al amor incestuoso pues también lo sé. Admiten el incesto, no lo niego, mas repudian el adulterio, y en esto sí se ciñen a los códigos del Antiguo Testamento. La ley de Dios nos prohíbe codiciar la mujer de nuestro prójimo, José puso los pies en polvorosa para no darle gusto a la de Putifar, pero en ningún capítulo condenan el ayuntamiento con nuestras hermanas, ni con una parienta todavía más cercana y respetable. Hasta los niños de doctrina saben y repiten que la raza humana habría desaparecido antes de llegar a su tercera generación si Caín, o tal vez Abel, o más probable un tercer hijo de Adán llamado Set, hubieran tenido recato o recelo de engendrar esa generación en el vientre materno, no existía otro.

La primera virtud que aprendí de los gitanos fue el sufrimiento, ya que el amor a la libertad lo traía arraigado en el pecho desde Oñate. Mas el que no está dispuesto a sobrellevar privaciones y a desafiar inclemencias, ése corre el riesgo de desperdiciar su libertad. Se duerme sobre un colchón cuando hay colchón, mas si no lo hay se duerme sobre estera o en parva, o no se duerme. Se come en mantel de posada cuando hay viandas y vino, mas si no los hay se cena pan de hogaza y frutos que regala la tierra, o no se cena. Se descansa el cuerpo cuando hay tiempo para descansar y sombra donde tumbarse, mas si no los hay se prosigue el camino sin aliviar los hombros del peso que llevan. Los huesos en reposo se enmohecen, las manos en reposo se amariconan, los ojos en reposo se enlagañan, la inteligencia en reposo se menoscaba. Camine vuestra merced por campos y collados, duerma a cielo desnudo, tire la barra, baile zapateado, trepe a los árboles, nade en el río, no se ablande con los aguaceros, ni se derrita con los soles, ni se frunza con las nieves, todo eso me enseñaron los gitanos.

También aprendí de ellos a domar caballos, trabajo para el cual no me faltaba disposición. Había consumido mi mocedad a lomo de yegua, pastoreando entre Guezalka y Artia. Pero una cosa es montar caballo amansado y otra muy diferente es domar al cerrero. Sepa vuestra merced que este potro al cual me tocó echarle hoy la pierna no había sido nunca cinchado hasta el día de anteayer. Una semana atrás llegó al campamento, lo trajo a media noche el Tordillo, nadie sabe en qué cercado ajeno lo descubrió. Al romper del alba iba yo a pasarle la mano por las crines oscuras, le llevaba zanahorias y terrones de azúcar piedra, luego el Tordillo me lo sujetaba y yo lo montaba en simulacro para que se acostumbrara a mi peso. No le decía al Tordillo que lo soltara porque aún lo sentía descomedido y follón, me lanzaría por tierra. Finalmente le pedí hoy que nos dejara solos pues el potrillo había comenzado a considerarme amigo suyo, casi me lo dijo. No crea vuestra merced que hay caballos mañosos o resabiados de nacimiento, se desmandan así los mal domados, los que no encontraron amansador que los entendiera. La doma no es una prueba de fuerza, ni de coraje, sino un fruto de la astucia. Al cabo de tres meses de andar entre los gitanos, ningún potro se me alza de manos para tumbarme, ni se tira contra las palizadas para estrellarme, ni se me desboca chiflado por la llanura. En el arte de la doma participan todos los miembros del cuerpo, la cintura para acompañar al potrillo en sus impulsos, las manos y los brazos para mover las riendas como es debido, las piernas para apretar las ijadas, los talones para mandar las órdenes, el grito de la boca para incitar a correr, el cerebro para resolver las dificultades. Repare un poco más vuestra merced en este morcillo, nadie diría que lo están desbraveciendo, ninguno pensaría que un jinete lo está montando por primera vez.

Por último me enseñaron a servirme de la espada y la daga; el arcabuz no es bastante para irse a las Indias, créamelo vuestra merced. El gitano que me instruyó en la defensa propia calza más puntos que los tratados de Pedro Muncio, aunque no los ha leído, no sabe leer. A ese mi profesor de las armas blancas lo llaman el Canónigo, irreverencias de los gitanos, ¡válgame Dios! Me confió los secretos de su estocada maestra, me forzó a repetir mil veces los movimientos del engaño hasta que supe hacerlos por natural instinto. El Canónigo es un espadachín serio y profundo, no pierde el tiempo en fantasías ni en floreos, su finalidad no es deslumbrar al adversario sino herirlo mortalmente. Es conveniente rasguñarle la frente, la sangre baja por los ojos y lo ciega, ya ciego es más sencillo darle su merecido, dice el Canónigo. Lo principal es mantener la mirada fija en los ojos del contrario, adivinarle sus movimientos, sus miedos, sus intenciones, dice el Canónigo.

Ninguno de esos conocimientos te servirá de algo, Lope de Aguirre, mientras no te hayas puesto enfrente de un enemigo de carne y hueso. Nadie sabe lo que vale con la espada en la mano hasta tanto no la use para herir de verdad. Pelear por enseñanza, por ejercicio, por fiestas, no es pelear. Cuando te juegues la vida en duelo por vez primera, cuando entiendas que para salvarla hay que quitar de enmedio la del otro, quiera Dios que en ese instante no te tiemble la mano.

Le juro a vuestra merced que no me tembló. La malaventura sucedió en uno de los callejones de Triana que conducen al corral de vecinos donde yo había vivido. De tarde en tarde me alejaba de mis gitanos y entraba a Sevilla, a dar una vuelta a la Casa de la Contratación, e indagar si había noticias sobre jornadas a las Indias. Por la noche me acercaba al postigo de la guipuzcoana que manejaba el corral, era viuda por cierto, algo agraciada pese al lunar de pelos que le hombreaba la mejilla, me recibía con tiernos ojos. La buena mujer me hablaba en mi idioma, me agasajaba con limonadas y malvasía, guardaba para mí copitas de vino generoso y rosquillas hechas por manos de monjas, se arrellanaba luego a contarme agudezas de su difunto esposo, suspiraba tiernamente, no había otro remedio sino consolarla en una gran cama de cobertor y colcha que ocupaba casi la mitad de su vivienda, y si saco a luz estos amorosos pasatiempos es porque sin ellos no se explica lo que ocurrió después. Había sido noche de visita a la viuda, ya mis pasos cruzaban una esquina y se alejaban hacia el campamento, salió de las sombras un corchete medio borracho, rompió a dar voces destempladas, sus gritos me acusaban de ladrón y otras infamias. Quise persuadirlo con razones, no entraba en mis propósitos una pendencia con comisarios ni cuadrilleros, el deslenguado se creció de ánimo interpretando como miedo mi cordura, añadió la injuria de cobarde a las anteriores, se me anublaron los ojos, saqué la espada sin olvidarme de la estocada maestra que me había enseñado el Canónigo, cómo la iba a olvidar. Debo confesar a vuestra merced que de repente me sentí más reposado que antes, se me aclararon los ojos, el corchete comenzó a tirar sablazos desatentados, lo detuve fácilmente con quites de mi espada, a dos por tres le apliqué la enseñanza más aventajada del Canónigo, se derrumbó patas arriba en el empedrado sin dejar de gritar como un endemoniado, se encomendaba al Apóstol Santiago y a Nuestra Señora de Guadalupe, ya no me llamaba ladrón sino criminal. Le digo a vuestra merced que no tuve tiempo de limpiar el acero, comenzaba a clarear una mañana sucia, me escurrí pegado a las paredes, la gente despertada por los ayes del herido se asomaba a puertas y ventanas, el herido dejó de gritar, no creo que estuviera muerto del todo, la espada le entró por el lado izquierdo del pecho, con un milagro de la Virgen y quince puntos cirujanos podía curarse. ¿Creerá vuestra merced si le digo que aquel raro accidente me trajo buena y no mala fortuna? Cuatro días más tarde volví a Sevilla, nadie se refirió a la desventura del corchete, nunca alcancé a saber si estaba vivo o muerto, en la Casa de la Contratación me esperaba don Rodrigo Durán con preciosas noticias, le habían dado licencia para hacerse a la mar con sus galeones, embarcaría más de doscientos hombres, yo era uno de ellos.

¿Nombre? Lope de Aguirre. ¿Edad? Veintidós años. ¿Padres? Esteban de Aguirre y Elvira de Araoz. ¿Barco que tomará? El San Antonio. ¿Puerto de llegada? Cartagena de Indias. ¿Profesión? Labrador. Hube de decir labrador y no soldado ya que aquella navegación requería labradores y no soldados.

El San Antonio zarpó de Sanlúcar de Barrameda el día doce de mayo de mil quinientos treinta y cuatro, los torreones se perdieron de vista al mediodía, castigaba las cabezas un sol indigno de la primavera. El San Antonio formaba pareja con el San Francisco, éste se haría a la vela tres horas más tarde. Eran dos curtidos veleros de estirpe veneciana, habían dado tumbos por luengos años en aguas mediterráneas, transportando mercaderías cristianas y huyendo de las galeras moras. El contador andaluz Rodrigo Durán los compró en Nápoles a precio de desecho, les mandó dar una mano de pintura gris para volverlos más tristes, los destinó para comerciar con el Nuevo Mundo, podían llegar o no llegar. El San Antonio era una carraca de ciento cincuenta toneladas de carga y más de doscientos seres vivientes a bordo: el propietario don Rodrigo Durán que era el jefe en tierra, el piloto que era el jefe en alta mar, el contramaestre, los marineros, los grumetes, el mayordomo, el cocinero, el carpintero, el tonelero, el barbero que presumía también de médico, el boticario, los escribanos, los soldados, los veedores, los clérigos, las monjas, los labradores con sus correspondientes labradoras, las ovejas, los cerdos, las aves de corral y yo, Lope de Aguirre. En cuanto al fardaje inanimado, estaba compuesto por pellejos de aceite y panzudos barriles de vino, un rimero de cajas de variado contenido no adivinable, amén del bagaje de los pasajeros que incluía desde las camas para dormir en el Nuevo Mundo hasta los jamones y galletas para alimentarse en la travesía. Apenas quedaba sitio donde tenderse a dormir, donde hincarse a rezar el rosario, donde arrinconarse a desahogar las necesidades del cuerpo.

La pesadumbre se agravó cuando comenzó a corcovear el barco y a marearse la gente que en su mayoría no era marinera ni siquiera de río. La primera en vomitar fue una de las labradoras, había comido chorizos, la siguió uno de los clérigos conmovido y contagiado del lastimoso espectáculo, nadie se contuvo de allí adelante, había que caminar por sobre aquellas gelatinas, era forzoso respirar aquellas agrias fetideces, yo no vomité por pura tozudez oñatiarra. Para mayor desgracia el agua dulce se repartía en raciones de medio azumbre diario, a ninguno le sobraba para lavarse, los malos olores desfiguraban encarnizadamente el aroma lozano del mar. Sin contar los plañidos y los arrepentimientos, la cobardía que también huele pésimo. La mitad de los pasajeros maldecía su voluntario destino, aquel viaje era un suplicio más insoportable que la condenación eterna, quién nos mandaría a montarnos en este caballo loco de madera que llaman malamente galeón, de las Canarias nos devolveremos a España, juramos por todos los santos que de Tenerife no pasaremos. Aunque lo histórico es que en desembarcando en la Gomera todos recobraron la alegría de vivir, la color retornó a los carrillos de los pálidos, los bodegones de la isla olían a queso y embutidos, nadie se acordaba de los vómitos, nadie renegaba de los piojos que nos habían martirizado, se hablaba otra vez de las Indias con arrebatado pensamiento y codicia y afán de gloria. Inclusive sor Eduvigis, la que se desmayó tres veces en la cubierta, la pobre soñaba con llegar a ser madre superiora de un fabuloso convento en la Española, todos creímos que iba a morirse en mitad del tercer éxtasis, uno de los frailes la confesó bajo el parpadeo de las estrellas, le untó los santos óleos al rayar el sol, parecía inevitable que arrojáramos su robusto cadáver al agua, inclusive sor Eduvigis descendió por sus propios pasos a tierra y rezó una salve con voz milagrosamente restaurada.

De la Gomera al Nuevo Mundo las calamidades fueron las mismas y más prolongadas, mas ahora nadie les prestaba atención. La ensoñación de las Indias arrebozaba la miseria y la suciedad con un extraño velo, las bocas dejaron de vomitar y blasfemar, salieron a relucir las vihuelas, compitieron entre sí las canciones regionales, brotaron de las arquillas las barajas y los dados, se pasearon de mano en mano las garrafas de vino. Ni el canto ni el juego son debilidades mías, aunque nunca he ocultado que me place beber lo necesario. A la luz de una botella de clarete me hice casi amigo de un escribano o rábula que viajaba a las Indias por segunda vez, de la primera no logró volver rico porque se lo impidieron unos bubones deshonestamente adquiridos, otra suerte le vendría en este nuevo intento, el gobernador de Calamar o Cartagena don Pedro de Heredia era su compadre de sacramento, le abrirá los oídos a todas sus peticiones, vuestra merced obtendrá sin dilación la plaza de soldado que ambiciona, me dijo. También me prestó un libro de caballerías, impreso en Salamanca y titulado "Tirante el Blanco", que leí por lo menos tres veces pues ninguna otra cosa podía hacer salvo cansarme los ojos de tanto mirar el mar. Era un mar tan inmenso, tan abandonado, tan espejo del de ayer y del de mañana que mi mente comenzó a desear una tempestad que lo transformara en un mar distinto, tempestad que afortunadamente nunca vino. Una tarde se encendió frente a nosotros el cielo del poniente, no en quietas nubes rojas sino en llamas que ondeaban como látigos, a mí me pareció una gran ciudad que ardía hasta sus cimientos, sor Eduvigis por su parte creyó avanzar hacia el purgatorio, quizás hacia el infierno, se alzó de su colchón como los muertos del Apocalipsis, ¡Aplaca Señor tu ira!,

¡Ten misericordia de nosotros!, el contramaestre la apaciguó con un trago de aguardiente puro. Al día siguiente del fementido incendio sepultóse nuestro barco en una niebla espesa, algodón impalpable que borró los verdes del mar y los azules del cielo, navegamos horas y horas en medio de aquel encaje tibio que nos envolvía como un claustro materno, al salir de él refulgía en las alturas un sol estruendoso, una hoguera viva que nos cercaba y que amenazaba extenderse a las maderas del barco, no se quemaron las maderas pero sí el trigo que llevábamos, murieron acezantes tres ovejas, jamás azotó mi piel calor igual, me doblegué vencido por una fiebre de acero y brasas, la frente me ardía en llamas como boca de fragua, entendí que había cruzado la raya de la locura pero nada dije, me acurruqué inmóvil y callado entre dos fardos. San Miguel descendió implacable de los cielos para alancear una vez más a Lucifer, lo oí saltar del mástil más alto a los maderos de la quilla, lo vi convertirse en furibundo mascarón de proa, Satanás aterrado no se atrevía a asomar la cabeza de las aguas. Después el cielo se puso cristalino, los latidos de mi corazón recuperaron su sosiego, San Miguel levantó un vuelo majestuoso y triunfal, en su lugar aparecieron bandadas de pájaros, pardeles, grajaos, rabos de junco, pelícanos, gaviotas, alcatraces y algunos de un verdor desconocido, los mismos que le dieron la bienvenida a Cristóbal Colón en su primer viaje. De improviso se dibujó a lo lejos una mancha parda, enmudecidos vimos acercarse poco a poco los garabatos de los palmares y el gris salvaje de las rocas, era la Deseada, semilla del Nuevo Mundo.

(CARTA DEL SARGENTO Lope de Aguirre a Don Carlos invencible, por la divina clemencia Emperador semperaugusto, rey de Alemania, por la misma gracia rey de Castilla, de Aragón, de León, de Navarra, de Galicia, de Toledo, de Sevilla, de Córdova, de los Algarves, de Algeciras, de Gibraltar, de Granada, de Jaén, de Murcia, de Valencia, de Mallorcas, de Cerdeña, de Córcega, de las dos Sicilias, de Jerusalem, de las Islas de Canaria, de las Islas Indias y Tierra Firme del Mar Océano, archiduque de Austria, duque de Borgoña y de Bravante y de Milán, marqués de Oristán y de Goziano, duque de Atenas y de Neopatria y de Rosellón, señor de Vizcaya y de Molina, conde de Flandes y de Tirol y de Barcelona, etc., etc.)

"Cristianísimo y poderosísimo Señor:
"Me llamo Lope de Aguirre y hace diez y seis años me hice a la mar en el puerto de San Lúcar de Barrameda, acarreando en lugar de bagaje el propósito de servir a Vuestra sacra real católica Majestad, bien dispuesto a consumir la vida si fuese menester por darle mayor gloria a España, solícito por ser parte en descubrimientos que sumaran mas ríos y penínsulas a los dominios de Vuestra Majestad, afanado por aprisionar indios bárbaros que en el cautiverio sintiéranse libertados de sus malignos demonios y se abrazaran con deleite a la fe de Cristo. Érame yo para estos tiempos un mancebo pequeño en

37

la estatura aunque gigante en ansias, nunca ansias de riqueza y hacienda que a la postre son manjares que envilecen, sino de gloria y batallas que tras dello se nace cuando se sabe nacer.

"Esta carta o desfogue del ánima que, Dios mediante nunca habrá de llegar a las excelsas manos de Vuestra Majestad, tantos son la distancia y más los impedimentos que estiéndense entrellas y las mías, se la escribe a Vuestra Majestad el menor de todos sus servidores, un soldado vascongado entristecido por la melancolía de corazón que se siente en el Cuzco al apagarse la tarde y que fuérzame a ventear los recuerdos, pues sería pernicioso yerro dejarlos a morir enconados adentro.

"En mucho lastimóme, Emperador augusto, que no fuera el encargo de librar combates para engrandecer los límites del reino de España, la suerte que me cupo al poner pie en Cartagena y alistarme de soldado, sino la inominiosa bellaquería de allanar sepulturas de indios con la intención de hurtar a los difuntos las jícaras de oro y los macizos ídolos de lo mesmo que sus parientes habían enterrado por debajo dellos. En tales correrías fatigaba por entero sus tropas don Pedro de Heredia, a la sazón gobernador de Cartagena y capitán nuestro, y placíale más la pertenencia del oro que la misericordia de Dios. Y héteme allí a este hervoroso y mínimo servidor de Vuestra Majestad enmudeciendo sus sueños de conquista; trastrocado de guerrero en profanador de cementerios, sacrilegio éste que la Santa Inquisición castiga con sus rigurosas hogueras; arrebatándole el reposo a las mal aventuradas almas de los indios, y digo esto último de las almas porque su facultad de seres humanos se las concede, ansí un fraile de Murcia que entre nosotros andaba ponía a Dios por testigo de que no las han. Tan contumaces y deprimentes se volvieron las codicias de don Pedro de Heredia y de su hermano Alfonso que por mucho ardorosas que fuesen nuestras guazábaras con los indios, hartéme al cabo de vagar por medio del Cenú, el Pancenú y el Fincenú, hurgando esqueletos y soplando calaveras, tanto que escogí zafarme del real en compañía del capitán Francisco César, un cordobés bravoso y arriscado como no hubo otro. Deste modo fuimos a dar con nuestros cuerpos en Castilla del Oro, y el gobernador Barrionuevo nos acogió con su beneplácito, pues tampoco a él caíale en gracia la viciosa avaricia de los Heredia.

"Aventuras y malas venturas en gran suma hube de encarar en la dicha Castilla del Oro y en Veragua, lugares adonde los naturales adoraban al tigre sanguinario, que en la creencia dellos era una horrorosa bestia amarilla maculada de negro y armada de luengos colmillos, y adoraban al par a la diosa Dabaida, que en la creencia dellos era una dama pulcra y hermosa, en cuyos templos decíase que brillaba oro muy fino y bueno en demasía. El gobernador de Panamá don Francisco de Barrionuevo empederníase en la imposible empresa de juntar las aguas del inmenso mar descubierto por Núñez de Balboa con las otras aguas descomunales del mar Océano de Colón, hazaña milagrosa y descabellada que solamente la portentosa mano de Dios alcanzaría a coronar. Mas el dicho gobernador hízome resbalar en su mesmo desvarío y meses enteros caminé por en medio de salvajes selvas y despeñaderos; las tinieblosas serranías del Darién lleváronme a olvidar los rayos del sol; atravesé ciénegas verdes de cuyo barro vuelan al cielo muchedumbres de mosquitos y manan fiebres pestíferas; arrostré la mordedura de venenosas víboras y de esotras serpientes infernales que llevan campanillas en la cola; curtíme trepando torrentosas corrientes, subido a balsas, piraguas y bergantines; en dos trances estuve en un negro de uña de servir de manjar a los tramposos caimanes; entristecióme por de dentro el lamento de pájaros agoreros que parecían plañir mi sentencia de muerte; y hube menester de desafiar sin tregua ni descanso a las terribles flechas enherboladas de los indios, que atemorizan a los ánimos más constantes; y entre mis brazos finaron tres de los nuestros soldados a quienes la ponzoña de los dardos ennegreció la tez antes de traerles la muerte. Mezquinas monedas pesó en mi provecho la romana del veedor en pago y trueco de mis esfuerzos, mas tuve en grandé contento y honra el recebir al cabo de un tiempo una real cédula otorgada en Valladolid por la cual se me hacía merced de un regimiento en el Pirú, «en recompensa de sus servicios, suficiencia y habilidad», que deste modo rezaba el escripto. Vuelto agora regidor lleguéme a esta tierra del Cuzco, que es muy sin comparación un prodigio, y al pisarla me llenó su vista de alborozo tanto, que desde luego perdí memoria de lo sufrido y bendije mil veces a Vuestra Majestad y a Dios nuestro Señor.

"Con ser como digo, no gané el reposo que tampoco buscaba en esta parte la más fabulosa y ansímesmo la más conturbada del Nuevo Mundo. Allende desto, pregúntome yo, ¿dónde irá el buey que no are y el guerrero que no contienda? En este Pirú soñábase a trochemoche por motivo de las tierras de los Chunchos, tal como sospirábase en Panamá por el Dabaibe, y en Quito por el país de la Canela, y en toda Tierra Firme por el Dorado. Los indios platicaban no sé qué y sí sé qué: que pasados los Chunchos se alzaba una ciudad cuyas plazas las empedraba el oro en barras; que acá las vetas de plata empujaban por reventar las costuras de la tierra; que acullá se abrían serenas praderas y ríos cristalinos que diríanse espejos del paraíso terrenal. Tres veces encandelóme la ilusión de los Chunchos y otras tantas partíme a conquistar indios y fundar pueblos en servicio de Vuestra Majestad, y de todas torné a mi casa descalabrado, tras haber sufrido por la cual causa los más crudos sinsabores que al corazón humano cábele padecer. La primera entrada hícela en seguimiento del griego Pero de Candía, y ningún provecho sacamos della, salvo apartarnos cien veces del justo rumbo y nos perder enmedio de las montañas más lóbregas de la tierra, y rescebir en las cabezas los lloveres más diluviales del firmamento, y nos ser forzoso abrir trochas con hachas y machetes, y nos descolgar de precipicios valiéndonos de sogas que aquí llámanse bejucos, y matar a unos pocos indios que su defensa no intentaron, y tornarnos al Cuzco con las almas contritas, los pies abultados y el lastimero cuerpo agujereado por las espinas.

"Cuanto dije y aun mayormente dañosa fue mi segunda entrada a los Chunchos, cumplida bajo el mando de Peranzures, el que llevaba como segundo a Juan Antonio Palomino. Y aunque ambos eran de mancomún ejercitados capitanes, y a la dicha jornada partiéronse más de trescientos soldados españoles, amén de ocho mil gentes de servicio entre indios y negros, mal provecho y ruin fortuna hubimos todos. Llovieron sobre nuestras personas las más pésimas enemigas, y dellas la principalmente pavorosa nos fue la hambre. Entremetidos en hondas y escuras serranías acabamos nuestro bastimento; y no volvimos a divisar maíz ni yuca, ni yerbas que pudiéranse chupar; y hubimos de matar a los nuestros caballos uno tras otro, ante todas cosas por comernos su carne, y comernos luego los cueros dellos, y las tripas y vergas viriles dellos, que nada dellos nos repugnaba. Dende en adelante los indios y las indias dieron por morirse a cada paso; y los indios vivos comíanse llorando de congoja a los indios muertos, tanta era su hambre, y hube gran lástima dellos. Por añadidura hubimos esta vez de guerrear con indios bárbaros que nos acarrearon muchas muertes y heridas. De los indios y negros que en nuestra jornada iban, acabaron vivientes apenas cuatro mil, por mejor decir la media parte de cuantos salieron del Cuzco; y entre los españoles fenecieron sus vidas ciento cincuenta y cuatro, por mejor decir la mitad menos uno de quienes empezamos la entrada, y ese uno de menos sospecho haber sido yo, ¡Dios Todopoderoso sea bendito! Cuando tornamos a ir al poblado del Cuzco, aquellos que alcanzamos a volver caíamonos que no nos podíamos tener, y la gente sin nos reconocer nos tomaba por fantasmas de nosotros mesmos, y juramos todos a una no adelantarnos ninguna otra vez a los Chunchos por siempre jamás, amén.

"Mas quiso Dios hacerme irreducible de corazón, y no lo digo por vanagloriarme. Al punto y hora que se hartó mi hambre y sanaron mis llagas, aprestéme a una tercera entrada al Sueste con Diego de Rojas, y más allá de un grande lago fundamos una villa que llamóse La Plata, y arribamos luego después al valle de Tarija. Y aunque destas jornadas saqué nuevos quebrantos y calenturas, no me hice de rogar para partirme a una cuarta entrada a las tierras del Sur, estotra bajo el mando de Perálvarez de Holguín. Mas aquesta vez no pasamos de Chuquiavo, parte adonde supimos que los de Almagro habían matado en la Ciudad de los Reyes a don Francisco Pizarro, y se nos convocaba a combatir en contra dellos. A toda priesa nos volvimos al Cuzco, y rompióse de allí a poco en Chupas una furiosa batalla, en la que el gobernador Vaca de Castro y los de Pizarro vencieron y desbarataron a los de Almagro, y mi capitán Perálvarez de Holguín perdió la vida en la contienda, y yo aparté mi persona de estar en ella, no por el temor de topar mi muerte, miedo que nunca me ha acogotado, sino por buenas razones que me amparan, como agora verá Vuestra Majestad si prosigue en la fatiga de leer esta carta.

"Tenga Vuestra Majestad por historia verdadera que dende mi llegada al Pirú, que yo entiendo como tierra la más manífica del orbe, se han visto mis ojos obligados a presenciar las hazañas de los Pizarros y los Almagros, y de aditamento las pendencias entrellos mesmos, porfía que ha acabado por apartarlos deste mundo, tanto a los unos como a los otros. Por cierto tengo que no lidiaban entre sí por afición a Vuestra Majestad, ni por mayor gloria de España, sino por el apetito de oro que les movía todos sus huesos. La entrada de Francisco Pizarro y Diego de Almagro a estas comarcas de vuestro reino empezó con más señales de negocio que de aventura, y sabido es de todos que los mercaderes y aprovechados de la empresa quedáronse en Panamá en espera del beneficio, y es público y notorio que armas y estipendios fueron préstamos anticipados por cierto clérigo Luque que administraba los dineros de otro cierto licenciado Espinosa, que ansí se llamaban dichos mercaderes. Otrosi, Pizarro y Almagro no se miraban como compañeros de armas, sino más bien con ojeriza de piratas rivales, de reojo y celando quien de entrellos ordeñaba mayor plata de sus proezas. Tengo para mí que ningún cristiano osaría negar que ambos a dos fueron conquistadores temerarios, y que jugáronse la sangre una y cien veces en el cumplimiento de sus acciones, aunque, en aceptándolo, dígome yo, ¿cuál de los hombres cabales que dejaron casa y familia para partirse a las Indias, anda escurriendo la figura al sufrimiento y la muerte? Ha dicho Vuestra Majestad en ilustre ocasión que la grandeza del hombre ha menester de otras adiciones encima del arrojo y la bravura, y era a fe mía aquesas las prendas de que carecían tanto los Pizarros como los Almagros. Absuelva Vuestra Majestad, altísimo y poderoso Emperador, mi ruda franqueza, en merced del mucho amor que le tengo; mas debo decirle a Vuestra Majestad sin empacho alguno que nunca fueron ángeles de mi altar los Almagros ni los Pizarros, y muy especialmente menos estos últimos, puesto que los Almagros siquiera derramaban los dineros que habían exprimido, en tanto los Pizarros los encofraban en arca de fierro, y desde luego perdían la llave, hasta trocarse como se trocaron, en los hombres más ricos del Pirú, quizá de todo el universo mundo. Ansímesmo, Pizarros y Almagros arrebataban vidas humanas sin excusa ni razón, desenfrenaban una ferocidad que volvíase en contra dellos mesmos y en entredicho del buen crédito de Vuestra Majestad. ¿No fueron maldades superfluas las de escarnecer y martirizar a los indios, si con deshazerlos del oro bastaba y sobraba? ¿Qué privilegio se ganaba degollando al inca Atagualpa, tras haberlo forzado a dar rescate de tanta cuantía, si embiándolo cautivo a besar los pies de Vuestra Majestad cumplíase obra más cristiana y de mayor lustre? Tocóme a mí hallarme presente entre el corro de curiosos el día lastimero en que Hernando Pizarro mandóles cortar las manos derechas a seiscientos naturales en la plaza del Cuzco, dejando ansí con vida a seiscientos mancos enemigos de Vuestra Majestad; y igualmente tocóme el infortunio de asistir al trance postrimero de no pequeño número de hombres humanos llevados al tormento y al patíbulo. No es que me acobarde el ánimo, serenísimo Rey y Emperador, el pensamiento de matar a un semejante, que ningún cristiano está libre de hacerlo si es disposición de la Providencia, mas también es cosa muy cierta que he visto pasar diez y seis años sobrellevando con cordura vida trabajosa en el Nuevo Mundo y hasta la luna desta noche no he dado muerte siniestra al primero, pues no cuento los enemigos que atravesó mi espada en la baraúnda de las guazábaras, ni esotros a quienes suprimieron en guerra las pelotas de mi arcabuz; pues columbro y veo que los muertos en combate no enturbian conciencias, que son muertos en defensa propia, o en honra de las banderas de Vuestra Majestad, la que es causa de suyo más legítima. Los libros dirán a los venideros siglos de cómo la superbia y la codicia, tras levantar extremadas diferencias entrellos, movieron a los Pizarros a acuchillar Almagros, y a los Almagros a apuñalar Pizarros, hasta tanto los embiados de Vuestra Majestad borraron deste mundo al último Almagro y al postrer Pizarro, avivados dichos embiados por el desinio de redimir al Pirú y le devolver la paz a sus moradores.

"Perdone Vuestra generosa Majestad mi atrevimiento y osadía, mas no puedo dejar afuera desta torpe carta el mal concepto que tengo de uno desos delegados reales, aquel ya mentado Gobernador y Juez que apellídase Vaca de Castro, a quien Vuestra Majestad mandó con encomienda de mediador justiciero, y con todo ésto tardó poco espacio en desenvainar su banderiza afición a los Pizarros, y tras la batalla de Chupas que alcanzó a vencer merced a la sapientísima habilidad militar de su luciferino ayudante Francisco de Carvajal, no se sació con degollar a Diego de Almagro el Joven, sino estúvose ahorcando de día y de noche a los vencidos, que eran sin número, entrellos a mi paisano Pedro de Oñate, y a Francisco de Mendíbar, y a demasiados vascongados más. De tan aseado y pulido que era el magistrado Vaca de Castro, una vez que se hubo bañado en sangre humana, valióse de mil ardides para bañarse en oro, y hizo de tendero cuando no de usurero, y amparóse en su cargo para asentar monopolios y dañar competidores, y apoderóse de dineros que pertenecían a la Real Audiencia; ¡cuánta justicia, cuánta misericordia, cuánto desinterés el deste magistrado, que de Juez no había sino apenas el diploma!

"Entre aquellos Pizarros a fe mía que el más insufrible dellos fue el muy famoso y engreído Gonzalo Pizarro, que tantos sobresaltos y quebrantos produjo a Vuestra Majestad. Era de disposición gallarda y hermoso de faz, y estirado de estatura, y rico hasta reventar por razón del oro hurtado a los emperadores incas, y por las minas de plata de las que se aprovechó en Potosí, y por la estorsión de legiones de indios que en esas sus minas perecían. Empero el muy satisfecho Gonzalo Pizarro sintióse de súbito aguijado por una fiebre rebelde que nunca lo había estremecido antes, al haberse conocimiento en el Pirú de las Ordenanzas que Vuestra Majestad había dado para aliviar de esclavitud a los indios, quitar repartimientos a los encomenderos y ministradores, y vedar que a los naturales se les consumiese en trabajo animal. Bien merecido desastre sucedióle a la postre a ese fementido gran rebelde, que no excedió de rebelde menguado, puesto que su alzamiento obedeció a las consejas y parlas de los mercaderes de indios, y su alegato apadrinóse en la perfidia de los Oidores, y le hizo a Vuestra Majestad la guerra al grito harto prudente de "Viva el Rey" y no de "Muera el Rey", que esto último le atañía gritar a un rebelde verdadero, de no amedrentarle el castigo sin perdones y el irse de cabeza al infierno.

"Muy altas y nobles razones asistieron a Vuestra Majestad al tiempo de promover las susodichas Ordenanzas, y quiera Dios que venga a parar en fábulas y mentiras lo que agora anda de boca en boca asegurando que Vuestra Majestad halláse a la orilla de contradecirse dellas. Y de la misma suerte disponga el Señor que jamás se arrepienta Vuestra Majestad de haber embiado al Pirú con bastón de Visorrey, y con encargo de dejar cumplidas las benignas Ordenanzas, al muy porfiado señor Blasco Núñez de Vela, el más honrado y valiente capitán que Vuestra Majestad haya admitido en su servicio. En contra de su esforzada voluntad de llevar a buen puerto la misión que Vuestra Majestad habíale encomendado, de nada valieron las mofas y las calumnias; por nada lo desasosegó que los frailes más desalmados lo trataran de sátrapa, inepto, loco y desaforado; de modo ninguno lo acobardó que Gonzalo Pizarro arrojase en contra dél a sus innumerables seguidores bien proveídos de pelotas y pólvora; ni un instante lo hicieron vacilar las desvergüenzas de los Oidores deshonestos; él habíase embarcado en Andalucía bajo el mandato real de poner en efecto las Ordenanzas, y en efecto las pondría sin miramientos, ansí ocurriese que cada indio a quien devolvía la libertad significase un paso suyo en seguimiento de su propia muerte. No se encaminó cautelosamente a España a dar cuenta a Vuestra Majestad de las traiciones que había sufrido; no renegó ni siquiera tibiamente de las Ordenanzas por apaciguar a los avarientos amotinados; testarudo, levantó un flaco ejército con el propósito de oponerlo a sus crecidos enemigos, y dio en tierra con su cuerpo combatiendo en contra dellos y le fue cortada la virtuosa cabeza por manos ruines. Empedernidos, locos, ineptos como ése, debería proveer de contino Vuestra Majestad por gobernadores de las Islas Indias y la Tierra Firme del Mar Océano, que ello redundaría en encumbramiento de la nación española y en provisión de dignas lecciones a bastantes ministros de Vuestra Majestad que han menester dellas.

"Tornando agora a las andanzas deste exiguo vasallo Lope de Aguirre, tenga Vuestra Majestad por desnuda verdad, Rey y Señor, que en tanto la pasión revoltosa derramóse por el Pirú, y los amos de haciendas y estancias fuéronse a solaz y contento empós de las banderas de Gonzalo, y Gonzalo fue entronizado y venerado como ídolo y gobernador destas tierras, y festejáronse sus victorias en la Ciudad de los Reyes con alarde de banquetes y juegos de toros que costaron al menos cuarenta mil ducados, yo, el soldado Lope de Aguirre, no hice de bufón en la farsa ni me dejé socaliñar por el embeleco gonzalero; muy por el contrario, apresuréme en defender la perdida causa del malaventurado Visorrey, en acompañamiento de Gabriel de Pernía, sargento obediente como yo a las órdenes y providencias de Vuestra Majestad. Item más, tan presto como el Visorrey fue despojado y enrejado por los perjuros Oidores, híceme conjurado en una rebelión tejida para devolverle su libertad, y a un cabello anduvimos de coronar con bien nuestra celada, que en feliz consecuencia hubiera parado, a no ser por el soplo de una de aquesas putillas apasionadas, y perdidas por las prendas de Gonzalo Pizarro, ¡Dios la confunda!, y si no me cortaron el pescuezo fue gracias a la diligencia del capitán Lorenzo de Aldana; y no quedóme otro remedio que huir a Cajamarca. Allí junté mis intenciones a las de Melchor Verdugo, que sin ser propiamente un santo manteníase leal y fiel a Vuestra Majestad, y desechaba las tentaciones que le tendían los tiranos para captar su voluntad y guiarlo por caminos de inconstancias y revueltas. Hallándonos en Cajamarca recebimos carta de Gonzalo Pizarro, que se desvelaba por sumarnos a sus jornadas; empero, en lugar de prestarle oídas, Melchor Verdugo y yo nos partimos a Trujillo; y en llegando a juntarnos rendimos con sotileza y ardid la dicha ciudad, y la pronunciamos por plaza leal a Vuestra Majestad; y al faltarnos fuerza para sostener el sitio, pues el endemoniado Francisco Carvajal se nos venía encima con grande ejército, cogimos en la playa un navío y en él nos hicimos a la mar cuarenta soldados, entre los cuales andaba este humilde vasallo de Vuestra Majestad, promovido a sargento mayor; y fuimos a dar ancla en arenas de Nicaragua, de modo ninguno en escurribanda asustada sino con el recio ánimo de recoger hombres para volvernos al frente dellos al Pirú, a guerrear contra el tirano ansí perdiéramos la vida en la demanda.

"Ansí como llegado hubimos al puerto de Realejo, nuestro fecho mayor fue pelear y batir a las tropas que a reduzirnos embió el general Pedro de Hinojosa, el que a la sazón hacía alarde de vanaglorioso parcial de Pizarro y no habíase pasado todavía al campo de Vuestra Majestad como juiciosamente hizo más tarde. En el discurso de nuestra peregrinación nos tocaron en desgracia calamidades sin tasa, y atravesar comarcas nunca antes caminadas por los hombres, y barquear ríos jamás antes navegados, y desperdiciar descubrimientos quizá parejos a los que había hecho primeramente Vasco Núñez de Balboa, y salir del lago de Nicaragua por el río nombrado Desaguadero hasta caer en el Mar del Norte, y ocupar a la fin la ciudad de Nombre de Dios, que en manos de los de Pizarro andaba. Embió contra nosotros nuevas partidas el general Hinojosa, que como queda dicho preciábase por entonces de ser enemigo de Vuestra Majestad, y no es pulla, y nos vimos en el forzoso trance de incendiar y quemar la ciudad, y luego abandonarla y tomar el rumbo de Cartagena.

"En Cartagena de Indias, adonde la fortuna quiso llevarnos, tuvimos noticia del muy famoso prelado don Pedro de la Gasca, proveído por Vuestra Majestad de todos los poderes terrenales, comisionado por la real corona para humillar la erguida insolencia de Gonzalo Pizarro, y que había arribado a Tierra Firme con mucha gana de dar cumplimiento a ese mandato, mas no por virtud del brazo y del coraje, fortalezas en las que Gonzalo solía mostrarse más superior, sino usando de la inteligencia y la diplomacia, musas que a Gonzalo no le seguían juntas, y yo me entiendo. A la casa del dicho esclarecido don Pedro de la Gasca, puesto que era él representante legítimo de Vuestra Majestad, escrebimos para ofrecer nuestros servicios Melchor Verdugo y este su sargento mayor, mas el reverendo sacerdote no tuvo en mucho nuestras voluntades, prevenido de su natural en contra nuestra por los hechos intrépidos que por ser últiles a Vuestra Majestad habíamos acometido, y nos demandó con buena crianza que acampáramos pacíficamente en Nicaragua pendientes de sus órdenes. Melchor Verdugo escogió la providencia de volver a España, adonde Vuestra Majestad recompensó largamente sus servicios con la Encomienda de Santiago, en tanto que yo enderezaba mis cristianos pasos hacia Nicaragua, a aguardar los llamamientos de don Pedro de la Gasca que, válame el cielo, nunca llegaron.

"De cómo don Pedro de la Gasca, malcarado de fisonomía y cuasi jorobeta cual las propias brujas, que daba grima, y en contrapeso, divino de juicio y de palabras cual los ángeles mesmos, alcanzó a desbaratar y rendir a Gonzalo Pizarro sin gastar una rociada de pelotas, es placentera historia que Vuestra Majestad se sabe letra por letra, pues fue Vuestra invictísima Majestad quien la fraguó y la enhiló. Las cartas que escrebía a sol y a luna el reverendo La Gasca, en su frasis aprendido en Alcalá y Salamanca; el perdón general a todos los culpables, que pregonaba como pan bendito; sus suaves prometimientos de mercedes, con mixtura de agrias amenazas; tantos ardides disminuyeron sin tardanza la entereza de los del bando de Pizarro. Primero rindiéronse al halago sus capitanes de mayor valimiento y ansímesmo abajaron su arrogancia los mercaderes y tratantes que habían inducido a Gonzalo a urdir sus motines. Los unos y los otros habían comenzado por hacer burla y mueca del clérigo llamándole Licenciadillo o Gasca Gasqueta, y acabaron por pasársele en grande número, y dejaron finalmente a Gonzalo solo con el verdugo, después de la pomposa batalla de Xaquixahuana, en la que los ejércitos de Vuestra Majestad en ganándola perdieron un solo soldado y el tal difunto había sido bobo desde su nascimiento.

"Habíame rechazado una y otra vez La Gasca, esta segunda cuando desde Nicaragua porfié en ofrecerme a su servicio como sargento, y hizo lo mesmo con dos alféreces vizcaínos que andaban vacantes, pues parecía la voluntad del Licenciado el derrotar a los traidores con la sola fuerza de los capitanes y soldados valedores de Pizarro que habíansele pasado, y en efecto los derrotó, y no hube ocasión de volver al Pirú y al Cuzco, adonde había levantado las paredes de mi casa y criado a mi hija Elvira, sino en el año cuarenta y ocho, luego después que el tirano Gonzalo Pizarro hubo sido desbaratado, rendido, muerto y sepultado. No se reparó en mi nombre en el repartimiento de mercedes que hizo y celebró el Presidente La Gasca en Huaynarima desde luego de la victoria; primero, porque por jamás he pedido ni recibido paga o socorro en trueco de los servicios que a Vuestra generosa Majestad he prestado en las Indias, y último, porque más inclinado andaba el Presidente La Gasca a recompensar los actôs de contrición de la antigua gente de Pizarro que a parar mientes en las pesadumbres de los que secuaces de Pizarro nunca fuimos. Y válame Dios que si doy cuenta a Vuestra Majestad destas miserias no es por querellarme del prelado La Gasca, cuyas astucias y discreciones tan devotamente venero, sino por mostrar lo interior de mi ánima en aquesta escritura de una carta que en ningún tiempo Vuestra Majestad habrá de recebir. Tengo por honesta la pobreza alegre, y esto lo he visto escrito en algún libro.

"Besa los augustos pies de Vuestra Majestad, el más sufrido y obediente de sus vasallos, que desvélase por volver a servir a Vuestra Majestad con las armas en la mano,

Lope de Aguirre el Soldado."

Cuando llegó por vez primera al Cuzco, nunca antes, entendió Lope de Aguirre que existía en verdad un nuevo mundo. Nuevo e inmemorial. Lo escarbado en los cementerios del Cenú, lo peleado en las selvas de Panamá, nada de aquello había sido relampagueo de primicia sino naturaleza salvaje (ésa alza también la cabeza en los más antiguos territorios); y guazábaras con los indios para despojarlos del oro (la guerra y la codicia no eran pasiones nuevas para el hombre, y para los españoles mucho menos).

El descubrimiento reside y palpita en esta piedra sometida por los puños incas, tallada por una milagrosa geometría, elevada al cielo por una fuerza humana que no dejó trazas de su acción. Lope de Aguirre había nacido y crecido entre despeñaderos y montañas, pero jamás penetró la sabiduría de la piedra sino al estribo de estas construcciones; nunca lo turbó el arcano de las serranías sino en el hueco de estas cuencas habitadas por dioses extraños, arrebujadas en leyendas que hacen soñar con brujas al pecho más impávido.

El regidor Lope de Aguirre llegó al Cuzco en 1536, y en llegando se despojó del pellejo de conquistador para reducirse a ser humano que rastreaba una patria y un redil. Lo supo a ciencia cierta cuando le cayeron encima la primera luna y la primera llovizna. Amaneció construyendo una casa para sí, con fogón de piedra y lecho igualmente de piedra. Una casa en el barrio de Pumacc Chupan, que significa "la cola del puma", muy cerca de la confluencia de dos ríos: el Huayanay y el Tullumayo. Era el suyo un rincón abrumado por desfiladeros nevados y cerros que las leguas de distancia volvían azules.

Una tarde pasó por frente al claro de su puerta una india que marchaba rezagada de las otras. Llevaba un cántaro al hombro e iba vestida con una pollera negra de algodón, una camisa roja, un manto de muchos colores, y una montera que apenas le cubría la parte posterior del cabello. Se llamaba Cruspa (que equivale a llamarse Cruz) porque bajo esa palabra la bautizó el padre de doctrina, pero tenía también un nombre indígena que a nadie le confiaba. Quizá era descendiente de una noble familia cuzqueña, tales eran su porte y sus maneras, mas tampoco acerca de ese origen conversaba. Tenía cara como de llanto, sonrisa como de sollozo, su voz era un presagio de lágrimas, sin embargo no lloraba, nadie la vio llorar jamás.

La tropilla de mujeres pasaba todas las tardes por frente a la casa del regidor Lope de Aguirre, la india Cruspa se retrasaba sin proponérselo con su cántaro al hombro y su mirar desdichado. Lope de Aguirre se acercó a ella un sábado de agosto, mes de la siembra, *charca yapuy quilla*, le preguntó si le placería ir a su casa a amasar el pan, ella dijo que sí, y esa misma noche se llevó su soledad a vivir con él.

Siete años tardó Elvira en llegar. La hija mestiza vino a nacer después que Lope de Aguirre regresó vencido de su última entrada a los Chunchos, aquélla con Perálvarez de Holguín que no llegó a pasar de Chuquiavo, según el propio Aguirre le cuenta a Carlos V en su carta o "desfogue del ánima". Entonces nació Elvira, ya no la esperaban ni la temían, y no heredó el visaje compungido de la madre, ni los perfiles ariscos del padre, sino que irradiaba una dulzura apaciguante, tal como la imagen de la virgen de Aránzazu.

La niña tenía apenas un año, comenzaba a dar tumbos en los corredores de piedra, cuando Lope de Aguirre se pronunció leal al Virrey Blasco Núñez y a las ordenanzas reales; tuvo que escapar a Trujillo, luego fue a dar a Panamá con Melchor Verdugo. Regresó al Cuzco cuatro años después, aplastado como había sido el levantamiento de Gonzalo Pizarro y cortada la cabeza del rebelde, y para entonces ya la niña rezaba el Dios te Salve y entonaba quejumbrosos ritmos quéchuas que la madre le había enseñado.

Lope de Aguirre, ya lo sabemos, no obtuvo mercedes por sus servicios, ni recompensas por su testaruda fidelidad a la causa del Rey. Él afirma que tampoco las solicitó. Prefirió olvidarse de la guerra, cambiarla por las quietas nubes del Cuzco, la casa de piedra, Elvira, Cruspa, los caballos. En Sevilla había sido domador de potros, podía volver a serlo, claro está que podía. Estos caballos, por cierto, no eran los mismos de Andalucía; los vientos glaciales y el peso de las montañas les habían desteñido la pinta; aquéllos eran ágiles, nerviosos, brillantes; éstos son pequeños, resistentes, opacos y capaces de cualquier alevosía. Lope de Aguirre cruza la explanada en las idas y vueltas de los afanes de la doma, Elvira da gritos de orgullo trepada a la barda del corral, Cruspa de ojos acongojados nada dice. Mas la niña tiene razón. No existe en el Cuzco, ni en sus alrededores, un domador que se atreva a competir con Lope de Aguirre en conocimiento del oficio, en firmeza de antebrazos, en astucia. En su busca van personalmente los ricos encomenderos cuando tienen en sus chacras potrillos por desbravar, también acuden los padres de doctrina que suelen ser por añadidura usureros y dueños de caballerizas. En una sola ocasión lo derribó un potro, un alazán tostado y peludo como el diablo, Elvira rompió a llorar desde la palizada, no en lamentación del porrazo, sí protestando que aquello era una grande sinrazón.

Mas Lope de Aguirre no se resignó a domar caballos, ni a contemplar con alma absorta de qué manera oscurecían y aclaraban las montañas. Ambicionaba otra suerte, no para sí, no para Cruspa, sí para la niña. La villa de Potosí era esplendorosa como las tierras que descubrió Cortés, sus inagotables vetas de plata engrandecieron a los reyes incas y engrandecen por igual a los conquistadores. "Quien no ha visto a Potosí no ha visto las Indias", dicen todos a una los caminantes. No existe en la tierra cerro más airoso ni más preñado de plata preciosa. En los hornillos funden los indios sus metales y los convierten en vajillas y joyas de grande hermosura.

Lope de Aguirre emprende el rumbo de Potosí montado en el más andador de sus caballos peruanos, cruza ciento sesenta leguas de camino llano y montañoso, las piedras labradas por los indios son espejos del viento a la luz de la noche, las aguas de una laguna inmensa enjuagan por largo trecho su silueta y la de su cabalgadura, se alzan cual procesión de fantasmas los cardos cuyo zumo secaron las hormigas. En Potosí comprará collares y ajorcas, cálices y cofres, San Sebastianes y Vírgenes del Rosario, todos de plata, colocará su mercancía en otras villas con cuantiosa ganancia, volverá al Cuzco cargado de bienes y presentes para Elvira, estos risueños pensamientos engendraron su infortunio y su perdición.

(*Murallas de Potosí. Al fondo se desdibujan las líneas de los cerros Guayna Potochi y Apo Potochi. Fuera de las murallas se levantan en desorden las casas de paja de los indios. Al pie de las murallas hierve la animación de los mercaderes y los viandantes. Al tope de las murallas ondea una bandera blanca con una cruz colorada, que es el estandarte de la ciudad. Entra Lope de Aguirre al frente de su cuadrilla.)*

LOPE DE AGUIRRE: —Me parto desta Villa Imperial de Potosí, la más rica y prodigiosa de la tierra. Llevo mi recua cargada de vasijas y adornos de plata que fundieron y labraron las manos de los indios. Voy a Tucumán que es una parte poblada por gente pacífica, generosa y cristiana. Ahí los hombres y las mujeres dicen siempre la verdad, guardan la palabra empeñada, no se traicionan entre sí. A ellos les venderé mi cargamento a buen precio; compraré caballos de anchas ancas y duro pecho, y me sobrarán unos cuantos doblones de oro contantes. Luego, luego regresaré al Cuzco, donde me estarán esperando la sonrisa de Elvira, mi casa de piedra y la tristeza de Cruspa.

CORO DE VIEJOS NEGOCIANTES: —No presientes, no posees el don de presentir, ¡oh mísero Lope de Aguirre!, el huracán de odio que desquiciará tu vida. No salgas de Potosí, devuelve a los indios plateros las cosas que les has comprado, no desafíes al signo siniestro que está escrito en el aire sobre tu cabeza.

LOPE DE AGUIRRE: —Soy un hidalgo prudente y respetuoso de las leyes, un soldado que renunció a las armas en aras del comercio honrado. Llevo en mi compañía una cuadrilla de indios contentos de mi buen trato, que acarrean sin fatiga mis imágenes y copones de plata, y el bastimento para la jornada. Al frente dellos camino yo, amigo destos naturales y conocedor destas comarcas, hombre sin discordias y sin temores. ¿Qué adversidad maligna pretende salirme al paso como la cabeza de una serpiente? ¿Qué oráculo desatinado se adelanta a vaticinar mi desgracia?

CORO DE VIEJOS NEGOCIANTES: —Juan Yumpa, que es un indio astrólogo y filósofo; Juan Yumpa, que tiene cumplidos cien años y sabe leer el lenguaje de las estrellas; Juan Yumpa, que platica con los niños muertos que riegan los jardines del cielo; Juan Yumpa te previene en nombre de sus dioses: ¡no salgas hoy de Potosí!

LOPE DE AGUIRRE: —¿Pretendéis acaso que mi conciencia cristiana preste fe a las profecías de un indio borracho de chicha y medio loco de vejez? ¿Me incitáis a que ponga la religión de Jesucristo por debajo de las huacas destos dioses salvajes? ¿Habéis perdido el juicio?

CORO DE VIEJOS NEGOCIANTES: —No salgas hoy de Potosí, Lope de Aguirre. Juan Yumpa que platica con los niños muertos, te previene...

(Entran el alcalde Francisco Esquivel y la alcaldesa Rosario Esquivel.)

FRANCISCO ESQUIVEL: —¡Soldados, detened a ese mercader pequeño de cuerpo y de ruin talle que trae a su servicio una cuadrilla de indios! ¡Detenedlo, soldados, y llevadlo a la cárcel con las manos atadas! En forma clara y terminante advierten las ordenanzas que es delito cargar a los indígenas con pesos excesivos, y aquellos dos que forman parte de la cuadrilla deste hombre van doblegados por los caminos con grandes bultos sobre los hombros.

LOPE DE AGUIRRE: —No es buena justicia la que se dispone a hacer vuestra merced, señor Alcalde. No portan mis indios bultos desmedidos sino huecas vajillas de plata y fardeles de alimentos para saciar su propia hambre. Tampoco son los míos los únicos indios cargados que vuestra merced ha visto traspasar hoy los muros de la ciudad. Todas las cuadrillas de negociantes llevan en su seno indios que trabajan dese modo; no ha salido de Potosí alguna que no los lleve. ¿Por qué se fija vuestra merced especialmente en mí? ¿Es que me supone débil o cobarde al reparar que mido de estatura menos que los otros? Comete grande error en ese caso vuestra merced, ya que dentro deste pequeño cuerpo mío duerme un león vascongado que no tolera agravios ni humillaciones. Sépalo en buena hora vuestra merced.

FRANCISCO ESQUIVEL: —¡Soldados, llevadlo a la cárcel bien atado, por quebrantador de las ordenanzas y por insolente! Encerradlo bajo llave y candado en oscura celda hasta tanto le sea notificada mi sentencia y el castigo se cumpla luego sobre su cuerpo.

LOPE DE AGUIRRE: —No admitiré que me tiznen la piel viles manos de corchetes y carceleros. Iré por mis propios pasos adonde el destino haya de llevarme.

(Sale Lope de Aguirre seguido por los soldados.)

CORO DE VIEJOS NEGOCIANTES: —Tened cuidado, señor Alcalde, tened cuidado, no olvidéis que los hombres de pequeño tamaño suelen convertirse en desmesurados demonios si se les ofende y se les acosa. Que la prudencia os haga mudar de parecer, señor Alcalde.

FRANCISCO ESQUIVEL: —Vuestras advertencias y vuestros consejos suenan a impertinencia. Soy el alcalde y es mi encargo hacer respetar las leyes y valer mi autoridad. El reo llamado Lope de Aguirre recibirá doscientos azotes en escarmiento de su desdén a las ordenanzas y en castigo de la grosera respuesta que ha dado a mis palabras. Tales son mi voluntad y mi sentencia.

CORO DE VIEJOS NEGOCIANTES: —¿Doscientos azotes ha dicho vuestra merced? ¿Sabe vuestra merced que el prisionero combatió como sargento, en el campo de los valedores del Rey: en Cartagena de Indias y en Castilla del Oro? ¿Sabe vuestra merced que Lope de Aguirre es un hidalgo vascongado y que en el coronamiento de su escudo hay un águila con las alas desplegadas para el vuelo? ¿Sabe vuestra merced que los Aguirres acostumbran ser hombres bravos y orgullosos, inclinados al encrespamiento y la venganza?

ROSARIO ESQUIVEL: —No cerréis los oídos, esposo mío, a los consejos de los venerables negociantes desta villa. Perdonadme a mí la osadía de hablaros tan en público desta forma, mas no me mueve un afán de contradeciros, ni tampoco un sentimiento de compasión hacia el hombre a quien van a apalear. Me estremece, sí, barruntar que el cumplimiento de vuestra sentencia desatará sobre nuestro hogar un sinnúmero de desdichas. Los ojos del prisionero brillaban como el filo de un puñal; sus manos se crispaban como raíces desenterradas. Os ruego, esposo mío, que revoquéis vuestra condena.

FRANCISCO ESQUIVEL: —Mensajero, acudid sin demora a la cárcel donde Lope de Aguirre está encerrado y ordenadle de mi parte al alguacil Martín Arteaga que proceda a descargar doscientos azotes sobre las espaldas del detenido. ¡Daos prisa, mensajero!

(Sale el mensajero.)

CORO DE VIEJOS NEGOCIANTES: —El furor y la sangre vienen hacia tu casa como ríos desatados por las manos de Satanás, licenciado Esquivel. El viejo indio Juan Yuma, que platica con los niños muertos y lee el porvenir en las hojas de la coca, hace mención a cada paso de tu nombre cuando rezonga sus himnos funerarios.

ROSARIO ESQUIVEL: —En mis sueños golpea una mar enfurecida, y revientan olas altísimas que arrojan a la playa vuestra cabeza cortada. ¡Tengo miedo, esposo mío!

CORO DE MUJERES DE POTOSÍ: —¡Ay de mí! Propio es de nosotras las mujeres sentir encogido el corazón ante la violencia y sus destrozos. Propio es de nuestro instinto adivinar las desventuras que amenazan a los seres queridos. Pero ya viene hacia acá el mensajero y en su paso impetuoso se repara que trae ásperas noticias.

(Entra el mensajero.)

EL MENSAJERO: —Cuando llegué a las puertas de la cárcel, señor Alcalde, el prisionero Lope de Aguirre pedía a voces que le fuera cambiado por la horca el encierro que se le imponía como castigo. ¡Cortadme la cabeza, hundidme una espada en el corazón, pero no mancilléis mis carnes con prisiones!, así clamaba, y tan fuera de sí se hallaba que sus puños estuvieron a punto de romper las cadenas. Entonces llegué yo y trasladé al alguacil vuestras órdenes. Lope de Aguirre perdió la color como un difunto al oír mis palabras, se desnudó por sí mismo, se montó por sí mismo en la mula que había de conducirlo al rollo del suplicio; dejó súbitamente de hablar; su silencio era más terrible que sus maldiciones...

(Entra Lope de Aguirre con la espalda cubierta de sangre.)

LOPE DE AGUIRRE: —¡Callad, mensajero, que yo mismo contaré el final desta historia! Doscientos latigazos cayeron sobre mis espaldas y mis nalgas desnudas. Los contaba la voz del alguacil y al par los contaba mi conciencia. El látigo desgarraba mi piel como los picotazos de un cóndor, la sangre me corría hasta los carcañares como azogue hirviente, y no sentía dolor porque mi rabia era tan recia que no dejaba sitio a algún otro sentimiento; y no lloré porque nadie en mi casa me enseñó a llorar; y no me quejé porque los hombres de mi estirpe no se quejan. Al término y raya de los doscientos azotes, los conté uno por uno hasta el último, caí desplomado sobre las piedras de la plaza, y me lanzaron encima un cubo de salmuera quemante y afrentosa.

CORO DE MUJERES DE POTOSÍ: —Ven a nuestra casa que anhelamos curarte las heridas. Sanarás con los emplastos de hierbas hechiceras que prepara el taquioncoy, y con medio rosario a la Madre de Dios, y con la canción del gran Chimú, y con la sabiduría de los indios cirujanos. Sanarás y volverás a las piedras sagradas del Cuzco, donde esperan por ti tu mujer y tu hija, tu casa y tus caballos. Y cuando retorne enero, que es el mes de la penitencia y de la lluvia, apenas se verá el rastro de tus heridas, y tú comenzarás a olvidar el agravio y a imaginar que tu desventura de hoy fue solamente un sueño.

LOPE DE AGUIRRE: —No olvidaré jamás, así viviera siglos, ni un minuto siquiera de este espantoso día; mi pecho no conoce el olvido. Vuestra merced, señor Alcalde, me ha hecho apalear sin justicia ni razón, tan sólo por el turbio capricho de deshonrarme. No escuchó los reparos de los ancianos negociantes, ni lo ablandaron las lágrimas suplicantes de su propia esposa. Vuestra merced ansiaba ver correr la sangre del pequeño Lope de Aguirre, y Dios le dio la gracia de verla correr. Aquí la tiene vuestra merced, escurriéndose de mis calientes venas. Bien puede vuestra merced mojar sus dedos en ella, olerla como un bálsamo, gustarla como un vino si le place. No es sangre envenenada, se lo juro a vuestra merced.

(Salen Francisco Esquivel y Rosario Esquivel.)

COROS DE MUJERES DE POTOSÍ: —No quemes tu vida en el fuego del rencor, Lope de Aguirre, no quemes tu alma en las llamas del infierno.

LOPE DE AGUIRRE: —No volveré a vivir jamás vida de hombre humano hasta tanto no haya vengado gota a gota la ofensa que me han hecho. ¿Para qué regresar al Cuzco si no alcanzaré a disfrutar la gracia de mi hija ni el calor de mi mujer mientras pese sobre mi nuca el yugo del escarnio? Este arroyo pegajoso que me humedece la espalda no secará, esta llaga que me desgarra el ánima no hallará cicatriz, mientras mis ojos no hayan visto correr hasta mis pies la sangre de quien inicuamente derramó la mía. No habrá escondrijo en la tierra ni guarida en el cielo para Francisco Esquivel fugitivo;

doquiera que se meta lo descubrirá la brújula de odio que se volvió mi corazón. Pido al poderoso San Miguel que endurezca mi alma cual peñasco, que afile mis uñas cual agujas, que no permita entrada en mi pecho a la fatiga ni a la piedad, que me haga cruel como los lobos y sigiloso como las culebras, hasta que haya castigado a este malvado tal como tu espada inflexible de Arcángel sobajó al ensoberbecido Luzbel, Amén.

(Sale Lope de Aguirre lentamente. Anochece sobre las murallas.)

CORO DE VIEJOS NEGOCIANTES: —Comenzará para Lope de Aguirre una larga noche de persecución y acecho. La funesta sed de venganza será un dogal de hierro enroscado a su cuello, un estruendo inextinguible que no le concederá reposo a sus pies, ni sueño a sus ojos, ni hambre a su boca. Lope de Aguirre cultivará como rosas malignas las heridas que le surcan la espalda; las ahondará con sus propias uñas para mantenerlas vivas y sangrantes. La visión de los latigazos lo acompañará a todas partes como furioso enjambre de avispas.

CORO DE MUJERES DE POTOSÍ: —Durante tres años y cuatro meses Lope de Aguirre andará tras las huellas de su enemigo por tierras del Perú y aun más allá de sus linderos. A pie y descalzo remontará páramos empinados, traspasará selvas intrincadas, vadeará ríos correntosos. Mascará yerbajos como los caballos y las llamas, beberá agua de las acequias en la cuenca de sus manos, dormirá entre roquedos y zarzales, insensible su cuerpo al sufrimiento y al desmayo, mantenido su aliento por la luz vengadora que le manará de los ojos.

CORO DE VIEJOS NEGOCIANTES: —En vano el alcalde Francisco Esquivel pondrá centenares de leguas de por medio entre él y el espectro acosador de Lope de Aguirre. En vano se ocultará en un viejo convento de la Ciudad de los Reyes, acogido a la protección de los frailes dominicos y del Santo Inquisidor, porque una noche oye resonar los pasos de Lope de Aguirre que cruzan y recruzan los callejones vecinos, y otra noche atisba en la sombra difusa de una esquina su menuda silueta infernal alumbrada por un farol de aceite. En vano buscará callado refugio en Cajamarca, en la sola y fiel compañía de su esposa Rosario Esquivel, porque una mañana de domingo ahí está Lope de Aguirre oyendo misa en la iglesia de la Concepción, arrodillado en uno de los reclinatorios más vecinos al altar mayor, simulando golpes de pecho, simulando que mira y le duelen las heridas de Cristo en la cruz. En vano escalará trescientas leguas para trepar hasta Quito, villa arisca y sombría, poblada por gente taimada y melancólica, pero provista de obispo y cabildo de canónigos, porque es Lope de Aguirre aquel que se ampara en la media luz de los zaguanes o el que brota de pronto tras las pilas de agua, descalzo y desgreñado como un mismo loco.

CORO DE MUJERES DE POTOSÍ: —¡Oh, implacable vengador! Has pasado tres años y cuatro meses sin que la caza se detenga un instante. Un día de septiembre el alcalde Francisco Esquivel tomó la resolución de volver a España, queriendo interponer las aguas y el cielo del mar océano entre su vida y la cólera de Lope de Aguirre. Ya están los esposos en el puerto del Callao, ya han subido a cubierta sus cofres y sus libros, cuando Rosario Esquivel vislumbra una figura encaramada al trinquete del navío, un viejo marinero que si no es Lope de Aguirre se le parece en demasía, es más prudente volver a tierra. No era Lope de Aguirre, es cierto, pero se le parecía en demasía.

CORO DE VIEJOS NEGOCIANTES: —Han pasado tres años y cuatro meses, mil doscientos días con sus noches, y el alcalde Francisco Esquivel no ha llegado a comer un grano de sosiego, ni a beber una gota de paz. Helo aquí que se acerca nuevamente a Potosí, errante y receloso como los ciervos.

(Entran Francisco Esquivel y Rosario Esquivel.)

FRANCISCO ESQUIVEL: —¿Es cordura seguir llamando vida esta agonía de no saber si el día de hoy es el de nuestra muerte? Hay un tigre inhumano que olfatea mis pasos, una mano que aguza todas las noches su puñal, una voluntad que cultiva el anhelo de hundir ese fierro en mi pecho. En cada espesura puede estar agazapado, de cada puerta puede surgir su brazo, en cada vianda puede esconderse un veneno suyo, de cada sueño puedo no despertar.

ROSARIO ESQUIVEL: —Y este no tener hogar porque es forzoso abandonarlo todo si su sombra se vierte en las paredes, y este no tener huerto que cultivar, ni lumbre que encender, ni pájaros que oír cantar, porque la casa entera se deja desvalida cada vez que una voz susurra a nuestros oídos: "Aquí está Lope de Aguirre. Ha llegado Lope de Aguirre".

FRANCISCO ESQUIVEL: —Es menos duro hacerle frente a la muerte que seguir padeciendo la pequeña muerte cotidiana de esperarla. Iremos al Cuzco, mujer, y al pie de sus cerros corpulentos se jugará mi suerte. El Cuzco es el paraje donde Lope de Aguirre echó raíces y levantó su casa, en el Cuzco viven y lo aguardan su mujer y su hija. Tal vez la casa, la mujer, la hija, logren detener su mano en la hora de matar a un hombre, puesto que volverse criminal será perderlas. Iremos al Cuzco, mujer, y mi espada se cruzará con su espada, y sucederá lo que Dios haya dispuesto.

ROSARIO ESQUIVEL: —En el Cuzco te esperan el reposo o la muerte. ¡Vamos!

(Salen Francisco Esquivel y Rosario Esquivel. Amanece sobre las murallas.)

CORO DE VIEJOS NEGOCIANTES: —Tal como el sol abandona sus abismos y se asoma a la raya del horizonte para darnos su luz, así desciende de los cielos negros el ala de la tragedia para cubrirnos de sombra. Lope de Aguirre, que ha seguido las huellas de Francisco Esquivel por llanuras y montañas, las seguirá con igual saña hasta el Cuzco. En el Cuzco, al arrimo de los cerros majestuosos, al abrigo de las piedras milenarias, al amparo del recogimiento de los templos, Lope de Aguirre no se detendrá en la orilla de su venganza.

CORO DE MUJERES DE POTOSÍ: —Es la ira de San Miguel Arcángel la que apresura sus pasos, la que enardece su mirada, la que templa su acero. Lope de Aguirre siente que las alas de San Miguel Arcángel han emplumado en sus hombros, que la fiereza de San Miguel Arcángel lo impele a matar.

CORO DE VIEJOS NEGOCIANTES: —Lope de Aguirre emprende sin vacilar las rutas más peligrosas que conducen al Cuzco, cruza descalzo las altísimas lajas que hacen puente sobre el Apurima, se arrastra por las trochas de los incas que son despeñaderos, tramonta las hoscas serranías de los Aimaraes, llega finalmente al Cuzco con los pies rompidos y el corazón desenvainado.

CORO DE MUJERES DE POTOSÍ: —¡Ay de mí! Es la ira de San Miguel Arcángel la que mueve su mano.

(Entra el mensajero.)

EL MENSAJERO: —Traigo oscuras noticias. De nada valió la protección que a Francisco Esquivel le ofrecieron las autoridades del Cuzco. De nada valieron las providencias que él mismo tuvo para guardarse, ni encerrarse en los cuartos interiores de la casa, ni no asomar la cara a la luz de la calle. De nada valió la vigilancia ordenada por Rosario Esquivel y cumplida por los indios y los negros de la servidumbre. Un lunes al mediodía, cuando Francisco Esquivel ojeaba antiguos pergaminos en su biblioteca, y las nubes del Cuzco estaban quietas como veleros sin brisa, surgió de no sé donde la imagen de Lope de Aguirre, cual si hubiera atravesado las paredes y las puertas. Francisco Esquivel no tuvo tiempo de sacar la espada, ni de pedir auxilio...

(Entra Lope de Aguirre con las manos tintas en sangre.)

LOPE DE AGUIRRE: —No, mensajero. No, ancianos comerciantes. No, mujeres de Potosí. Le faltó tiempo para sacar la espada, para pedir auxilio, para encomendarse a Dios. Con estas manos le clavé mi puñal en la sien, en el pecho, en el vientre, en la espalda. Con estas mis propias manos.

(Entra Rosario Esquivel gimiendo y llorando.)

ROSARIO ESQUIVEL: —¿Por qué lo mataste, Lope de Aguirre? ¿Por qué me dejaste sin hogar, sin compañía, sin amor, sin razón de vivir? ¿Por qué manchaste tu honra y perdiste tu alma?

LOPE DE AGUIRRE: —El difunto Francisco Esquivel me expuso a la vergüenza pública, sin razón ni justicia. El difunto Francisco Esquivel despreció mi condición de sargento del Rey, tuvo en poco la sangre de hidalgos que corre por mis venas, mancilló mi buen nombre de honrado comerciante. El difunto Francisco Esquivel me sentenció a recibir doscientos azotes, sin razón ni justicia, una condena para mí más insufrible que la horca, más irreparable que el infierno. Aquellos latigazos cayeron sobre mi carne y sobre mis huesos como los martillazos de una forja, pues le fraguaron a mi sustancia de hombre una hechura distinta, otra conciencia, otra voluntad, otro destino. Mi nuevo corazón, tallado por los azotes de Francisco Esquivel, lo persiguió a él sin tregua, lo acosó día y noche hasta encontrarlo a solas, le dio al fin ese pequeño castigo que no redime la magnitud de su afrenta. He comenzado a vengarme, me obstinaré en vengarme, me vengaré hasta la hora de mi muerte.

A PARTIR DE esa sangre ya mis ojos no son los mismos, las cosas y las gentes andan envueltas en una lumbre espesa que las hace resaltar como lámparas, ya no me endulza sino el amor de Elvira, la niña cree adivinar cada mañana el tamboreo de los cascos de mi caballo sobre las piedras del Cuzco, por todas partes me rastrean soldados y alguaciles, quieren cobrarme la muerte del alcalde Francisco Esquivel, tienen levantada la horca en una plaza sin árboles, ensayada y dispuesta la cuerda del garrote, afilada la espada mortífera, encendida la mecha del arcabuz, relinchando el caballo que arrastrará mi cuerpo descuartizado, nada de ello me conturba ni me espanta, me corre por las venas un torbellino de vitriolo ardiente o de lava salobre, no me basta tu muerte Francisco Esquivel, no eras tú solo quien golpeaba mis espaldas con el látigo, eran todos ellos en cuadrilla, los corregidores los jueces los alcaldes los frailes los encomenderos, se alternaban para azotar mi carne y burlarse de mis llagas, son los mismos que despojan sin misericordia a los indios, por faltas mínimas atormentan a los yanaconas del servicio con cepos y grillos, o los despachan a remotas comisiones para forzarles las mujeres en su ausencia, fabrican falsos testamentos, prenden fuego criminal a caseríos enteros, les cortan las narices y las manos a los infelices que imploran justicia, los más asquerosos pecadores son los frailes, el padre Juan Bautista Aldabán desnuda a las indias solteras que acuden a confesarse, les mete los dedos

69

en las partes genitales y en el ano, les azota las nalgas por penitencia, el vicario Domingo Matamoros reúne mocitas negras con pretexto de enseñarles la doctrina, las va violando una por una en la sacristía, el fraile franciscano Felipe Avendaño escucha los pecados de las niñas en un confesionario tan oscuro que ellas no alcanzan a ver el estrago que les están haciendo, no saben luego por qué motivo salieron preñadas.

Los soberbios los crueles los avarientos los inicuos, todos desean matarme, no me queda sino el amor de Elvira, también me quedan amigos, me queda Antonio Santillán de Valladolid, me queda Diego Cataño de Córdova, el corregidor hace tocar las campanas a rebato para pregonar mi fuga, el alcalde lanza sus corchetes y sus perros en mi persecución, los frailes predican el soplo vil desde sus púlpitos, con un crucifijo en la mano atemorizan a sus feligreses, "saber dónde se halla Lope de Aguirre y no denunciarlo es cometer pecado mortal", Antonio Santillán y Diego Cataño me tienden la mano cuando les pido ayuda, me ocultan en un corral de ganado vecino al monasterio de Nuestra Señora de las Mercedes, dormir entre los cerdos me ampara del frío que baja furibundo de las montañas, los alguaciles pesquisan sin descanso en las iglesias y conventos, los abades y las abadesas les abren contritamente las puertas, "El gran criminal que buscáis no ha venido aquí en demanda de refugio; de haberlo hecho lo habríamos entregado sin rebozo", cuarenta días cabales vivo y respiro en el cieno pestilente de las pocilgas, Antonio Santillán y Diego Cataño me visitan a medianoche para traerme pan y agua, entre los cerdos permanezco hasta la hora en que el corregidor y el alcalde llegan a considerarme muerto, un indio tambero dice "Yo lo vi escapando solo trepando montaña", "El frío allá arriba no perdona cristiano", "Vi pájaros negros volando en redondo", entonces los ministros del Rey me declaran hombre difunto, Antonio Santillán y Diego Cataño me hacen mudar la piel de vasco por piel de negro, el zumo de una fruta llamada aquí vitoc y que en Cartagena llaman jagua pinta un color oscuro que sólo se desprende con el pellejo, quedo convertido en un bozal de Guinea o en un San Juan Buenaventura, me visten con ropas andrajosas de esclavo, salimos del Cuzco a pleno vigor del mediodía, adelante va el esclavo negro que soy yo descalzo y medio borracho para volver más verdadera mi condición de esclavo negro, atrás vienen mis amos Antonio Santillán y Diego Cataño a caballo con arcabuces y un halcón cazador, pasamos la línea de guardias que vigilan los límites de la ciudad, prosigo negro y solo el camino que baja a Guamanga, Guamanga es el más dulce clima del Nuevo Mundo, don Pedro Aguirre me da refugio en su casa y me regala quinientos pesos en dinero, no es mi pariente aunque sí natural de Oñate como yo, me abraza y dice simplemente "Tuviste razón en vengarte de Francisco Esquivel", me acompaña en su caballo hasta los Charcas, aquí en los Charcas estamos arrinconados los rebeldes y los perseguidos en espera de nuestra circunstancia, los latigazos del rey de España siguen cayendo día y noche sobre mis lomos.

—Ya no somos soldados —dice mi amigo vizcaíno Pedro de Munguía, bronco y rencoroso como los lobos.

—Somos una tribu de vagamundos —digo yo dando voces. —Somos más de siete mil míseros vagamundos que andamos recorriendo sin tregua los caminos del Perú: del Cuzco al Collao, del Collao a la Plata, de la Plata a Potosí, con aire de salteadores.

—El muy ilustre don Pedro de la Gasca, incomparable

71

maestro de la injusticia, es el mayor culpable —dice Pedro de Munguía en voz baja. —A la hora de repartir mercedes, premió pródigamente a los traidores, y se olvidó tacañamente de los leales.

—De mí no se olvidaron —digo yo golpeándome el pecho con los puños. —A mí me tuvieron en mucha cuenta, y recompensaron mis servicios con doscientos palos en las costillas, y me arrancaron a jirones el cuero y la honra, y me metieron en la sangre este veneno que no nace con uno.

—Los valles y los caseríos nos ven pasar con zapatos rotos de pícaros, con bragas descosidas de pordioseros. ¿Qué nos dura de conquistadores españoles? —dice Pedro de Munguía.

—Nos dura la furia —digo yo. —La conquista de las Indias la hemos hecho con desesperada furia, arrojando espuma por la boca, matando indios salvajes, matándonos los unos a los otros.

—Somos siete mil soldados vueltos salteadores de caminos —dice Pedro de Munguía. —En este trance se hallan los que fueron llamados por los Pizarros para aplastar la rebelión de Manco Inca, y nos hallamos los que fuimos llamados por La Gasca para castigar la rebelión de Gonzalo Pizarro. Acudimos a uno u otro llamado desde Chile, Quito, Popayán, Cartagena, Panamá o Nicaragua. Ahora se nos demanda que aremos la tierra como los bueyes, que carguemos fardos como las acémilas, que vendamos baratijas como los indios en sus tambos. Pero somos nada más que soldados, ¡vive Dios! y no hemos cruzado el mar océano para hacer trabajos viles sino para combatir.

—En vano pretendí yo meterme negociante, hoy maldigo el momento en que me vino tal propósito, con doscientos latigazos me pagaron la diligencia, Dios me confunda si vuelvo a cometer un desatino parecido —digo yo.

—Nos resta una esperanza —dice Pedro de Munguía bajando aún más la voz. —El general Pedro de Hinojosa viene encaminado a los Charcas electo gobernador.

—¿El general Pedro de Hinojosa? —digo yo. —¿El secuaz de Gonzalo Pizarro que nos persiguió sañudamente en Panamá, a los soldados de Melchor Verdugo, porque nos manteníamos fieles al rey de España? ¿El que seguidamente se pasó al Rey y a La Gasca con toda su armada y tornóse al Perú con instrucciones de pelear a muerte contra el mismo Pizarro que en él había puesto su amistad y estima? ¿El que recibió las más abundantes mercedes en el reparto de Huaynarima, en premio a su fementido arrepentimiento? ¿El que se conjuró más tarde en una nueva rebelión contra los oidores, y otra vez hurtó el cuerpo a la hora de cumplir su palabra? ¿Ése viene alzado a corregidor de los Charcas, a gozar de la dignidad alcanzada merced a sus innumerables perfidias?

—Por mi fe, Lope de Aguirre, que el general Pedro de Hinojosa es un rebelde contumaz —dice Pedro de Munguía. —Es él quien nos dará las armas para tomarlas contra la injusticia. Dígote yo que para evitar su levantamiento en la ciudad de los Reyes lo han enviado los oidores a los Charcas, mas aquí en los Charcas se levantará más prestamente y muchos soldados sin miedo lo seguiremos. Vine a proponerte que te juntes a nosotros, Lope de Aguirre.

—¿El general Pedro de Hinojosa? —digo yo finalmente. —Yo lo tengo por el más traidor entre todos los traidores que ha dado a la luz el género humano, y que Judas Iscariote me perdone la descortesía. Mas si vosotros confiáis en su desvergüenza y aseguráis con tanta fe que viene dispuesto a darnos las armas y la ocasión de emplearlas, voto a Dios que no haré resistencia a ir con vosotros. No faltará el tiempo de matarlo cuando nos traicione.

El general Hinojosa nos traicionó y lo matamos, entre darnos plazos y confusas promesas se le pasaban los días, "Llegará la hora oportuna, capitanes míos", "En cuanto la Real Audiencia ponga en mis manos las municiones y pertrechos que me ha prometido, vosotros me seguiréis en la más cruel rebeldía que ha visto el Perú", ¡infame quebrantador de palabra!, "La verdad es que con una renta de doscientos mil pesos ningún general se rebela", esto último lo afirma Ega de Guzmán en Potosí y yo sospecho que le sobra razón, entre Potosí y la Plata andamos vagando cientos de soldados con el corazón remendado y los brazos ociosos, la pobreza tiene cara de puta, el general Pedro de Hinojosa nos alimenta el ánimo con lisonjas, "Sois los guerreros más valientes de la tierra", "Sois la flor del Perú", y no se determina a sacar la espada de su funda porque las barras de plata hacen rimero en los aposentos de su casa. Nuestro cabecilla Vasco Godínez pierde al cabo la paciencia y se resuelve en llamar a don Sebastián de Castilla, don Sebastián de Castilla es un hijo orgulloso aunque bastardo del conde de la Gomera que agazapado en el Cuzco sueña con la gloria, yo lo conozco de fama y trato, lo tengo por muy honrado cumplidor de sus promesas, no como tú Pedro de Hinojosa que vas a perder vida y dineros por razón de amar demasiado tu vida y tus dineros, Sebastián de Castilla llega al Cuzco por Navidad al frente de siete arcabuceros de su privanza, Ega de Guzmán con los ojos relampagueando de violencia baja de Potosí a recibirlo, "Es preciso dar muerte al general Hinojosa" dice Ega de Guzmán, "Hay que matarlo" respondo yo, "Hay que matarlo" corean los otros, "Lo mataremos" dice gravemente don Sebastián de Castilla.

No se salvó de su muerte el general Pedro de Hinojosa porque la soberbia es el peor consejero del hombre. En la ciudad de los Reyes le había profetizado el adivino Catalino Tarragona:

—No suba Vuestra Excelencia a las montañas que de sus alturas ven bajar mis ojos arroyos de sangre.

—A mí no me arredran tus maleficios —le respondió Pedro de Hinojosa.

El segundo aviso lo escuchó en el Cuzco, de labios del muy receloso mariscal Alonso de Alvarado:

—Tened cuidado en los Charcas, que aquel lugar es guarida de los más alevosos tiranos.

—Bajo mi mando y gobierno se volverán mansas ovejas —respondió Pedro de Hinojosa.

Aquí mismo, en la Plata, tampoco prestó oídos a lo que decía el licenciado Polo de Ondegardo, quien noche tras noche se allegaba a visitarlo con un terco advertimiento:

—Están tramando una conjura para darnos muerte, general.

—Yo solo me basto a deshacer a todos los revoltosos —respondía Pedro de Hinojosa.

También Martín de Robles y Pedro de Meneses, que antaño fueron enemigos jurados y ogaño vivían sospechosamente inseparables, le contaron el mismo cuento.

—Ocupaos de vuestros propios enredos y dejadme en paz —les respondió desdeñosamente Pedro de Hinojosa.

Aún menos caso le hizo al fraile franciscano Santiago de Quintanilla que atesoraba secretos de confesión para medrar luego con ellos.

—Os van a matar, general. Ya me lo han tartamudeado al través de la rejilla cinco penitentes.

—Nadie confiesa sus pecados antes de cometerlos, padre —le respondió Pedro de Hinojosa.

Ni siquiera le causó zozobra el resplandor sangriento que volcó el sol sobre el asiento de Porco, ni las llamas de púrpura sucia que cruzaban el cielo de Cachimayo, ni los responsos de los hechiceros bárbaros que interpretaban aquellos misterios.

—Va a ser derramada la sangre del gran viracocha —murmuraban entre dientes.

—Idos a la mierda, indios de mierda, con vuestros presagios —respondía Pedro de Hinojosa, y así se mantuvo ciego y arrogante hasta el final, negado a escuchar los aldabazos que la muerte sacudía en su puerta.

La madrugada en que murió don Pedro de Hinojosa era tan fría que dábamos diente con diente, y no de miedo. En la posada de Hernando Guillada nos juntamos veinte y tres soldados con don Sebastián de Castilla que hacía de principal cabeza, en el zaguán recibían Pedro de Saucedo y Baltazar de Osorio con las dagas en el puño y la amenaza en la boca, ¡Aquel que entre no volverá a salir!, los veinte y tres vimos pasar la noche encerrados en el aposento que daba al comedor, competían ásperamente el mal olor de los pedos y el de los pies, don Sebastián nos había repartido eotas y arcabuces, aclaraba la mañana cuando llegaron nuestros vigilantes con el aviso:

—¡Ya los negros abrieron las puertas de la casa del general!

76

Entonces don Sebastián de Castilla dio las voces de mando:

—¡Vosotros siete, venid conmigo! ¡Los otros quince os quedáis en este lugar bajo las órdenes de Garci Tello el menor!

Me tocó en suerte ser de estos últimos.

Al cabo de un rato nos llegaron los gritos de nuestros compañeros:

—¡Viva al Rey, que es muerto el tirano!

Y luego, de retorno en la posada, nos contaron la hazaña:

—Primero dimos muerte al teniente Alonso de Castro que salió a recibirnos, una estocada de Anselmo de Herevias lo dejó clavado a la pared como un murciélago, después topamos al general Hinojosa en los corrales, Garci Tello el mayor le traspasó el pecho con su espada sin oírle quejas ni razones, Antonio de Sepúlveda y Anselmo de Herevias lo remataron a porrazos, le dieron y le dieron con las barras de plata que el finado amontonaba, ¡Confesión! gritó tres veces moribundo don Pedro de Hinojosa, ¡Viva el Rey, que es muerto el tirano! le respondimos las tres veces, finalmente expiró, y entonces saqueamos la casa con gran cuidado.

Nosotros por nuestra parte no matamos a hombre alguno, no estuvo en nuestras manos matarlo, salimos con resuelta determinación de la posada en busca de los consejeros y acólitos del general Hinojosa, todos habíanse huido a hora temprana, Martín de Robles partió a todo correr por los maizales en camisa de dormir, a Pablo de Meneses se lo tragó la tierra, el licenciado Polo de Ondegardo escapó en un caballo rosillo que se lo deparó la milagrosa Santa Rita, el fraile Santiago de Quintanilla se sepultó sin melindres en la letrina del convento, no valía la pena enmierdarse las manos para pescarle, acudimos en tumulto a la plaza a festejar la victoria y a repasar nuestro número, somos ciento cincuenta y dos.

El bravo capitán Ega de Guzmán tomó la plaza de Potosí tal como nosotros habíamos tomado la nuestra, luego al punto comenzaron a brotar las traiciones como gusanos, yo había oído maldecirlas mil veces mas nunca había sentido en mi rostro su saliva pegajosa y verde, la historia del Nuevo Mundo ha sido amasada con barro de traiciones, los Pizarros fueron muy grandes traidores, otros traidores más pequeños desgraciaron a los Pizarros, aquel que se amotina en el Perú retiene siempre el recurso de arrepentirse en un rincón oscuro de su cabeza, hoy lo digo con amargo y propio escarmiento, ¡maldito sea el demonio!, la traición es la ponzoña que hiere de muerte a nuestra rebelión de los Charcas y a la de Ega de Guzmán en Potosí, el primero en cometerla es el capitán Juan Ramón que ha sido enviado por nosotros con más de cincuenta hombres a matar al mariscal Alvarado en el Cuzco, Juan Ramón se detiene a mitad del camino y grita ¡Viva el Rey! y se pasa al campo enemigo, en enterándose de ello nuestro cabecilla Vasco Godínez se dispone el muy hideputa a traicionar él también.

Entre todos los hombres ruines de la tierra ninguno se iguala en vileza a este Vasco Godínez de mi historia, fue Vasco Godínez quien tramó la conjura y la muerte del general Hinojosa, Vasco Godínez envió mensajeros a don Sebastián de Castilla rogándole que se pusiera al frente de nuestra tiranía, Vasco Godínez se propuso de ser maese de campo de nuestro ejército y para ese cargo lo nombró complacido don Sebastián de Castilla. Ese mismo Vasco Godínez abraza ahora a nuestro general Sebastián de Castilla con fingido

78

afecto de hermano, ese mismo Vasco Godínez se vale del abrazo para hundirle en la espalda su daga de perjuro, seguidamente Baltazar Velásquez y otros caifases se abalanzan sobre el caudillo herido, entre todos lo hacen morir a puñaladas, Vasco Godínez pisó su cadáver y gritó ¡Viva el Rey, que es muerto el tirano!, Vasco Godínez corrió al Cuzco a suplicar un perdón que felizmente jamás le concedieron, la justicia del Rey lo condenó a morir en la horca y al día siguiente lo colgaron, nosotros los leales a la rebeldía del difunto Sebastián de Castilla quedamos con vida y a merced de nuestra propia providencia.

Sobrevino luego el tiempo del castigo, al brazo del mariscal Alonso de Alvarado le fue confiado el escarmiento de las demasías, era necesario destruir hasta los huesos de aquellos que segundaron a don Sebastián de Castilla en su atrevimiento, pretendía don Sebastián de Castilla nada menos que proclamarse rey del Perú y de Quito, el mariscal Alonso de Alvarado entró a los Charcas a sangre y sangre, el mariscal Alonso de Alvarado degolló a cinco conjurados, hizo cuartos a siete, colgó de la horca a nueve, dio garrote a trece, desterró a perpetuidad a los más tibios, a mí me buscaba enconadamente, Lope de Aguirre expiará en la picota las puñaladas que apartaron de este mundo al alcalde Francisco Esquivel, Lope de Aguirre será hecho cuartos a causa de haber acompañado al tirano Sebastián de Castilla en su pronunciamiento, Lope de Aguirre será degollado a causa de haber contribuido a la infame muerte del general Pedro de Hinojosa, Lope de Aguirre alcanzó a fugarse de la Plata para librarse de las malignas intenciones del mariscal Alvarado, un escribano vasco de apellido Leguisamón me regaló un caballo casi cerrero, me perdí entre las oscuridades de un camino boscoso que no conocía, vine a dar a estas cuevas donde he vivido varios meses tal como las bestias, me alimento de yuca insípida que arranco de la tierra con mis uñas y de peces crudos que saco de las charcas con mis manos, lagartijas se enredan en mis barbas, espigas de maíz despuntan en mis pies, así salvaje me halla Pedro de Munguía cuando milagrosamente descubre mi rastro y viene a buscarme.

—Francisco Hernández Girón se levantó en el Cuzco, y le respondieron las poblaciones de Guamanga, Arequipa y Condesuyo —dice Pedro de Munguía.

(Francisco Hernández Girón será víctima de desalmadas traiciones, tal como lo fueron Gonzalo Pizarro y Francisco Carvajal y Sebastián de Castilla, Francisco Hernández Girón será abandonado por sus parciales, y los del Rey le darán garrote en ejemplar castigo a su rebeldía.)

—A Francisco Hernández Girón —dice Pedro de Munguía— le ofrecen aliento y apoyo todos los que se sienten dañados por las ordenanzas, y los que conservan adentro de sí el descontento por las inicuas reparticiones que hizo La Gasca, y los que tiemblan de indignación o de miedo ante las cruelísimas venganzas que ejecuta el mariscal Alvarado, y los soldados vacantes que soñaban con una guerra para volver a ser soldados, y los mercaderes que al solo anuncio de peleas multiplican sus precios. Antes de dar principio a sus batallas, Francisco Hernández Girón tiene consigo un ejército de más de mil hombres, entre arcabuceros, piqueros, caballería y artillería.

(Al final será repudiado y desamparado por todos, cada uno de ese millar de hombres que hoy le sigue será fiel tan sólo hasta la hora cobarde de volverle la espalda, ser vendido por sus amigos y ahorcado por sus enemigos es el destino de todo aquel que levante bandera rebelde en el Perú, ¿viene acaso Pedro de Munguía a proponerme que me junte a los tramposos capitanes de Hernández Girón?)

—El mariscal Alvarado —dice Pedro de Munguía— ha prometido un perdón general a los acusados de todo crimen o delito, un perdón que ampara a los que hicieron parte del levantamiento de don Sebastián de Castilla o de cualesquier otro levantamiento. Tan sólo pide en cambio que los perdonados, por mejor decir, nosotros, nos alistemos bajo el estandarte real para ir contra las tropas armadas del tirano Hernández Girón.

(Harto peligrosa y crecida ha de ser la fuerza de Hernández Girón si ella forzó a mudar las sanguinosas matanzas del mariscal Alvarado en tan generosa mansedumbre, ¿viene acaso Pedro de Munguía a proponerme que nos acojamos al perdón que nos tienden las manos abominables del mariscal Alvarado?)

—Vengo a proponerte —dice Pedro de Munguía— que nos acojamos al dicho perdón y nos hagamos sin tardanza soldados del mariscal Alvarado y vasallos humildes del rey de España. Si aspiramos a conservar nuestras vidas no nos queda otra elección. El mariscal Alvarado no cesará de cortar cabezas, de colgar cuerpos humanos de los árboles, de acosar como animales selváticos a los fugitivos, de derramar más sangre que el propio Nerón. Dará al cabo con nuestros escondrijos y nos hará pedazos como reses de matadero.

(¡Por Dios y en mi conciencia que aceptaré el perdón!, el mariscal Alvarado me situará en los lugares de combate de mayor riesgo, me encomendará las misiones más expuestas, procurará que me maten los arcabuces de Hernández Girón ya que no alcanzaron a matarme los suyos, mas la verdad es que una muerte aun más indigna me aguarda en el desamparo de estas cuevas, envenenado por los colmillos de las serpientes, comido vivo por los gusanos, ahogado entre los juncos de la laguna, me alistaré debajo de las banderas del mariscal Alvarado sin que desmengüe un adarme este odio mortal que le profeso.)

EL EJÉRCITO DEL mariscal Alvarado bajaba de los Charcas al Cuzco y su caudal engrosaba cada día. Soldados que vagaron meses enteros por las calles de Potosí, y vecinos que nunca habían sido soldados, abandonaban la ciudad para unirse a las fuerzas del odiado mariscal. Los perseguidos salían de sus guaridas; no había delito que no le fuese olvidado a quien se ponía al servicio del Rey. Unos venían armados por sí mismos, a otros el Mariscal los proveía de pertrechos y uniformes, muchos traían consigo sus caballos y mulas, todos gritaban Viva el Rey y Muera el Tirano Hernández Girón. La columna del Mariscal descendía como un gran río por los barrancos de la serranía; en cada vuelta se le añadían nuevos raudales de voluntarios. Cuando divisó las afueras grises del Cuzco el Mariscal llevaba a su lado más de mil doscientos hombres, entre arcabuceros, piqueros y soldados de caballería.

El Cuzco lo esperaba arrebatado de un frenesí que desentonaba con sus piedras impasibles. Banderas y banderolas colgaban de las foscas murallas. Mujeres vestidas de colorado asomaban a los portales sombríos. Niños mestizos chapoteaban su alborozo en lodazales y aguas sucias. Hombres de variadas edades corrían por las callejuelas tortuosas, afanados por asentar plaza en las huestes del Mariscal. El obispo distribuía bendiciones; las campanas repicaban aleluyas. De los aposentos brotaban como por ensalmo alabardas y arcabuces;

en los patios se forjaban lanzones y partesanas; de las bóvedas ascendían los barriles de pólvora; de los cerros vecinos bajaban españoles a caballo e indios descalzos.

En este mismo Cuzco se había rebelado Francisco Hernández Girón unas semanas antes. Sus proclamas voceaban vivas a la libertad, en sus pendones estaba escrito que los pobres se hartarían, *ecten pauperes et saturabuntur*, Dios me ha enviado para romper las cadenas de los negros, todos los descontentos del Perú se me agregarán en el propósito de poner en fuga a los pícaros oidores, todos me ayudarán en la empresa de imponer tratos de justicia. Tomó Hernández Girón la ciudad y no hizo en ella sino cuatro muertes; dos en la turbulencia del encontrón y otras dos por un mal entendimiento de su letrado, moderación de sangre que no era habitual en los sucesos del Perú. En el propio Cuzco alcanzó a juntar un ejército de trescientos hombres de infantería y cien de a caballo, a más de los que se levantaron en Guamanga, Arequipa y Condesuyo para sustentar su aventura. Unos se iban en pos de él por legítima inclinación, otros para probar su ventura en los azares de la guerra, y no pocos por temor a que su indiferencia les fuera cobrada luego. Mas todos abrigaban el tapado designio de pasarse al campo del Rey al primer descalabro. Al menos esto opinaba en el bando contrario Lope de Aguirre, que se había vuelto receloso de corazón y lleno de sospechas como ninguno.

Hernández Girón vuelve la espalda a las piedras del Cuzco y encamina sus pasos hacia el Norte, hacia la ciudad de los Reyes que es la cabeza del Perú y el reducto de los oidores. El arrojo del rebelde es extremado, inteligencia militar tiene de sobra, y encima lo favorecen las rencillas que separan a los gobernantes de sus generales. Vanas apariencias, rezonga Lope de Aguirre. A Hernández Girón lo venderán

mañana sus parciales, morirá en la horca como Pizarro y Carvajal, o a puñaladas como don Sebastián de Castilla.

No menosprecie vuestra merced la sonora batalla que
acaba de ganar el tirano Hernández Girón. El general Pablo
de Meneses salió a encontrarlo con un ejército mejor armado
que el suyo y caballos más frescos. Hernández Girón le hizo
frente en las hoyas de Villacuri, lo desbarató y lo puso en
fuga a revienta cinchas por entre arenales y charcos. Miserable victoria, piensa Lope de Aguirre. Al final de la pelea más
de veinte soldados vencedores se pasaron a los derrotados
enemigos para huir en su compañía.

Lope de Aguirre había aceptado el perdón del mariscal
Alvarado para librarse de una muerte inevitable. El Mariscal
lo puso a servir bajo las órdenes del capitán Juan Ramón,
aquel bellaco que fue el primero en renegar de don Sebastián
de Castilla (el mariscal Alvarado acogió con beneplácito su
traición y lo nombró capitán de infantería). Ahora Juan Ramón marcha al frente de ciento cincuenta arcabuceros, los
más curtidos, los tiradores más certeros. Entre ellos va, in-
crédulo, desengañado, quizá resignado, Lope de Aguirre.

A Hernández Girón lo siguen quinientos soldados, tal
vez no tantos. Entre ellos hay cien arcabuceros de infalible
puntería. Este de nombre Aureliano Granado combatió en
tierras de México y trajo fama de ser uno de los más exter-
minadores escopeteros del Nuevo Mundo.

—Sé de un sitio no muy lejano —dice el coronel Diego de
Villalva a Hernández Girón— donde nadie podrá derrotar-
nos, pues no le valdrán los escuadrones de a pie y de a caballo
que traiga bajo su mando. Queda en la región de los indios
aymaraes, cerca del poblado de Challuanca. Ni diez mil sol-

dados que nos atacaran lograrían vencer a nuestros quinientos si la providencia del cielo nos permite ampararnos en aquel promontorio.

La ciudadela se llama Chuquinga, y se halla plantada en el tope de unas altas peñas que trepan desde la orilla izquierda del río Abancay. Son los vestigios de una fortaleza edificada por los antiguos indios aucarunas, más sabidos en malicias guerreras que muchos generales cristianos. En los ruinosos paredones se abren dos portillos, uno manifiesto que asoma al despeñadero, otro esquinado y oculto por la maleza y los roquedales, propicio para lanzarse desde él sobre la retaguardia del enemigo.

—Para llegar hasta nosotros en las alturas de Chuquinga —dice el coronel Diego de Villalva— será obligación precisa engolfarse en una garganta pedregosa de tres leguas, cruzar en hilera los lechos de las quebradas, ponerse a ser blanco fácil de nuestros arcabuces. Dicen que el mariscal Alvarado trae más de mil hombres, sin contar su muchedumbre de indios. Mas si los emboca por aquel pasadizo y los manda embestir como toros ciegos, ni el Gran Poder de Dios los salvará de un gran desastre.

—El Mariscal es tan soberbio que lo hará —dice Hernández Girón.

Lo hizo, válgame Dios que lo hizo. Enterado por medio de sus corredores de los parajes donde Hernández Girón se encontraba, el Mariscal partió sin dilación a darle caza con sus mil doscientos hombres en orden de guerra, sus avisados consejeros, sus fogosos capitanes, su millar de indios guerreros, sus centenares de cabalgaduras, arcabuces, picas, artillería, banderas, tambores y trompetas. Lindo ejército por lo bien armado, lo bien ataviado y el denuedo de sus pechos. A jornadas de diez leguas, sin importarle llanuras anegadizas ni sierras nevadas, dejando atrás los indios y caballos muertos por el frío, ya llegaba el mariscal Alvarado a las cercanías de Chuquinga, en donde Hernández Girón lo aguardaba bien guarecido.

La primera disposición del mariscal Alvarado fue despachar al capitán Juan Ramón con sus ciento cincuenta arcabuceros en comisión de escaramuzar a los rebeldes, amedrentarlos con sus disparos y, convidarlos de viva voz a pasarse al campo del Rey. Hernández Girón y el coronel Diego de Villalva los vieron bajar de la ladera, descolgarse hasta la orilla del río, erguirse estimulados por el cobre de una corneta. Se distinguían claras las palabras y se divisaban nítidos los cuerpos, era una madrugada serena, todavía la luna brillaba con esplendor de medianoche.

—¡Viva el Rey! ¡Mueran los tiranos! —gritó con voz desafiadora Felipe Enríquez, y le respondió un tiro de arcabuz en el pecho que lo tumbó muerto con sus dieciocho años recién cumplidos.

—¡Yo soy Mata, yo soy Mata el que mata! —gritó el alférez Gonzalo de Mata que presumía de chocarrero y gustaba de jugar con las palabras.

—¡Pues yo te mato! —le replicó la voz calmosa de Aureliano Granado y seguidamente le llegó un pelotazo a la cabeza que se la abrió en dos como una calabaza.

—¡Dejad al tirano! ¡Volved a nuestro lado que la magnanimidad del Rey os acogerá, compañeros de armas! —gritó el siempre parlero capitán Gonzalo de Arreinaga.

Esta vez fue el caudillo rebelde Juan de Piedrahita quien con grande furia descargó su arcabuz. El dicho Arreinaga cayó mal herido entre las aguas del río, y luego vino a tierra el sargento Jerónimo de Soria, y hallaron la muerte cinco arcabuceros más, dos de ellos de apellido Ramírez, así llamados por mero accidente ya que no los enlazaba parentesco alguno.

Tan costosa resultaba la experiencia que el capitán Juan Ramón prefirió retirarse con veinte y cinco hombres menos, entre muertos de bala, heridos, y dos que se ahogaron en lo más hondo del río, sin contar a Francisco de Bilbao que se pasó al campo del tirano Hernández Girón por pagar una promesa que le había hecho a la virgen del Pilar. Lope de Aguirre oyó silbar las pelotas enemigas a mínima distancia mas ninguna dio en su cuerpo en este primer episodio de la pelea.

Después de aquella desventurada escaramuza, el mariscal Alvarado juntó bajo su toldo a las personas principales de su alto mando, no para seguir sus consejos sino para no escucharlos, como se verá más adelante. Tanto Lorenzo de Aldana, como Gómez de Alvarado, como Diego de Maldonado, como Gómez de Solís, estimaron que asaltar la atalaya de Hernández Girón significaba correr riesgo de un afrentoso vencimiento y de una excesiva pérdida de vidas.

—Más vale dejarlo quedo en su fortaleza y esperar en paciencia que el hambre y las demás necesidades lo fuercen a bajar —dijo Lorenzo de Aldana.

—Bajará en dos o tres días para darnos batalla o para retirarse a otros lugares, y muchos de los suyos cogerán la ocasión por los cabellos y se pasarán a nuestro bando —dijo Gómez de Alvarado.

El Mariscal callaba con no pequeño descontento. El Mariscal no prestaba buen oído sino a las palabras bizarras de Martín de Robles, asturiano testarudo y reñido con el filosofeo, que no tenía fe en las estratagemas de la milicia sino en las pelotas de sus arcabuces y en las mismas de sus soldados.

No obstante esto, tanto porfió Lorenzo de Aldana y de tanta autoridad lo revestía su historia de general experimentado en cien batallas contra caciques y tiranos, que el Mariscal concluyó por prometerle que olvidaría su insensato propósito de acometer sin más ni más la ciudadela enemiga. Con tales palabras se sosegaron los recelos de Lorenzo de Aldana y, ya tranquilo, se apartó del campo real, en compañía de unos cuantos sargentos y artilleros, con la intención de hostigar a los rebeldes desde un ribazo del río e incitarlos a bajar de su madriguera.

El Mariscal andaba muy lejos de haberse convencido; vislumbraba la luz de la victoria a un palmo y pretendían apagársela con discursos. Reverberó el mediodía sobre las picas de los soldados y los arneses de los caballos, se pasó al Rey otro de los hombres de Hernández Girón, y dijo lo que siempre dicen los pasados, que en el lado contrario no se respira espíritu de lucha sino apetito de huir, y al punto alborotóse de nuevo el ardoroso ánimo del Mariscal. Convocó a sus principales, esta vez sin Lorenzo de Aldana que se había alejado dos leguas para llevar al cabo su traza, y les notificó sin rodeos que estaba resuelto en dar la batalla y que no aceptaría reparos ni consideraciones.

—Si de eso se trata, ya sé que me tocará morir —dijo Gómez de Alvarado al salir de la tienda, y tres horas más tarde se probó que no había dicho exageración ni mentira.

El Mariscal se sentía invadido por la ira del apóstol Santiago, guiado por el espectro del Cid. A Martín de Robles, que era el más impaciente de sus capitanes, le mandó pasar el río con sus arcabuceros y atacar hasta quebrarla el ala izquierda de Hernández Girón. A Juan Ramón con sus ciento veinte y cinco hombres, entre los cuales estaba Lope de Aguirre, lo lanzó a escalar el cerro y caer sobre el costado derecho del Tirano. Mil indios que peleaban a gritos y pedradas asaltarían la fortaleza desde la barranca de atrás. El propio Mariscal cruzaría a la postre el río, a tambor batiente y banderas desplegadas, para rematar y glorificar el destrozo de los traidores.

—Vienen justamente tal como yo le había rogado a la Santísima Trinidad que viniesen —le dice el coronel Diego de Villalba a Hernández Girón. —Ordene vuestra merced a sus arcabuceros que pongan con paciencia la puntería, y verá caer los soldados del buen Mariscal como conejos.

A Martín de Robles no le cabían los testículos en el pecho. ¿Para qué esperar el toque de corneta convenido?, se lanzó fieramente a doblegar el paredón inexpugnable, ¿quién dijo que era inexpugnable?, ninguno será osado de disputarme el esplendor del triunfo, ¡Abajo el Tirano!, ¡Viva el Rey!, ¡Viva el mariscal Alonso de Alvarado!, ¡Viva el invencible capitán Martín de Robles! En este delirio se mantuvo hasta que una granizada de balas lo volvió a la razón, la sangre de los heridos purpuró la corriente del río, se mojó la pólvora, se hundieron en el agua lanzones y arcabuces, los muertos pasaban de quince, jamás erraba el golpe el dedo matador de Aureliano Granado, los asaltantes retrocedían sin esperanza, Martín de Robles concluyó por retroceder él también.

Juan Ramón entró en combate, tal como se le había señalado. Su encargo era ocupar un pretil de tierra, a igual nivel de la vieja fortaleza, y desde allí abrir fuego contra esos desalmados. Era necesario trepar por entre peñascos punzantes y lodo resbaloso, bajo la mira de los arcabuces que tiraban desde ambos portillos. Fue Lope de Aguirre, ágil y de corta talla como los monos, el primero en coronar la cuesta, y estarse sobre ella apenas el tiempo brevísimo de recibir dos arcabuzazos en la pierna derecha, casi se la arrancaron. El cuerpo de Lope de Aguirre se despeñó dando tumbos por la ladera, hasta caer inerte sobre las arenas del río. Mayor reguero de sangre le manaba de las manos desolladas y de la cara deshecha por las piedras, que de la pierna agujereada. Quedó tendido sobre la playa, sin sentimiento de la vida ni de la muerte, y en este punto acabó para él una batalla que para los contendores aún no se había decidido.

La batalla de Chuquinga se hallaba apenas en sus comienzos. Martín de Robles rehízo su tropa y volvió a cruzar el río. Martín de Robles tras tanto insistir alcanzó a apoderarse de uno de los andenes más altos. El terco asturiano Martín de Robles cayó herido finalmente. Al mariscal Alvarado le descalabraron el caballo y él por su parte se quebró una costilla en el golpetazo de la caída. Aterradora era la mortandad entre los indios infelices que peleaban a gritos y pedradas en favor del Rey. A los arcabuceros de Hernández Girón se les agotaban la pólvora y las pelotas, les era forzoso arrebatar las municiones a los muertos y a los heridos. Al caer el sol las vidas perdidas por el ejército real pasaban de setenta, sin hacer cuenta de los indios. Arremeteremos agora a ellos, dijo el coronel Diego de Villalva. Francisco Hernández Girón en persona se puso a la cabeza de un escuadrón. Sus cornetas y tambores tocaron son de victoria. Hierros de picas y pechos de caballos se abatieron sobre las tropas del Mariscal. Trescientos satanases bajaron a saltos de la ciudadela para acometer al enemigo diezmado. Entonces huyeron los leales servidores de Su Majestad. El tirano Hernández Girón había ganado la batalla de Chuquinga. Sería aquélla la última batalla que él vencería, la última que vencería rebelión alguna en el Perú.

Lope de Aguirre permanecía tendido en la arena, sin conciencia de la historia. En esta ocasión la historia sería benigna con sus desdichas. Francisco Hernández Girón resultó un triunfador de noble condición. No mató a los prisioneros, no maltrató a los rendidos, mandó enterrar a sus muertos junto a los muertos del adversario, mandó curar a sus heridos junto a los heridos de los vencidos. Lope de Aguirre entreabrió los ojos al anochecer. La costra de sangre que le cubría la frente le impedía ver la oscuridad. Veía, en cambio, luces que nadie había encendido. Éste parece muerto aunque no lo está, dijo el primer cirujano. Está mal herido, dijo el segundo cirujano y se agachó a escudriñar la carne destrozada. Habrá necesidad de cortarle la pierna antes de que llegue la gangrena, dijo el segundo cirujano. Y fueron éstas las primeras palabras que escuchó Lope de Aguirre al despertar de su sueño.

No le cortaron la pierna ni llegó la gangrena. El disparo fue hecho por un arcabuz con dos pelotas, dijo el primer cirujano. El primer cirujano era también barbero y había aprendido a sanar llagas y picadas de culebra con hierbas indias y oraciones cristianas. *Yayap Churip Yspiritu Santup Sutimpi Amén Jesús.* El segundo cirujano lavó la doble herida con agua hirviente. El asistente mulato trajo un caldero de hierro dentro del cual hervía a borbollones el aceite. Lope de Aguirre mugió bajo la dentellada abrasadora del cauterio. Lope de Aguirre se desangraba lentamente por las venas truncadas. El primer cirujano ensanchó con su lanceta los bordes disformes de la herida. El segundo cirujano introdujo en el hueco sangrante un oscuro amasijo de harina tostada y pólvora y sal y ceniza. El asistente mulato le dió a beber triaca mezclada con zumo de bencenuco. El primer cirujano se esforzó por volver las astillas del hueso a su sitio valiéndose de tirones y manoseos. Lope de Aguirre mugió otra vez como un buey en agonía. El asistente mulato sostenía fuertemente el pie con sus dedos de tenazas. El primer cirujano usó jirones de un pañuelo para vendar la pierna y listones de caraña para entablillarla. En las manos rotas y en el rostro arañado le untaron cada día y cada noche un ungüento espumoso como el jabón y espeso como el aceite. Un mes o quizá más estuvieron curándolo en un corral techado que servía de hospital a orillas del río. El capitán Juan de Piedrahita, que probó ser el más valeroso de todos los soldados rebeldes y a cuya bravura debióse en gran parte la victoria de Chuquinga, ha sido nombrado maestre de campo y va todas las tardes a platicar con Lope de Aguirre. Quiere ganárselo para las banderas de Hernández Girón que son las banderas de la libertad, eso dice. De no saberse tan mal herido Lope de Aguirre se iría con ellos, a perder las batallas que sin duda alguna perderán. Lo suben a una camilla de paja y ramas que fue entretejida por las manos de dos soldados aragoneses. En ella lo llevan cargado, tres leguas de cerro y una de pedregal, hasta el pueblo de Challuanca. Se le desvanece la cabeza no pocas veces en el camino. Tiene la pierna derecha coja para siempre, el rostro y las manos chamuscados para siempre.

TOQUÉ LA PUERTA de la casa, al tercer aldabazo abrió mi
niña Elvira y rompió a llorar, imaginé que lloraba de verme
la cara chamuscada y las manos como tizones, de verme caminar hacia ella cojeando casi arrastrándome infinitamente viejo
y vencido, mas no lloraba mi niña por esto, lloraba porque
Cruspa su madre había muerto el año pasado y yo no lo sabía, unas ardientes fiebre frías se la llevaron de este mundo en
menos de una semana, así lo contaron las dos mujeres enluta-
das que brotaron de las sombras, Juana Torralba dijo que de
nada sirvieron las sangraduras de los indios cirujanos ni los
ensalmos de los negros hechiceros, María de Arriola dijo que
se habían malbaratado las oraciones a San Blas y los cirios a
Santa Catalina, Cruspa murió sin quejarse tal como mueren
los de su raza, se apagó sin pestañear tal como siempre había
alumbrado, la niña quiso acompañarme al cementerio que es
de piedra como la ciudad entera, la tumba de Cruspa es una
laja gris con una cruz torcida levantada en la cabecera, por
entre las grietas asoman dos lirios amarillos y tristes, mi niña
Elvira me toma de la mano para volver a casa, ya nunca más
Lope de Aguirre, ogaño soy el cojo Aguirre, el tuerto Aguirre, el loco Aguirre, el enano Aguirre como me llamó una vez
este mismo Antón Llamoso en la plaza de Oñate, asombro y
maravilla causóme encontrar a Antón Llamoso en el Cuzco,
atravesó toda España y el mar océano y la mitad del Nuevo
Mundo hasta dar conmigo, se ahogaba sepultado entre to-

95

rreones y montañas vascas, volvióse huraño como los lobos, la gente esquivaba de su trato, iba a mi casa de Araoz domingo tras domingo a pedir noticias de Lope de Aguirre y en mi casa nada sabían de mi paradero, finalmente se embarcó a las Indias y halló mi rastro en Cartagena, alguien le dijo que yo había sido muerto en las guerras peruleras y él no lo creyó, me buscó en Quito y en la ciudad de los Reyes, en esta última le refirieron la desgraciada historia de mi apaleamiento y el castigo que de mis manos recibiera el alcalde Esquivel, entonces subió hasta el Cuzco, y aquí está, al fin te encuentro Lope de Aguirre, y se echa a reír.

Al poco tiempo llegó también a esta villa mi fiel amigo vizcaíno Pedro de Munguía, se apresuró en venir a mi casa, contóme cómo había seguido alistado en las fuerzas reales hasta la derrota postrera del tirano Hernández Girón en Pucara, Hernández Girón no escuchó en esta ocasión la voz del coronel Diego de Villalva que le aconsejaba malicioso tiento; prefirió atenerse a las profecías de los astrólogos y adivinas que le agoraban una victoria sobrenatural pues estaba escrito en las estrellas, lo que está escrito en todas las estrellas y cielos del Perú son las felonías y las traiciones, a mitad de la batalla de Pucara se pasó al enemigo Tomás Vásquez que era el más bravío capitán de Hernández Girón, y a poco hizo lo mismo Juan de Piedrahita que era su maese de campo y el más persuadido de la justicia de su causa, nunca se pasaron el licenciado Diego de Alvarado ni el coronel Diego de Villalva mas en castigo a su lealtad fueron apresados y cortadas sus cabezas, recibieron garrote veinte negros rebeldes que tampoco pidieron clemencia, Hernández Girón quedóse solo y huyendo por entre matorrales y tierras desiertas, le dieron caza en el camino del Rimac, lo llevaron a la Ciudad de los Reyes para degollarlo, su cabeza sin vida fue colocada entre la de Gonzalo Pizarro y la de Francisco Carvajal, y Dios sabe que de ese modo se acabaron para siempre los alzamientos en el Perú, eso dice Pedro de Munguía. Si no alcanzó a triunfar Hernández Girón que llevaba escrita en sus banderas la palabra libertad, si no gozó el fruto de desenfrenar a los pueblos Hernández Girón que prometía hartar a los pobres y quebrantar las cadenas de los negros, ¿quién osará mañana desafiar el poderío de los virreyes y oidores?, esto se pregunta Pedro de Munguía en el interior de mi casa, y yo me pongo a dar voces de maldición en contra de las traiciones, y Antón Llamoso me escucha con ojos asombrados, y mi niña Elvira me trae una copa de leche para calmarme.

Esta pierna rota estas manos casi mancas no me permiten domar caballos, las campanas del convento de Nuestra Señora de las Mercedes suenan y resuenan, uno no oye otra cosa sino campanas que retumban en los sesos, badajos desaforados que claman traición traición cuando doblan a muerto, traición traición cuando el Ángel del Señor anuncia a María, llevado por esta pierna rota caminaré hasta el tambo donde hallaré bebiendo vino a Pedro de Munguía y Antón Llamoso, ya nadie en el Perú desea levantarse en armas, yo sí me levantaría pues oigo correr la sangre de don Sebastián de Castilla al par de la lluvia, oigo correr mi propia sangre bajo los latigazos del verdugo los latigazos del alcalde los latigazos de los oidores los latigazos del Rey, no me es permitido domar caballos, no me es posible soportar el peso de las piedras del Cuzco sobre mis espaldas llagadas, no me atrevo a pensar en las traiciones pues rompo a gritar a solas en mi casa en mi aposento en mi lecho, las campanas de la iglesia Catedral apagan mis voces, Elvira aparece a la luz de la puerta como l virgen de Aránzazu, no es Elvira soy yo mismo que tomo la figura de la niña para apiadarme de mis manos deshilachadas de mi pierna menguada de mi sombra corcovada y chata, Lope de Aguirre desdentado Lope de Aguirre renco del cuerpo no está vencido, mi nombre lo repetirán los libros, las aguas del Cuzco son viles acequias negras que bajan por calles de pizarra, Antón Llamoso sube la escalera de un templo inca con su cabeza en la mano, no es la cabeza de Antón Llamoso sino la mía que sonríe con un desgaire de cuchillada, no sirvo ya para domar caballos, Pedro de Munguía asegura y porfía que yo tengo por dentro más nervio de libertador que el propio Hernández Girón, dos lirios amarillos han nacido de los huesos de Cruspa, malditas sean las campanas de Nuestra Señora de las Mercedes.

De pronto llega al Cuzco el pamplonés Lorenzo Zalduendo, armado de resplandecientes armas, montado en un caballo castaño que tiene un lucero en la frente. El vistoso visitante trae una carta para Martín de Guzmán, un andaluz aventurero éste, que anduvo con Lope de Aguirre ha muchos años hurgando cementerios indios en el Cenú y que ahora vive apaciguado en el Cuzco en compañía del mozo Fernando de Guzmán, sobrino suyo. La carta viene firmada por el general Pedro de Ursúa y por ella se incita a los Guzmanes, junto con todos los soldados españoles que por estas tierras vagan, a participar en la fabulosa jornada de los Oma- Pedro de Ursúa ha enviado como por- menos que a Lorenzo Zalduendo, que jero y paisano.

zmanes aspira a ser sevillana aunque el piedra no se lo consiente. Hay tiestos de clavellinas en el patio. En la mesa sirven vino dulce y espeso, con añadidura de bizcochuelos, mas no son mujeres blancas sino yanaconas indios quienes hacen el servicio, riegan las plantas y van hasta el convento a comprar las golosinas.

Lorenzo Zalduendo trae en la memoria un discurso que ensalza las hazañas guerreras del general Pedro de Ursúa, navarro nacido en el valle de Baztán, parte del mundo más francesa que navarra, según el decir de un tío de Lope de Aguirre que vivió en ella tres inviernos.

—El general Pedro de Ursúa vino a las Indias como teniente de su primo don Miguel de Almendáriz, mas luego ganó por sus propias virtudes renombre de animoso caudillo. Fue él quien venció y pacificó a los indios musos que con flechas emponzoñadas y bárbara ferocidad defendían sus esmeraldas y sus oros en el Nuevo Reino de Granada. Y seguidamente fundó dos ciudades que bautizó con los nombres de Pamplona y Tudela —dice Lorenzo Zalduendo inflamada su lengua de orgullo patrio.

—Yo le conocí en la villa de Santa Marta —interrumpe Martín de Guzmán—. En aquella sazón había escapado milagrosamente de una celada que le tendieron seis mil indios taironas en el río Origua, a él y a doce soldados que llevaba consigo. El milagro se debió a Dios y a la terrible puntería del propio Pedro de Ursúa. A fe mía que en destreza de arcabucero sólo puede comparársele otro baztanés apellidado García de Arce, amigo íntimo suyo que va con él a todas partes. Entre los dos dieron muerte a no menos de doscientos indios en aquel trance.

—Son igualmente singulares su valentía y su astucia —dice Lorenzo Zalduendo recuperando la palabra. —De ambas dio muestras en la proeza que llevó a cabo en Panamá para someter a los negros cimarrones del rey Bayamo. Más de seiscientos negros esclavos se habían evadido de sus servidumbres, quebrantando la obligación que a sus amos los unía, para esconderse en las intrincadas selvas del Darién, de donde salían repentinamente a asaltar recuas y robar posadas. Tan ufanos se sentían que designaron a uno entre ellos por Rey, Bayamo I lo nombraron, rodeado de corte, trono y demás pomposidades. Y de esta manera hicieron de las suyas hasta el momento en que a don Pedro de Ursúa le fue encomendado el difícil encargo de sojuzgarlos, más difícil si se considera que no era hacedero darles batalla en las cavernas y espesuras donde se amparaban. Ahí fue donde salió a resplandecer el ingenio de don Pedro de Ursúa. Primero se esmeró en aprisionar a cuatro negros de los de Bayamo que habían salido en ejercicios de rapiña, y luego les dio tormento hasta que dijeron el sitio preciso en que se guarecía su caudillo. Entonces los ahorcó y salió en busca del supuesto rey, atravesando ciénegas, escalando montañas y desvirgando selvas, mas no con el propósito de reñirle cruda guerra sino usando el halago de regalarle ricos presentes, a más de la promesa de reconocer a los negros el derecho a vivir en un territorio libre y aparte. Alcanzó a convencer a Bayamo de sus buenas intenciones y para celebrar la paz y la amistad, lo convidó junto con su corte a un banquete cuyos vinos estaban emponzoñados. Los cuchillos remataron la obra comenzada por el veneno, y tan sólo se libró de la muerte el falso rey Bayamo, para ser llevado prisionero a Nombre de Dios.

—¿Cuántos años cuenta el general Ursúa? —dice Lope de Aguirre, que no desea pasar por mudo.

—Treinta y cinco años escasos —responde Lorenzo Zalduendo al punto, como si hubiese estado esperando la pregunta. —Mas alcanzó tanta y tan merecida fama tras la pacificación de los indios musos y la aniquilación de los negros cimarrones, que el Marqués de Cañete no ha dudado en nombrarlo para el cargo de gobernador y capitán general del río Marañón, no obstante que la entrada de los Omaguas la ambicionaban y la pidieron para sí personajes de muy grande importancia, entre ellos el capitán Juan Pérez de Guevara, y también Gómez de Alvarado que es el hombre más rico del Perú y hallábase dispuesto a desembolsar quinientos mil pesos de su patrimonio para sobrellevar los gastos de la empresa. Con todo, el Virrey escogió como principal cabeza a este don Pedro de Ursúa, cuyos únicos bienes terrenales son su valentía incomparable y su fidelidad al rey de España. Esta última es tan maciza que muchos lo llaman Pedro Leal en lugar de Pedro Ursúa.

Después de tan extraordinarias alabanzas, Lorenzo Zalduendo cesa de hablar del alabado para hacerse lenguas de las riquezas y tesoros de los Omaguas, que se han convertido en sueño y señuelo de los soldados peruleros. Sucedió que un cacique de los indios brasiles, de nombre Viarazu, llegó en huída a la Ciudad de los Reyes y le contó al Virrey y a todo el que quisiera prestarle oídos, la existencia de un país cien veces más rico que el Perú, gobernado por el príncipe Quarica, mil veces más cubierto de oro que Atahualpa. Las tierras de los Omaguas son valles tan fértiles como el paraíso perdido por Adán; las aguas de un inmenso lago espejean el temblor de ciudades fabulosas; en los templos se adoran jaguares de oro con uñas de rubíes y ojos de diamantes. Para llegar a ese territorio es preciso seguir las huellas de Francisco de Orellana, a lo largo de un río que es quizá el más desmesurado entre todos los ríos del universo.

—¡Iremos todos con Pedro de Ursúa! —grita Martín de Guzmán dándose de puñadas en el pecho ardoroso.

—Iremos todos —dice Lope de Aguirre sin tantos ademanes.

En volviendo a su casa dice Lope de Aguirre:

—Este nuevo virrey Andrés Hurtado de Mendoza, marqués de Cañete, señor de la villa de Argete, es tan astuto como el licenciado La Gasca, aunque más cruel y pérfido que su ilustre ejemplo, ¡voto a Dios!, Antón Llamoso. De nada le valieron a Juan de Piedrahita ni a Tomás Vázquez, ni a Martín de Robles ni a Alonso Díaz, los perdones que en nombre del Rey les habían sido dados, puesto que el dicho marqués de Cañete los hizo ahorcar a todos. Bien merecido lo hubieron, dígome yo, que hago por infamia el hecho de haberse pasado al Rey, mas no fue por castigar sus traiciones que el Marqués los llevó a la horca, sino por cobrarles la condición de rebeldes que en otro tiempo mostraron.

Para Antón Llamoso nada significan estos nombres ni estas consideraciones.

—Ya que no puede el virrey marqués de Cañete ahorcar de un golpe a cuatro mil soldados españoles que andamos dando tumbos por el Perú sin ocupación y sin blanca, y cómo sabe de sobra que el hambre y la ociosidad son el origen de todas las rebeldías, pues nos ofrece entradas y descubrimientos hacia el Sur y hacia el Oriente, por en medio de selvas tenebrosas y ríos indómitos, que si hallamos la gloria será para el Rey y si hallamos la muerte será para nosotros —dice Lope de Aguirre.

Antón Llamoso lo escucha absorto, maravillado de tan sonoras palabras.

—Y todos vamos acudiendo a la llamada del Marqués,

pues el oro es Lucifer que nos tienta y nos pierde. Allá en el fondo de sus almas ninguno cree ya en el Príncipe que se enjuaga con polvos de oro al borde de una laguna, ni en los becerros de oro más abultados que el de Moisés, ni en las calles empedradas de plata en láminas, ni en las naranjas de rubíes, ni en las escaleras de amatista, ni en el país de la canela, ni en el hechizo de Manoa, ni en los templos sumergidos de la diosa Dabaida.

Antón Llamoso gruñe confusas exclamaciones.

—Aquesas fueron leyendas inventadas por los indios bárbaros para oponerlas a la realidad de nuestros caballos y arcabuces. Aquesos fueron precipicios levantados por la imaginación de los naturales de estas tierras para hacer despeñar en sus honduras la codicia de los españoles. Y válame Dios que tales ardides y estratagemas tuvieron efecto. Por centenares nuestros soldados hallaron calamidades y tumba en vez del mundo maravilloso que buscaban —dice Lope de Aguirre.

Antón Llamoso no se atreve a mirarlo de frente.

—Allá en el fondo de sus almas.ninguno cree ya en el viejo Dorado mas todos desesperan de hallar un Dorado nuevo. No vinieron a las Indias a labrar la tierra ni a criar caballos sino a hacerse ricos de buenas a buenas. Brotarán soldados españoles de todas las partes del Perú, ansiosos de tomar como verdades los embustes de estos indios brasiles, prestos a correr los mayores peligros en perseguimiento de las riquezas de los Omaguas, impacientes por complacer a las amazonas que se tienden desnudas en la hierba para folgar con sus prisioneros. Yo no me emborracho con ninguna de estas fábulas, Antón Llamoso. Pensamientos y razones harto diferentes me arrastran a la jornada de Pedro de Ursúa —dice gravemente Lope de Aguirre.

Antón Llamoso se echa a reír.

Las campanas del Cuzco repican por última vez Lope de Aguirre ha vivido demasiado voy en busca de mi muerte en un caballo alazán de poca alzada y muchas crines mi sola inclinación a la vida es mi niña Elvira no la dejaré en el Cuzco arrodillada ante la tumba de Cruspa a merced de los padres de doctrina que engañan y fornican a las doncellas a merced de los encomenderos concupiscentes a merced de los mayordomos violadores voy en busca de mi muerte o de mi gloria o de ambas jamás me separaré de mi niña Elvira que soy yo mismo más que yo mismo Elvira irá a la entrada de los Omaguas con María Arriola que la atiende con Juana Torralba que la cuida con Antón Llamoso que es su sombra guardiana con Lope de Aguirre que nadie osará malmirarla si yo estoy a su lado no me quedan dientes sino encías no me quedan cabellos sino greñas blancas mis manos titubean al empuñar la espada mi pierna derecha es un leño reseco no obstante esto tiene mi pecho una elección grandiosa que cumplir un universo de agravios que vengar yo soy Miguel la ira de Dios yo soy Luzbel rebelde hasta la muerte no he de dejar a Elvira abandonada al arbitrio de la lascivia de los hombres deshicimos la casa del Cuzco y emprendimos los caminos de roca que conducen a la ciudad de los Reyes adelante va Elvira en una carreta tirada por mulas negras adelante va Elvira con las mujeres que la acompañan detrás voy yo junto a Antón Llamoso en dos peludos caballos peruanos luego vienen bien montados Lorenzo Zalduendo y los Guzmanes cierra la caravana Pedro de Munguía ya no se oyen las campanas del Cuzco de pronto retumban truenos infernales que hacen crujir el cielo la Torralba se persigna y santigua en volandas Martín de Guzmán blasfema enardecido Elvira me mira asustada sonríe cuando yo le devuelvo la mirada.

Tu madre no nació en las serranías incaicas sino a orillas de la mar, nació en Lambayeque que es gente de otra sangre y otros pensamientos, marineros que de tanto escuchar el embate del agua creen en la libertad, pescadores que de tanto mirar los arenales dudan a veces de Pachacamac hacedor del mundo y de las tierras verdes, tu madre contemplaba a los hombres con tan dulce insistencia que les desacompasaba el pulso y los hacía tartamudear, la vio bailar una tarde en el Cuzco el príncipe Huáscar hijo de Huayna Cápac y heredero legítimo del trono de los incas, el príncipe la invitó a dormir con él en la densa medialuz del palacio Colcanpata, el príncipe era un mancebo recio y silvestre que aún no había humedecido su sexo en mieles de mujer, tu madre lo instruyó en el rito de la fornicación sobre esteras de plumas amarillas entre paredes de granito azuleadas por el resol, la boca de tu madre sabía besar como ninguna otra boca, el príncipe Huáscar adquirió en la fragancia de aquel vientre la pasión de la carne que con el tiempo lo llevaría a perder el imperio y la vida, tu madre tenía los ojos tan inmensos que en ellos cabía todo el cielo del Perú, tu madre se llamaba Chestan Xefcuin y desde los veneros de su alma aborrecía el poderío imperial del Tahuantinsuyo pues los nacidos en Lambayeque vivían bajo otros sueños y otro sol, tu madre se desnudaba en las fiestas de Chupiñamca para bailar el casayaco, en los esguinces de la danza las aletas de la nariz de tu madre palpitaban como el buche de una paloma, en la exaltación de la danza los pezones de tu madre se endurecían como gotas de ébano, en el acabamiento de su danza tu madre se estremecía bajo insólita mojadura, tu madre se llamaba Chestan Xefcuin y se libró por milagro de perecer en la matanza de concubinas de Huáscar que ordenó Atahualpa en el Cuzco, no fue acuchillada como las otras porque para aquella sazón ya tu madre añorante del mar y los cantos costeños había vuelto a las dunas de Lambayeque, en Lambayeque la hallaron los conquistadores y también ellos enmudecieron encandilados por el resplandor de su carne, cuando surgieron del mar los viracochas blancos tu madre Chestan Xefcuin vivía en la compañía de Mitaya Uitama que había nacido bajo el destino de ser su servidora, a Mitaya Uitama la bautizó fray Benito de Jarandilla para franquearle así las puertas del cielo, *Bautizacunqui cristiana tucunqui diostra yupanqui hanacman rinque hanacman rinque*, le pusieron el excelso nombre de María mas ella prefirió conservar el mote humilde de Mitaya que significa sierva de bajo linaje, a los cuarenta años tu madre seguía siendo hermosa como ninguna otra mujer, don Blas de Atienza que había acompañado a Vasco Núñez de Balboa en el descubrimiento de un nuevo mar océano fue el elegido por ella entre diez capitanes que la convidaron a compartir su lecho, don Blas de Atienza se la llevó a Trujillo y fue su último amante, don Blas de Atienza fue tu padre y por designio suyo te llamas Inés.

Tu niñez disfrutó huertos de naranjas granadas membrillos cidras y limones, desde que la fundó Almagro la ciudad de Trujillo se esforzó por ser villa próspera e industriosa, a tu padre antiguo capitán de Balboa lo respetaban los encomenderos y jueces, tu madre tenía los sesenta años más bellos del

Perú, a ti niña te acechaban los hombres blancos mestizos negros indios con ávidas miradas de deseo, te escudriñaban con sus ojos los senos en flor la boca violenta los muslos torneados las nalgas retadoras, tu padre se llenaba de ira cuando lo advertía, no así tu madre que sonreía ufana, ni mucho menos Mitaya Uitama que los provocaba a todos taimadamente, ¿es sabrosa mi niña verdad? preguntaba Mitaya Uitama a los visitantes, el mestizo Felipe Salcamoya te prometió que se mataría si tú no lo querías y tú no lo quisiste y se mató de una puñalada la noche misma en que las mascaritas bailaban el saynata para celebrar tus quince años, otro mestizo llamado Pablo de Alvín se hizo novio tuyo sin que tú te dieras cuenta, te daba unos besos inacabables a la sombra de los algarrobos, casi lo desmayaban aquellos besos al pobre Pablo de Alvín, y digo pobre porque se enteró tu padre lo amenazó de muerte y tu novio fue a dar a Chile en alas del miedo a morir, Mitaya Uitama te contaba sus recuerdos a la luz de un pabilo, Mi cuerpo ha conocido muchos hombres niña, Nada en el mundo es tan tierno como la dureza de un hombre niña, Ningún placer es comparable al de sentirse penetrada por un hombre niña, Al resuello de un hombre sobre nuestro aliento niña, Eres mucho más bella de lo que fue tu madre decía Mitaya Uitama cuando tu madre no estaba presente, entonces don Pedro de Arco se enamoró de ti, tu madre te lo anunció afligida y suspirante, ella sabía que nunca llegarías a quererlo, ella sabía también que les estaba vedado desairar a tan honrado caballero, don Pedro de Arco era amigo del Virrey y dueño de la mitad del valle de Chiacama, en sus campos de trigo se afanaban tres molinos y en sus siembras de caña humeaba la chimenea de un alambique, don Pedro de Arco era peludo y canoso como un huanaco blanco, tú tenías dieciocho años cuando los casaron, los casó el obispo pues en ese tiempo ya Trujillo tenía obispo y corregidor y dos conventos, el obispo rezongó oraciones en latín y tu madre bailó el catauri y fue aquélla la última vez en su vida que bailó, perdiste la virginidad la noche misma de la boda como ordena la ley divina, ante Mitaya Uitama fuiste a lamentar el dolor del desgarramiento, Te dolió porque no estás enamorada, A las mujeres enamoradas también les duele pero no se quejan dijo Mitaya Uitama, aun después de casada todos los hombres inclusives el obispo y el corregidor te miraban con ahínco de caballos rijosos, Es que eres la mujer más bella del Perú argumentaba tu madre, Mitaya Uitama sólo quería saber si don Pedro de Arco te cogía bien, españoles y mestizos desvelaban sus noches suspirando por tu desnudez pero ninguno se atrevía a decírtelo, se atrevió finalmente el caballero Francisco de Mendoza sobrino del virrey Hurtado de Mendoza que vino a Trujillo en diligencias militares, en medio del bullicio de las fiestas don Francisco de Mendoza se acercaba a secretearte cosas escandalosas que te dejaban asombrada, una noche te oprimió un seno con mano abusadora, otra noche te susurró arteramente bajo el abanico que tu voz le excitaba las partes más viriles de su cuerpo, la tercera noche don Pedro de Arco tu marido se había alejado de la villa a cuidar de sus harinas y azúcares, Mitaya Uitama le abrió la puerta de tu aposento a don Francisco de Mendoza, saltando por la ventana llegó hasta ti salpicado de lluvia, tenía tan contenido deseo de gozarte que la primera vez no le duró el placer sino apenas un soplo, al poco rato recuperó el vigor y hundió bruscamente su espolón en lo más profundo de tus entrañas, te poseyó una postrera vez cuando el aguacero había cesado y el alba comenzaba a deshacer nubes, ¿Te cogió bien niña? fue la pregunta ansiosa de Mitaya Uitama y tú no supiste qué responderle, olvidabas doña Inés de mi alma que Trujillo es una aldea envidiosa y maledicente, la dieron por murmurar del modo como te miraba don Francisco, del querer que mantenía cabizbajo a don Francisco frente a los balcones cerrados de tu casa, los rumores llegaron a los oídos del Virrey en la Ciudad de los Reyes, don Andrés Hurtado de Mendoza vuelto un león obligó a su sobrino a embarcarse rumbo a España sin más noche de amor en Trujillo que aquella de tus tres debilidades, tu marido don Pedro de Arco volvió de sus haciendas sacudido por una tos que os mantenía despiertos las noches enteras, despierto él con su enfermedad y despierta tú con tus meditaciones, tu marido don Pedro de Arco se confesó y murió de allí a cuatro meses, tú quedaste paseándote enlutada y melancólica por los corredores, Eres la viuda más bella del Perú decía tu madre, Algún día aparecerá el hombre que te coja como tú lo mereces decía Mitaya Uitama.

Cuando ancló en Guanchaco el barco que trajo a don Pedro de Ursúa tú andabas todavía vestida de negro, tu marido don Pedro de Arco había muerto hacía tres años, a tu padre don Blas de Atienza se lo llevaron las viruelas el pasado noviembre, de pronto tu madre Chestan Xefcuin se resignó a envejecer canturreando sombríos aires de quenaquenas en los aposentos más oscuros de la casa, Mitaya Uitama era tan anciana como tu madre pero batallaba contra el tiempo, Mitaya Uitama te contaba extrañas leyendas que nunca le oíste platicar antes, perversas imágenes de lascivia y hechicería, coitos furiosos entre hermano y hermana al borde de una laguna, raíces gigantescas que se convertían en falos, falos enhiestos que se convertían en rocas, Mitaya Uitama en mitad de su relato entornaba los ojos y se sumergía en recuerdos, un día no previsto llegó a Trujillo don Pedro de Ursúa, decían los escribanos que había matado trescientos indios en Nueva Granada y doscientos negros en Panamá, decían que el virrey Marqués de Cañete lo nombró gobernador de la entrada de los Omaguas desdeñando a varios poderosos señores que aspiraban a conducir tan magna empresa, ninguna de esas hablillas o verdades te conmovió a ti Inés de Atienza, te conmovió sí su barba roja de maíz en mazorca, su perfil arrogante de arcángel celestial, su paso decidido de soldado seguro de sus agallas, la alegría que le manaba de la sonrisa, la elocuencia viril de sus manos mientras hablaba, su fama de mujeriego afortunado y discreto, don Pedro de Ursúa al verte por vez primera presintió lo que iba a suceder, había venido a Trujillo a solicitar contribuciones para su jornada, a prometer futuras gobernaciones futuros obispados futuras fanegas de oro a cambio de mil miserables pesos presentes, don Pedro de Ursúa no tenía más fortuna que sus vestidos y su caballo, te conoció un jueves de Corpus en la casa de don Lorenzo Albornoz Visitador de la Santa Madre Iglesia colector infatigable de diezmos y primicias representante de Su Santidad el Papa, don Pedro de Ursúa te habló del color purísimo de las esmeraldas que arrancan a la tierra los indios musos, tú no lo oías por estar atisbándole el centellear de los ojos, por estarle admirando el traje de paño de Segovia y el cuello de encajes de Flandes que el gallardo capitán llevaba puestos, don Pedro de Ursúa te preguntó de improviso si irías a misa el sábado y tú le respondiste que sí que a las nueve en el convento de Santo Domingo y sonreíste sonrojada, regresaste a la casa con las mejillas encendidas y Mitaya Uitama no necesitó preguntarte nada, la mujer goza del amor como las vicuñas y lo sufre como las perras, eso dijo Mitaya Uitama a media voz, ya no era la misma Mitaya Uitama que antaño te empujaba ladinamente hacia los calzones de los hombres, el sábado a las nueve estaba don Pedro de Ursúa plantado entre los pilares del convento, tú llegaste con Mitaya Uitama y pasaste por su lado casi sin mirarlo, aunque palpando oliendo sintiendo su presencia, don Pedro de Ursúa se igualó a tus pasos a la salida de la misa y echaron a caminar juntos sin que tú supieras adónde iban, todo Trujillo indagador y maligno los estaba espiando, Mitaya Uitama se rezagaba poco a poco, don Pedro de Ursúa extrajo de su bolso una llave y abrió la puerta de la casa que había alquilado por residencia, no olvides Inés de Atienza que a una viuda decente como tú no le está permitido pisar el hogar de un caballero solo y agraciado, Trujillo entero te está espiando por los ojos de las cerraduras y las celosías de las ventanas, don Pedro de Ursúa empuja suavemente tus hombros y tú entras con la cabeza erguida a una sala vulgar y hostil, los muebles son sillas tiesas de cuero claveteado sobre maderas pardas, al centro hay una mesa cubierta por un mantel bordado, ¿cómo se puede vivir sin un verde de hojas sin un aroma de alelíes?, don Pedro de Ursúa que jamás te había dicho una palabra de amor te tomó entre sus brazos y te besó en la boca, tú lo besaste a él como si toda la vida hubieran sido amantes, él te llevó de la mano como una niña hasta el aposento donde campeaba la blancura de una cama insolente, en esta misma cama se había acostado con otras, tal vez la noche anterior se había revolcado ahí con una mujerzuela, sin pensar en eso o pensando solamente en eso te quitaste el vestido con gestos graves de ritual indígena, él se turbó maravillado del esplendor de tu piel, fue a cerrar la ventana para que no cayera sobre ti tanta luz, tú no advertiste cuando se desnudó él también, sentiste sí de pronto sus manos cálidas que se posaban en tus senos, que descendían de tus senos por las curvas de tus caderas, que volvían al centro de tu cuerpo y se detenían sobre tu vientre tembloroso, presentiste

111

la cercanía de sus labios que buscaban los tuyos y los encontraban mojados y violentos, después su carne fue entrando en tu carne como una fruta dura y palpitante, fue entonces cuando te dijo por primera vez que te quería, te lo dijo cuando ya su cuerpo y el tuyo se movían a la cadencia de una música húmeda que en ningún sitio sonaba, cuando ya su viril y tu vulva estallaban en un parejo afloramiento de las médulas más recónditas, sacudidos por un idéntico gemido de rendición y triunfo, tanto deleite no lo habías sentido jamás Inés de Atienza, Inés de Atienza que sales a la calle y ha comenzado a atardecer y todo Trujillo está asomado a las puertas para verte pasar. Mitaya Uitama vuelve contigo a la casa sin despegar los labios, no tiene voz para preguntarte si don Pedro de Ursúa te ha cogido bien, la pobrecita Mitaya Uitama está llorando.

¿Qué te importa lo que piensan y dicen los defraudados hombres de Trujillo las chismosas comadres de Trujillo el reverendo obispo de Trujillo?, atraviesas las calles y plazas sin la protección de Mitaya Uitama, te diriges con seguros pies a la casa donde don Pedro de Ursúa se quema de impaciencia tras los visillos, don Pedro de Ursúa cuenta mentalmente los caballos que pasan por el empedrado, su corazón le ha anunciado que tú llegarás justamente después del noveno, a veces llegas pero otras te retrasas o son muy numerosos los jinetes y él comienza a asustarse porque han pasado diez y nueve y tú aún no apareces, mas aquí estás al fin y se le borran del pensamiento la cuenta y los temores, esta tarde don Pedro de Ursúa desnudo te dice a ti desnuda que dentro de una semana partirá hacia el río de los Motilones, ya no puede entretenerse más tiempo en Trujillo, el teniente Pedro Ramiro le envía desde Santa Cruz mensajero tras mensajero, el maese Juan Corzo tiene hechos once bajeles en el astillero, a ti te sacude un deseo atropellado de llorar y reñir, alzas la voz para llamarlo inhumano y acusarlo de que no te quiere suficiente, le dices Únicamente te quieres a ti mismo Pedro de Ursúa, él va a replicarte herido de tu injusticia, no te replica, prefiere darte un beso entrecruzado y ardoroso que no acaba nunca, que tan sólo se interrumpe cuando su boca se zafa de la tuya y baja hasta tus senos alborotados y tú sientes que se deshojan de amor tus pezones entre sus labios, después se escurre a besarte los dedos de los pies uno por uno y a secretearles diez pequeñas oraciones distintas cuyas palabras no distingues, te besa luego el rinconcito escondido que no debería besarte jamás porque te puede matar antes de tiempo, tú le dices Cógeme como vicuña, porque ha venido a tu pensamiento aquella estatuilla antigua que te mostró una vez Mitaya Uitama, un indio de rodillas gozaba a su india tal como las vicuñas machos gozan a las vicuñas hembras, te corvas en arco y apoyas la frente sobre la almohada, don Pedro de Ursúa te coge llanamente como vicuña, tú lo sientes enclavado y fundido en tu claustro de mujer, tocando tabiques íntimos que nunca había alcanzado, sollozas Así mi amor Así mi amor Así mi amor, hasta que ambos se doblegan sobre las sábanas derribados por un mismo relámpago, buscándose en la oscuridad las bocas que se habían perdido.

—Es una locura, Pedro de Ursúa, mas si te atreves a recibirme por soldado de tu tropa, me iré contigo.

—Es una locura, Inés de Atienza, pero te llevaré conmigo.

Era una terrible locura, desdichada doña Inés, que estaba escrita en las estrellas.

LOPE DE AGUIRRE EL TRAIDOR

AÑO Y MEDIO ha pasado desde que se partió de la selva don
Pedro de Ursúa en busca de dinero y soldados, que ambas
cosas nos hacen grande falta. De esta tardanza hablan una
vez más Pedro Ramiro, Juan de Aguirre y maese Juan Corzo
mientras la tarde se desliza sobre el río de los Motilones, que
es el mismo Huallaga. Ya maese Juan Corzo ha puesto justo
término a sus labores de constructor de bajeles. Sus flamantes
bergantines sólo están pidiendo que los echen al agua. Han
sido dieciocho meses de rudo trabajo en el astillero. A veces
sudamos bajo un calor de purgatorio, otras damos diente con
diente bajo torrenciales aguaceros de nunca acabar. Los indios y los negros talan árboles descomunales en la selva vecina. Desde aquí se escucha el estruendoso batacazo del
tronco al derrumbarse sobre la tierra. Por la corriente del río
bajan hasta la barranca del astillero las balsas cargadas de árboles tronchados. Los serradores hincan sus afilados aceros
en las duras cortezas. Los herreros avivan las lenguas del
fuego, golpean sin descanso sobre los yunques, forjan clavos
y palas de hachas. Los carpinteros afanan sus martillos, cepi-
llan la madera, convierten las ramas de los árboles en traba-
zón de navíos. Los calafates rellenan con estopa las junturas
de las tablas, recubren con brea las cubiertas y los costados de
los futuros barcos. Maese Juan Corzo va y viene por entre
nubarrones de mosquitos. Va y viene ardido por el sol, o em-
papado por la lluvia, o sacudido por la fiebre. Maese Juan

117

Corzo grita sus órdenes a cincuenta hombres de sangres diferentes, castellanos, extremeños, vizcaínos, navarros, catalanes, mulatos, mestizos, negros, indios. Por las noches canta el ayaymama, un pájaro tristísimo cuyas salmodias dan ganas de llorar, ¡maldita sea su emplumada madre! En el astillero de maese Juan Corzo hemos construido dos bergantines y nueve barcas llanas de esas que llaman chatas. En cada chata caben cuarenta caballos y doscientas personas con sus hatos y perros.

Para el teniente Pedro Ramiro la espera de Pedro de Ursúa resulta aún más desesperada que para maese Juan Corzo. El teniente Pedro Ramiro, fundador y regidor de Santa Cruz de Capocóvar, representa aquí la autoridad ausente del gobernador. Santa Cruz de Capocóvar es un poblado indígena que provee de jornaleros, herramientas y vituallas al astillero. Las casas son estrechas chozas de madera, reforzadas con pelladas de barro y mechas de paja seca. A Santa Cruz de Capocóvar llegan todos los que bajan de remotas regiones, acordados de incorporarse a la entrada de los Omaguas. Desde el Cuzco, desde Quito, desde Popayán y desde más al norte, llegan atraídos por el tufo del oro y la fascinación de la aventura. Al declinar la tarde se apiñan en las tabernas o ante las mesas donde pasan de mano en mano las monedas y los naipes mugrientos. Un asturiano toca su guitarra a lo rasgado y canta con voz cansada viejos romances. Afuera se oyen los tambores de los negros invocando a sus dioses. Más lejos desgarran su congoja las flautas inconsolables de los indios jíbaros. Los soldados salen tambaleándose y llenan los callejones de insolencias y juramentos. El ebanista Mariano Ferrer habla solo a la puerta de su casa, Mariano Ferrer se volvió loco de tanto decir mentiras. Un azote de calenturas pestilentes se llevó de este mundo a nueve indios, tres negros y un gallego.

El jueves pasado trajeron cargado al peón mulato Pedro Madroño desde los matorrales del bosque, lo había picado una culebra shushube, se le hinchó el vientre como un odre lleno, no pudieron salvarlo las oraciones ni las medicinas. Anoche mataron de una puñalada al sargento Leandro Mora que no aceptaba burlas ni amenazas de nadie. También anoche los hermanos Yrazábal medio borrachos probaron a pegarle fuego al poblado por dos o tres partes. El teniente Pedro Ramiro teme que sucedan cosas peores si don Pedro de Ursúa no acaba de volver, si las naves de maese Juan Corzo no acaban de partir.

En cuanto a Juan de Aguirre, tesorero de la jornada, se mesa los cabellos y maldice su ventura. Los últimos mil pesos los gastó en los bastimentos más necesarios, ganado, cazabe, aceite y vino, para impedir que se agitara y se desbandara la gente. Mas si no llega presto don Pedro de Ursúa, o si Santiago el Apóstol no hace un milagro de los suyos, está perdido. El tesorero Juan de Aguirre sueña todas las noches con el vaivén de su cadáver, lo presiente colgado de una ceiba frondosa que despliega sus ramas frente a la pequeña iglesia de Santa Cruz de Capocóvar.

Tornó finalmente don Pedro de Ursúa a las tierras selváticas donde todo era esperarlo. En la ciudad de Chachapoyas se lamenta amargamente de no haber logrado recoger al menos la mitad de los doscientos mil pesos que le eran tan preciosos. Don Pedro de Ursúa tiene una labia linda y convencedora, pinta villas de oro y castillos de plata, describe la fantasía con tanta realidad que los mercaderes de la ciudad de los Reyes terminan en creerle y en prometerle millares de escudos, ¡miserables!, a la hora de la verdad ninguno me cumplió la palabra dada, el que ofreció diez mil no alcanza a entregarme mil, el que prometió cinco mil se niega a recibirme, tan sólo lo dan todo aquellos aventureros que tienen su fe puesta en mi brazo y su ilusión en los fulgores del Dorado, los que se juegan en esta jornada lo mismo la hacienda que la vida, Pedro Alonso Galeas aporta tres mil pesos, Gonzalo de Zúñiga dos mil pesos y tres caballos, también dos mil pesos Pedrarias de Almesto y Juan de Valladares, Juan Vázquez Sahagún vende todas sus pertenencias, Inés de Atienza malbarata su casa en siete mil pesos para venirse conmigo, no obstante esto a Juan de Aguirre no le cuadran las cuentas, ¿cómo van a cuadrarle?, faltan dineros para comprar reses y para la paga de los soldados y para los barriles de pólvora y para las barras de plomo y para los toneles de vino, ¡viejo Satanás, te cambio mi alma por un puñado de asquerosos pesos que me permitan cumplir esta hazaña donde me van el nombre y la vida!

En aquella sazón sucedió el episodio del cura Portillo que cada uno gusta de relatar a su manera, el cura y vicario de Moyabamba había logrado reunir seis mil pesos a costa de su hambre y privaciones, a costa de poner a trabajar a los indios sin pagarles salarios ni cosa alguna, a este clérigo de nombre Portillo le tentaba embarcarse en los bergantines de don Pedro de Ursúa, no sólo porque ambicionaba el obispado de los Omaguas que el gobernador le prometía sino por la cosquilla del oro que le quitaba el sueño, *"Este pueblo ha cometido un gran pecado fabricándose un dios de oro"* leía en el libro del Éxodo, el cura Portillo no compartía los escrúpulos de Moisés, ¡concédeme Señor no la salvación de mi alma sino un cuarto trasero del becerro del Antiguo Testamento!, el cura le adelantó mil quinientos pesos a don Pedro de Ursúa, después no pudo darle el resto porque se lo impidió el desgarrón de entrañas que sufren los avaros cuando algo los fuerza a desatar los cordones de su bolsa, don Pedro de Ursúa (o más bien el mulato Pedro Miranda que era un bellaco, o tal vez el joven Fernando de Guzmán que presumía de andaluz ingenioso) urdió una treta para arrebatarle al cura los cuatro mil quinientos pesos que aún debía, representaron la comedia de un moribundo que a medianoche clamaba por confesarse, el cura corrió en camisa de dormir a darle la absolución, el falso agonizante y sus tres compañeros le pusieron un arcabuz de mecha encendida en el pecho y dos afilados puñales en los riñones, entonces el cura firma todos los papeles que le dan a firmar, lo montan en un caballo rucio y se lo llevan con los huevos al aire como está, el anciano vicario gimotea de rodillas ante don Pedro de Ursúa, mi cuerpo gastado y enfermizo no dispone de fuerzas para navegar ni combatir, ni siquiera sirvo para perdonar los pecados pues los míos son demasiado grandes, mi avaricia es una llaga repugnante, mi lujuria ha engendrado varios hijos mestizos, una noche violé a una indiecita en la sacristía, a veces fornico con las llamas y las burras, no merezco ser obispo de los Omaguas, ni de parte alguna, don Pedro de Ursúa se lo llevará consigo sin prestar oído a sus humillaciones.

El sargento Lope de Aguirre negóse a participar en la farsa, aquel enredo sacrílego no le pareció una acción digna de hombres guerreros y cristianos, te diré mi opinión Lorenzo Zalduendo, si el cura se niega a dar los cuatro mil pesos que pide nuestra necesidad, pues se le mata sinceramente y se le arrancan los pesos al cuerpo difunto, esto es más honroso que arrastrarlo a la fuerza a una dura jornada donde sus débiles costillas se van a quebrar, se morirá de mengua a los pocos días de navegación, como en efecto se murió.

Contrariedad más enojosa que la divertida historia del padre Portillo, Inés de mi vida, fueron los sucesos que acarrearon la muerte de Pedro Ramiro, regidor de Santa Cruz de Capocóvar, y la muerte siguiente de los capitanes Diego de Frías, ese que tanto me había recomendado el Virrey, y Francisco Díaz de Alvés, que fue mi compañero de armas en el Nuevo Reino y era un poco mi pariente. (Don Pedro de Ursúa le escribe largas cartas a doña Inés de Atienza que aún permanece en Trujillo consumida y anhelante de venir a encontrarlo.) Sucedió, Inés de mi alma, que yo envié al Frías y al Díaz de Alvés como caudillos de una jornada hacia la región de los indios Tavoloros, en busca de yuca y animales de comer que en este lado no abundan, y les nombré para conducirlos a mi teniente Pedro Ramiro, que conocía los laberintos de la selva como la palma de sus manos y los asentaría a cada uno en la parte más conveniente. No sospechaba yo, Inés de mis sentimientos, que tanto el Frías como el Díaz de Alvés tenían el corazón carcomido de envidia por causa de la confianza que yo a Pedro Ramiro le dispensaba, ya que lo había nombrado por teniente regidor de Santa Cruz de Capocóvar y tenía pensado nombrarlo por maese de campo de la armada en mi jornada de los Omaguas. La consecuencia de esa envidia fue, Inés de mi adoración, que el Frías y el Díaz de Alvés acordaron de pronto abandonar la comenzada empresa, separarse de Pedro Ramiro y su gente, y volverse ellos al real con muy torcidas intenciones. Tan torcidas eran, Inés de mis suspiros, que al toparse con dos soldados que marchaban por el rumbo contrario les testificaron en falso que Pedro Ramiro se había alzado contra el Rey y contra mí, y tras haberlos persuadido los convidaron a prenderlo y ajusticiarlo. Y como hallaron al dicho Pedro Ramiro a orillas de un río, ocupado en pasar sus hombres de tres en tres valiéndose de una canoa, tomaron la siniestra providencia de ocultarse en la maleza en espera de la oportunidad en que mi teniente quedase en este lado acompañado tan sólo del servidor negro que siempre lo asistía. Entonces, Ines de mis deseos, se le arrojaron encima y le amarraron ligaduras en las manos y mordaza en la boca, y a lo último le hicieron cortar la cabeza por un esclavo negro del Frías a quien encomendaron el cumplimiento de tan grave maldad. Seguidamente atravesaron las aguas del río y le mintieron a la gente de Pedro Ramiro en decirles que habían matado al teniente regidor por disposición mía y en escarmiento de una horrenda traición que él había hecho. Mas quiso el destino que el esclavo negro de Pedro Ramiro alcanzase a escapar y hallar refugio en la espesura y contemplar desde ahí cómo le daban muerte infame a su señor y venir luego de prisa hasta Santa Cruz de Capocóvar y contarme sin tomar aliento la verdad del episodio. De ese modo estuve enterado del todo de la iniquidad, y cuando el Frías y el Díaz de Alvés me escribieron melosas cartas para darme mentirosa relación de cómo Pedro Ramiro se había rebelado contra mi autoridad y de cómo lo tenían en prisión, y pedir mi beneplácito y licencia para sus intenciones de aplicarle garrote, yo fingí creerles la patraña y los invité cortésmente a volver al real. En llegando ellos a mi presencia, Inés de mis desvelos, los hice prender y luego acusar de su fechoría por treinta testigos, que no eran otros sino los treinta soldados que presenciaron el crimen desde el opuesto margen del agua, y condené a los cuatro matadores a morir ahorcados en las ramas de la ceiba que está sembrada frente a la iglesia de este poblado. Me produjo no poco sufrimiento, Inés de mis entrañas, ver colgados de aquel árbol a un favorecido del Virrey y a un primo mío, que eran además bravos guerreros necesarios para mi venidera empresa, mas dejar sin castigo su deslealtad significaba arrostrar el riesgo de perder la estima y el respeto de los hombres que me siguen. Las noticias que te escribo pecan de malas, Inés de mis caricias, puesto que he perdido de un golpe a tres de mis mejores capitanes, mas tú sabes que no me arredro ante adversidad alguna, que no presumo de humilde sino de orgulloso y seguro de mis propios hechos, más orgulloso y más seguro a partir del día y punto en que te conocí y te quiero y te gozo y te poseo, Inés de mi salivita y de mi lechita. (Y por ahí se desató don Pedro de Ursúa a derretirse de amor y carnalidad en varios pliegos que llegaron a las manos de doña Inés de Atienza al anochecer de un sábado y la pusieron a temblar como la llama de un candil.)

Doña Inés de Atienza divisó las primeras casas de Santa Cruz de Capocóvar un domingo a las tres de la tarde, y avanzó hacia ellas abriéndose paso por el medio de un calor húmedo y pegajoso que era presagio de aguacero. La noticia de su llegada la habían susurrado los dos curas en sus confesionarios, la habían divulgado las mujeres, se había litigado a viva voz en las tabernas. Don Fernando de Guzmán, dispuesto como ninguno para los júbilos y las fiestas, fue de casa en casa convocando a la gente, ¡corramos a ofrecerle un recibimiento esplendoroso a la mujer más bella del Perú!, don Fernando de Guzmán no había visto jamás de cerca ni de lejos a doña Inés de Atienza mas solamente ante él (tal vez por su condición de hijo de padres principales bien estimados en Sevilla) y en reservados coloquios se permitió don Pedro de Ursúa ponderar la hermosura de su dama.

Desde hora temprana ordenó el enamorado Gobernador que se abrieran los canutos de las cubas, el vino corría como agua de manantial, las campanas de la capilla repicaban cual si hubiera nacido un príncipe, colgaban cintas rosadas de los techos de paja y de las ventanas de horcones, redoblaban los tambores marciales de los españoles y les respondían en candombe los cueros de los negros, los jinetes afanaban sus caballos en caracoles y rodeos, los arcabuces disparaban al aire, olía a pólvora y sudor.

De repente aparecieron en el camino polvoroso los yelmos emplumados de los soldados que abrían la procesión, se agitaron como pájaros las banderas y los pendones de la bienvenida, estallaron al unísono las salvas y los gritos, luego se fue extendiendo un silencio reverencial a medida que ella avanzaba hacia el centro del caserío. Todos habían oído que doña Inés de Atienza era la mujer más bella del Perú, mas ninguno sospechaba tanto despliegue de belleza morena y misteriosa. Negros eran los ojos, negra la cabellera, negra la mantilla que apenas la embozaba, negra la saya de terciopelo que la vestía. Eran en contraste blanco el pelo de la jaca que la traía en sus lomos, azules los jaeces, dorados los ornamentos, rojo el airón.

Don Pedro de Ursúa, orgulloso y pensativo, le tendió la mano para ayudarla a bajar de la cabalgadura. En ese minuto pudieron apreciar, los hombres y las mujeres, la entera magnitud de su hechicería. Tan esbelta era que se encorvaba de propósito para no aventajar en estatura a su amante el Gobernador. Aquellos zafios guerreros insatisfechos y aquellas celosas mujeres resentidas adivinaban bajo las telas del ropaje la presencia de sus hermosas piernas largas, de sus anchas y duras nalgas de mestiza, de sus pequeños senos redondos, de la ardorosa negrura de su sexo. Los capitanes Lorenzo Zalduendo y Juan Alonso de la Bandera, el alguacil mulato Pedro Miranda, el soldado pagador Pedro Hernández, el capellán Alonso de Henao y varios otros que nunca se supo, sintieron encresparse su sangre bajo la mirada inevitable de aquella mujer. El sargento Lope de Aguirre, en cambio, alzó los ojos al cielo porque ya caían sobre las cabezas del gentío los primeros goterones.

Los pescadores averiguan la suerte mísera o venturosa de sus jornadas en las aguas de los ríos; los pescadores empozan un poquito de esa agua entre las manos, la besan y le murmuran la oración del mayuchulla; el agua les dice entonces si sus canoas rebosarán de peces o si volverán al caer la tarde con las canastas vacías. Los labradores columbran el porvenir de sus cosechas en la luz de las estrellas, que son las creadoras y ordenadoras de los campos; cuando las tres estrellas que son hermanas surgen en el cielo grandes y brilladoras, los labradores saben que los maizales se cuajarán de espigas y que la tierra se preñará de papas pulposas; mas si las estrellas achican su anchura y apocan su fulgor, el sufrimiento se tenderá sobre las sementeras. Los cazadores se asoman al mañana y al después de mañana guiados por los fantasmas que brotan del ayahuasca, la yerba que produce visiones maravillosas, lagos y jardines, mujeres y melodías; merced a los delirios que engendra el ayahuasca, los cazadores atisban los matorrales donde se guarecen los conejos y venados, los ramajes donde anidan las perdices y palomas, y en qué madriguera duerme el puma que mata los ganados, y en qué ribera acecha el caimán de alevosas quijadas. Los reyes incas afrontan su destino interrogando el corazón sangrante de las llamas; el sacerdote degüella una llama tierna y de poca edad, le abre el costado de un lanzazo, y extrae las entrañas convulsas para leer en ellas el signo de su emperador; los últimos latidos de aquella pequeña vida anuncian los buenos y los malos sucesos que a los pueblos y a sus soberanos les reserva la historia. El futuro de los ancianos lo predice Supay, el ángel maligno, hediondo a azufre y orines rancios. El futuro de los niños se trasluce en la candela del masochina, el fuego sagrado que arde muchos meses sin apagarse. El futuro de las mujeres se los revela a ellas Cuniraya Viracocha, a través del lenguaje de las hojas de coca.

—Pero el futuro del hombre —decía tu madre Chestan Xefcuin—, el futuro del hombre musculoso y viril, bien dotado de verga y compañones, ése se sabe solamente escudriñando la médula de su tibio almidón, clavando la mirada en esas gotas de miel blanca que son el principio supremo de la vida.

Afuera de la casa comenzaba a clarear el día sobre los verdes de la selva, Inés de Atienza, cuando tú despertaste. Te alzaste sin hacer ruido de la cama donde don Pedro de Ursúa había dormido contigo hasta la medianoche, y te acercaste en puntillas al borde de la hamaca donde él estaba tendido ahora. Él te sintió llegar, te hizo un sitio a su lado, tú ceñiste tu cuerpo al suyo desde la frente hasta los pies, y una ternura de hormigas dulces te recorrió la piel. Don Pedro de Ursúa insaciable te besaba la boca, y ávida tu boca le devolvía el beso, cuanto tu mano comenzó a acariciarle lentamente su erguido bulbo de hombre. Con la mano no, gimió él; con la mano sí, respondiste tú; y él no se atrevió a suplicar de nuevo porque tus dedos le arrancaban un goce turbio que crecía más y más. El roce de tu mano no se detuvo, no se detuvo hasta el instante en que don Pedro de Ursúa fue sacudido por la delicia áspera de un violento espeluzno, y tú sentiste estallar entre tus dedos la bocanada de esperma. Entonces te zafaste de sus brazos, saltaste de la hamaca y corriste hasta el postigo por donde entraba la primera luz de la mañana.

Tus ojos aterrados, Inés de Atienza, no ven sino muerte, tumulto y muerte, acero y muerte, muerte cruelísima para don Pedro de Ursúa, muerte cruelísima para ti que no debes, no puedes, no quieres rechazarla. Esta substancia viva que te unta la palma de la mano devuelve desde sus nácares un eco desgarrador que te sacude los huesos. Este caldo tembloroso hace espejear rostros en sus blancuras, perfiles que apenas entreviste la tarde de tu llegada. Ahí están Lorenzo Zalduendo, Juan Alonso de la Bandera y el mulato Pedro Miranda, los tres codician tu cuerpo como bestias enceladas. Ahí está el alcalde Alonso de Montoya a quien don Pedro de Ursúa ha hecho engrillar porque se negaba a ir voluntariamente a la jornada, don Alonso de Montoya sigue tus pasos desde su reja con un odio implacable. Ahí está don Fernando de Guzmán adulador y amanerado, don Fernando de Guzmán se deshace en loas a tu beldad y en encomios a la bravura de don Pedro de Ursúa, ¿qué ambiciones disfrazan las zalemas de don Fernando de Guzmán? Ahí está el sargento Lope de Aguirre malencarado y cojo, el sargento Lope de Aguirre jamás te mira.

TRAS MUCHO REZONGAR y no poco maldecir partimos del astillero un veinte y seis de septiembre, día de San Cipriano. Refiere y comenta el padre Henao que San Cipriano fue un nigromante pagano pasado al cristianismo por la gracia de Dios. El emperador Diocleciano lo hizo degollar, muy bien merecido (digo yo) por haberse pasado. En compensación caerá dentro de tres días la fiesta de San Miguel Arcángel, patrono de mi villa de Oñate y de mi persona Lope de Aguirre. Este otro sí es un santo erecto y derecho, lanza en ristre de la Divina Providencia, a ti sigo encomendado para que me ampares en los vaivenes de la travesía y me ayudes a librarme de mis malignos enemigos presentes y por venir.

Tantas calamidades llovieron sobre nuestras cabezas antes de la partida que un demonio maléfico parecía condenarnos a desesperar por siempre en aquel codo de un río afligido y pantanoso. La mayor desventura que sufrimos fue la quiebra de los bajeles de maese Juan Corzo. Eran once nuestros navíos y muchos meses de sudor se consumieron en construirlos. Seis de ellos se desbarataron en botándolos al río, el agua les entraba a grandes buches por las junturas desportilladas, la madera se partía como rastrojo seco, las chatas cabeceaban un rato junto a la orilla y luego se iban a pique. Maese Juan Corzo culpaba y maldecía a los largos meses que estuvieron vírgenes los barcos en el astillero, soportando furiosos aguaceros copiados del Diluvio Universal, anidando alimañas en sus bodegas vacías, aguardando encallados en las arenas a don Pedro de Ursúa que nunca llegaba. Para presenciar el lanzamiento de su flota el gobernador salió señorialmente de la tienda donde doña Inés le exprime noche y día el alma y otras partes de su cuerpo. Mientras una a una se hundían las chatas, Pedro de Ursúa, tu tez iba mudando del rosa al amarillo. En el trance de descalabrarse el bergantín te diste a jurar como carretero y renegado, inclusive te cagaste en Dios de palabra, el padre Henao lleno de horror se persignó tres veces consecutivas. En un tris estuviste de hundirle una estocada mortal a maese Juan Corzo en la panza, tal como hubiera hecho yo de ser quien eres, pues ningún otro tratamiento merecía el hideputa. Tú te contentaste con hacerlo engrillar, y al día siguiente le quitaste los grillos para mandarle que emprendiera sin dilación el reparo de sus podridos barcos. Maese Juan Corzo salta ahora de aquí para allá como un loco de atar, empuja los indios al agua para obligarlos a rescatar tablas, grita voces de apremio a los carpinteros y a los herreros y a los calafates, maese Juan Corzo pringado de barro hasta las pestañas se pasa las noches en claro espoleando a las cuadrillas de negros que se alternan en el trabajo. También yo, que soy hombre de poco o ningún sueño, dilapido mis noches velando, me divierte ver deslomarse a los negros bajo la luna y oír la canción de un pájaro tatatao tatatao que desde la oscuridad le toca maitines a maese Juan Corzo.

Pero al fin se canta la gloria, así decía el cura de Oñate fray Pedro Mártir, al fin logramos apartarnos de aquel oprobioso barrizal el día de San Cipriano. Nuestros once flamantes navíos quedaron reducidos a dos bergantines y tres chatas remendadas y temerosas de volver a hundirse. Llevamos a cambio de lo perdido más de doscientas embarcaciones pequeñas, principalmente balsas y canoas. Nuestros hacheros derribaron el árbol más corpulento que nuestros ojos han visto y convirtieron su tronco en la canoa más inmensa que ha surcado los ríos del mundo. Embarcado en tan descomunal esquife va el gobernador Pedro de Ursúa, en compañía de sus amigos y mandos de mayor valimiento. Al desplegarse de orilla a orilla tan dispareja como numerosa flota, mi escrupuloso camarada Pedro de Munguía hace la cuenta: 400 soldados españoles, 24 ayudantes morenos entre negros y mulatos, 600 piezas de servicio entre indios e indias, a más de las 14 mujeres blancas que van en la jornada (sin exceptuar a doña Inés de Atienza y a mi hija Elvira que no son blancas sino mestizas). El resto de la carga son hatos de ropa y trastos de dormitorio o cocina, armas y escudos de todas clases, barriles de pólvora y otros de vino, rasgueo de vihuelas y ladridos de perros, no sé cuantas cabras y ovejas, tampoco sé cuantas vacas y terneros, 27 caballos bien aderezados, y estos últimos sí los conté con grande fidelidad.

La consecuencia más desdichada que tuvo para toda la gente la quebradura de los barcos de maese Juan Corzo fue la obligación de dejar en tierra buena porción de sus bagajes y pertenencias, que no tenían cabida en las balsas y canoas. Se vieron forzados a matar y salar gran parte del ganado que habían traído con la finalidad de fundar hacienda en la tierra prometida, y a vender los pavos y gallinas a los doce vecinos miserables que quedaron en Santa Cruz de Capocóvar, y a dejar los caballos en la orilla que era esto lo más inhumano. Más de cien caballos resoplan remolinados en las playas, sin riendas y sin amos. ¿Cómo puede un hombre privarse de su cabalgadura en estas comarcas donde el caballo es la mitad más útil de nuestro ser? No pocos soldados estuvieron al borde de desistir del viaje, por no abandonar sus caballos. El general Pedro de Ursúa no se los permitió. A unos los persuadió recordándoles con bellas palabras que el tesoro de los Omaguas se hallaba a un escaso mes de distancia. A otros, los que jamás se persuadieron, los trae por fuerza haciendo de remeros en la barca de doña Inés. Ahí va remando con ellos maese Juan Corzo, que todavía pena por el desastre de sus barcos. Y va también remando el enconado alcalde Alonso de Montoya, a quien la procesión le anda por dentro.

¿Por dónde andará García de Arce? ¿Qué habrá sido de Juan de Vargas? Tres meses ha que el gobernador Pedro de Ursúa los despachó corriente abajo. Llevaban la comisión de salirnos al encuentro, cargados de provisiones y buenas noticias, en la junta de un gran río descubierto por el gobernador Juan de Salinas, que unos llaman el Cocama y otros mientan el Ucayali. Delante partió García de Arce con treinta hombres, navegando en canoas de liviana madera y en balsas de troncos atados con fuertes bejucos. Lo siguió Juan de Vargas con otros setenta hombres, y se llevó consigo por orden del gobernador Ursúa uno de nuestros dos bergantines. Todos nos reuniremos más tarde, Dios mediante: las canoas y las balsas de García de Arce, el bergantín de Juan de Vargas y la entera muchedumbre de nuestra flota, en la junta del río Cocama, que otros llaman Ucayali.

A propósito de estos sucesos recuerdo yo que por estas mismas o parecidas aguas, e igualmente en busca de bastimento, envió Gonzalo Pizarro a su preciado capitán Francisco de Orellana. Atestigua la historia que no volvió a verlo jamás pues Orellana no era un simple recogedor de tortugas sino un descubridor sediento de renombre. Francisco de Orellana navegó sin parar meses enteros por entre torrentes y remolinos, estaba conquistando el río más superlativo del universo, cayó en el mar océano cubierto de perpetua gloria, Gonzalo Pizarro se quedó aguardándolo en la selva, matando sus caballos para mitigar el hambre de sus huestes andrajosas. ¿Por dónde andará García de Arce? ¿Qué habrá sido de Juan de Vargas? El gobernador Pedro de Ursúa confía ciegamente en ellos, ha encumbrado a Juan de Vargas hasta el grado de teniente general, García de Arce es su amigo y paniaguado de mayor privanza. Mas tanto como todo esto era Francisco de Orellana en la estimación de Gonzalo Pizarro, pienso yo, y no obstante ello su lealtad naufragó fácilmente en las aguas frenéticas de estos ríos desmedidos.

Mi niña Elvira está asomada al borde de la chata, contemplando cómo se retuercen bajo nuestro paso los remolinos del agua. La luz nublada de la tarde la vuelve aún más niña, perdonádme si digo más angélica. Antón Llamoso me ha preguntado dos o tres veces: ¿por qué motivo trajiste a la niña?, ¿no era más cuerdo y discreto el haberla dejado en el Cuzco, en la compañía de María de Arriola y Juana Torralba?

María de Arriola, la dama de compañía, es una mujer callada tirando a huraña, fue despensera de vinos y frutos en Álava, cree vascongadamente en Dios y en los santos del cielo, le son especialmente odiosos el robo y los pecados de la carne. Juana Torralba es harto diferente, unos días dice que nació en Soria y otros que en Logroño, ésta sí se largó a las Indias movida por una causa precisa, se desmandó detrás de un escribano andaluz que le prometió matrimonio, el desventurado novio no alcanzó a cumplir su juramento porque se quedó para siempre frío en un hielo de cuartana, Juana Torralba vio nacer a mi niña Elvira y desde entonces la imagina y mira cual si fuese la hija que no engendró en su vientre el escribano, Juana Torralba se mudó a nuestra casa al morirse Cruspa, cuando yo manifesté que traería a la niña en esta jornada Juana Torralba recogió sin decir palabra sus pobres vestidos y se vino con nosotros. No tengo sino a ella en el mundo, me dijo. Juana Torralba acompaña a María de Arriola en las oraciones de sus rosarios nocturnos, aunque siempre se duerme antes de llegar a las letanías.

Antón Llamoso me pregunta porqué he traído a la niña conmigo en lugar de dejarle en el Cuzco bajo la guardia y amparo de las dos servidoras. No le respondo, no debo responderle. Lo que yo me temía, si dejaba la niña atenida a la débil protección de dos mujeres, era un peligro del cual no puede hablarse en voz alta con nadie. ¿Quién iba a defenderla de la lascivia de los padres de doctrina que usan la obscuridad de los confesionarios como rincones de perversión? ¿Quién iba a preservarla de la violencia de los soldados rijosos, de la insolencia de los encomenderos lascivos, de las artimañas de los jueces concupiscentes, de las súplicas de los mulatos sensuales? En aquella villa de pesadas casas y ásperos cerros, donde mi niña Elvira parecía una rosa en un jardín de piedra, los hombres sueñan a toda hora con obscenidades y fornicaciones. Óyeme bien, Antón Llamoso, ya que tanto insistes en conocer mis razones. En esta jornada de los Omaguas van más de trescientos hombres verdaderos, más de trescientos aventureros de dura piel y corazón velludo, mas ninguno de ellos osará mirar a mi niña Elvira con malos ojos, ninguno se atreverá a profanar su inocencia con un deseo torcido mientras yo me halle a su lado, mientras os halléis a su lado tú y Pedro de Munguía, Martín Pérez y Diego Tirado, Juan de Aguirre y Custodio Hernández, Roberto Zozaya y Joanes de Iturraga, y otros muchos que sois mis amigos, que mañana seréis mis marañones, y Dios me entiende. Está escrito un frasis en el Eclesiastés, Antón Llamoso, que yo me aprendí de memoria: *La hija mantiene desvelado a su padre, pues el cuidado de ella le quita el sueño, por el temor de que sea manchada su virginidad.* Así reza el Eclesiastés, Antón Llamoso, y así pensamos los que estamos sujetos a los preceptos de la Madre Iglesia de Roma.

El piloto Juan de Valladares, que desde la amura del bergantín determina el rumbo de toda la flota, suda gotas de sangre para adelantar sus barcos por el medio de este río desconocido y alevoso. De pronto surge un remanso que nos empoza horas enteras en su quietud, más lejos un desenfrenado torbellino nos obliga a girar a tontas y a locas, a cada media legua nos acecha el arenal de un bajío o el filo oculto de una roca, o bien la corriente se hace tan rápida que no alcanzamos a dominarla y nos desviamos sin querer hacia las riberas. Nuestro único bergantín (el otro partió adelantado bajo la autoridad de Juan de Vargas) encalló sus maderos en uno de tantos arrecifes, con tal frenesí que la quilla se hizo pedazos y los costados comenzaron a anegarse por más de un desgarrón. En mitad de este aprieto andaban los pilotos y marineros del dicho bergantín cuando les dio alcance la larguísima canoa donde navega el alto mando. El gobernador Ursúa no se detuvo a darles auxilio, su diligencia se redujo a alzarse de su sitio y gritarles sin demasiada consideración:

—¡Daos prisa! ¡En la provincia de los caperuzos nos veremos!

Nuestra chata, en cambio, desvió su curso para probar a socorrerlos. En su afán de tapar los agujeros, los anegados se servían de las más variadas cosas: viejas mantas, descosidas gualdrapas, lana de los colchones, ramas de los árboles, cueros resecos, troncos que el agua traía nadando, hasta que lograron cegar los huecos y adobaron las costuras con tablas claveteadas y lampazos de brea.

En la provincia de los caperuzos estaba fondeado Lorenzo Zalduendo, que había sido enviado delante a procurar vituallas. Nada se sabe todavía de García de Arce ni de Juan de Vargas, aunque se presume y sospecha que ambos a dos nos esperan en la junta del río Cocama, que otros llaman Ucayali. Los caperuzos, unos indios así motejados en razón de los ridículos bonetes de abogados con que se cubren, nos truecan una fanega de maíz y una canoa rebosante de tortugas por una amellada navaja toledana que les damos. Termínase de reparar el bergantín en la barranca de los caperuzos, y ahora alza su vela bajo el mando de Pedro Alonso Galeas, río abajo al encuentro de García de Arce y Juan de Vargas. La única otra novedad sucedida en aquel pasaje es que el alcalde Alonso de Montoya fue librado de los grillos que le oprimían los pies y de la collera que le deshonraba el gollete. Es vano mi intento de hacerle amistad pues Alonso de Montoya sólo articula gruñidos de rencor y votos de venganza.

Navegamos ochenta leguas más, hasta llegar a la desembocadura del Ucayali, que otros llaman Cocama. En esta inmensa encrucijada de aguas es donde real y verdaderamente nace el río de las Amazonas. Aquí hallamos a Juan de Vargas con su gente. Con recelo y extrañeza advertimos que García de Arce no forma parte del corro que nos recibe.

—Sabe Dios por donde andará García de Arce —dice Juan de Vargas con su dejo de madrileño atildado. —Los caperuzos nos contaron que había pasado de largo por sus orillas. Debió aguardarme en este sitio, cual era lo convenido, mas tampoco aquí le permitió detenerse su impaciencia por despeñarse río abajo.

Todos imaginamos y sospechamos que García de Arce anda poseído por ambiciones de hazañas particulares, y que

136

pretende descubrir un Dorado para su propia gloria y riqueza, todos lo sospechamos menos el Gobernador que conserva una fe incorregible en su vasallaje. El fidelísimo García de Arce peleó bajo sus órdenes contra los indios musos en el Nuevo Reino, le ayudó a ejecutar la trampa mortífera que aniquiló a los negros cimarrones de Panamá, lo acompañó cumplidamente en las fundaciones de Pamplona y Tudela. Murmura entre dientes el padre Henao que en ciertas fiestas de Corpus santificadas con raudales de chicha en Cartagena, el general Pedro de Ursúa y su dicho ayudante García de Arce preñaron a dos doncellas indias, y éstas le dieron una hija hembra a cada uno.

—No os inquietéis —dice firme y sosegadamente el Gobernador—. García de Arce nos espera con felices nuevas un trecho adelante.

Juan de Vargas saluda militarmente y da su parte:

—Acatando la instrucción de Vuestra Excelencia, general Ursúa, y ante la dificultad de no haber encontrado a García de Arce en este lugar que era el acordado, decidí en subir la corriente del río Cocama, en busca de los bastimentos de los cuales los hombres de Juan de Salinas nos dieron noticia al incorporarse a nuestra entrada. Me llevé conmigo a los soldados de mayor fuerza natural, y dejé en este campo a los enfermos y a los débiles, con Gonzalo Duarte al frente de ellos por su caudillo. En efecto, y tal como lo habían dicho los hombres de Juan de Salinas, tras veinte y dos jornadas de remontar el Cocama topamos con poblazones de indios que nos proveyeron de maíz, frutos y yuca, a veces por las buenas y otras por las malas. Volví finalmente a este sitio, con muchas canoas cargadas de alimentos y no pocos indios e indias cautivos, y entonces hube de hacer rostro al más triste y desolado espectáculo.

Juan de Vargas baja ahora la voz, no quiere hablar sino para el Gobernador, mi oído de lince no pierde palabra:

—Encontré a la gente tendida a la vera del bergantín, enfermos los unos, derrumbados de fatiga los otros, todos medio muertos de hambre y aflicción. Tres soldados españoles habían finado de mengua, y sus cadáveres fueron arrojados al río, para evitar que los devoraran los buitres, ya que nadie tuvo ánimo para enterrarlos cristianamente. También fueron a dar al agua quince cuerpos de indios difuntos, con gran contento de los caimanes y los peces feroces del río.

Juan de Vargas prosigue con voz bajísima su relación:

—Para colmo de males, en el entretanto que el tiempo pasaba y no aparecía la flota de Vuestra Excelencia, se despertaba en muchos descontentos la intención de rebelarse. Había los que pretendían abandonar la jornada y volverse al Perú, otros más osados se inclinaban a continuar solos río abajo en persecución de regiones más propicias, los más malvados querían simplemente matarme. Fue menester castigar a varios de ellos, aunque yo me esmeré en convencer a la mayor parte por medio de razones y sentencias, explicándoles que Vuestra Excelencia era un hijodalgo cumplidor de su palabra y celoso de su honra, y que vivo o muerto vendría a juntársenos como había prometido.

Eran cosa muy cierta los infortunios que contaba Juan de Vargas, mas nuestra presencia aplacó las aversiones y disipó las pesadumbres, tanto que cayó el olvido sobre los tres compañeros muertos. Llevóse al cabo un repartimiento de provisiones, maíz y yuca, cazabe y peces salados, frutos y piezas de caza, sin poderse evitar el despecho de los que consideraron que la división no había sido hecha con equidad y justicia. Éstos murmuraban que a doña Inés le tocó lo más exquisito por ser la bella barragana del Gobernador. Yo, por mi parte, que no caigo en tentaciones de yucas y cazabes, me sujeté a obtener lo necesario para que no penasen de hambre mi niña Elvira y las mujeres que de ella cuidan.

Ante nuestros ojos se abre el inmenso y temeroso mar dulce que llaman río de las Amazonas, el Marañón de mis marañones, digo yo.

Fuiste apenas gota del alba caída en la cúpula del Vilcanota en la punzante cumbre oscura del Vilcanota arpón del supremo hacedor Viracocha hundido en las más altas atalayas de los incas voz inviolable de la nieve desgarra estrellas de agua cenicienta duendes de humo saltan las oquedades de arrogantes farallones luces de almas en pena descienden de las nubes en hirvientes cuchillos haz de relámpagos vertidos en el bramido del Apurimac que arrastra furias y estruendos por entre ijares de montañas Apurimac revuelo de plateado gavilán sobre el estupor de los abismos Apurimac apagador de ardientes selvas de oro Apurimac jaguar de agua jadeante puma de espumas hasta el hallazgo del Mantaro enlazados engendran la corriente desnuda del Eni peregrina transparencia al encuentro del Perené másculo príncipe de luminosos pliegues que ha horadado cavernas infernales y destrenzado arcanos de enredaderas grises Eni y Perené al confundir sus aguas te conviertes en Tambo cerril Tambo que te retuerces inventas múltiples caminos de ópalo no te detienen cerros no te apaciguan llanuras vas a caer en brazos del Urubamba hermano Urubamba hijo de tu mismo padre rocoso y huraño Urubamba parido por tu misma madre de alabastro y yelo Urubamba apartado de tu ruta por el espinazo implacable de los Andes mas ni el propio Dios lograría impedir el nacimiento del Ucayali melodía vagabunda del Tambo relincho lujurioso del Urubamba ambos ayer tibias hilachas despeñadas del Vilcanota van a hacerse de nuevo idéntica mate-

139

ria cristalina fusión de lámparas azules y salvajes aromas florestales Ucayali te llamas para mojar el corazón del Perú con tu ritmo de leche majestuosa Ucayali te llamas para acoger la savia definitiva de treinta tributarios Camisea Sepahua Mishagua Cohenga Tahuanía Inuya Cheshea Genipanshia Pachitea Tamaya Abujao Utuquina Callería Aguaytía Roaboya Pisqui Unini Canchahuayo Cushabatay Santacatalina Supayacu Yanacayu Maquía Pacaya Tapiche tantas aguas agigantan tu brío corres endemoniado a la embestida del Marañón poderoso y profundo como tú el estallido de tu inmensidad oscura sobre su inmensidad clara es un cataclismo de ciega alegría un huracán de vidrios y palmeras un torbellino de grandes árboles tronchados una turbia anarquía de peces y tortugas un sonámbulo cielo tempestuoso un cruel espejismo de emplumados infiernos ya no eres Ucayali ya no eres Marañón sino tú padre Amazonas océano dulce y fugitivo dios supremo de los bosques el más eterno entre todos los ríos del universo.

Una estrella de mal agüero sigue guiando desde el cielo nuestra aventura. Al apartarnos de la junta del Ucayali y proseguir nuestra derrota río abajo se quebró el bergantín de Juan de Vargas, fue menester abandonarlo a su suerte anegado y rompido, sus marineros se acomodaron lo mejor que pudieron en canoas y piraguas. Bajamos por el río de las Amazonas por mí siempre llamado Marañón, bajamos en seguimiento de García de Arce y el imperio de los Omaguas, en busca más segura del mar océano donde estas aguas fatalmente desembocan. De pronto nos cae por la margen izquierda el caudaloso y ancho río de la Canela, por esa poderosa corriente tributaria entró el descubridor Orellana con su barco "San Pedro", en este punto el Marañón se vuelve irreparablemente universal, el navegante comienza a sentirse mínimo o infinito según la opinión que de sí mismo tiene. En mi caso un soplo de grandeza se me enrisca dentro del pecho entretanto el gran cristal del río crece ante mis ojos. Es algo como si volviera a nacer del vientre de mi madre, para el bien y para el mal. Me sentí revivir una vez en el Cuzco el día en que alcancé a vengarme con su muerte de los latigazos y agravios que me había hecho el alcalde Francisco Esquivel. Me sentí morir de nuevo cuando volví a mi casa después de la batalla de Chuquinga y supe por verdad del espejo que Lope de Aguirre sería para siempre un espantajo cojo y chamuscado. Ahora la majestad de este río me devuelve la conciencia de lo que realmente soy, no anciano renco y desdentado sino brazo dispuesto a coronar las hazañas más insignes, fuerte caudillo de más valer por encima de todos cuantos valen, valgo más y mucho más que el gobernador Pedro de Ursúa, valgo tanto como el rey Felipe, a quien Dios guarde, llegarás a valer menos que yo, rey español. A ti Pedro de Ursúa te envidian todos los hombres el amor y la posesión de la dulce ramera que te complace, yo no formo parte de esa piara de hambrientos cerdos, no me desvelan las caricias y desmayos de doña Inés entre tus brazos, me desagrada sí la preeminencia de que haces alarde cuando doña Inés te acompaña. Eres un apuesto caballero Pedro de Ursúa, de paso nivelado y barba ensortijada, cuentan que mataste traidoramente a más de doscientos negros rebeldes en Panamá, esforzada proeza digna de un generoso pecho como el tuyo, fuiste escogido entre cien pretendientes por el virrey Marqués de Cañete para gobernar esta memorable entrada de los Omaguas, duermes y folgas de lunes a sábado con la mujer más bella del Perú, empero yo me pregunto perplejo y dudoso si vales más que yo, ¿vales más que este cojo y maltrecho sargento Lope de Aguirre, natural vascongado y no francés vicioso como tú?, la lengua infinita de este río me dice que no vales tanto, y si no logro demostrarlo al punto y hora ha de ser porque yo tampoco valgo nada.

¿Qué habrá sido de García de Arce? El gobernador Ursúa insiste en pregonar que su fiel paniaguado nos está aguardando en una tierra fértil y abundosa, derretido de lealtad y cumplimiento. Por su parte el bachiller Francisco Vázquez, que vino a esta jornada con presunciones de cronista y todo lo adorna con su imaginación mentirosa, asegura que García de Arce y su gente se zambulleron en la selva procurando sustento y allí fueron devorados una mitad por las fieras y la otra mitad por los indios bárbaros. En cuanto a mí no ceso de creer que García de Arce ha emprendido descubrimientos por su cuenta y riesgo, lo presiento dormido bajo sábanas de oro en el mentado imperio de los Omaguas, o llorando el desengaño de saber que el tal imperio no ha existido jamás.

De allí a dos días los hechos confirman que tenía razón el gobernador Ursúa, no el bachiller Vázquez, aún menos yo. El dos de noviembre, día de los fieles difuntos, divisamos a la luz de un mediodía transparente una isla plantada en el medio del río. Atribuimos en el primer instante su penacho de humo a la presencia de una población india, al acercarnos comprendemos que aquellos infelices que se asoman a la barranca son García de Arce y su gente, gritan como unos condenados.

Vivían en un palenque o fortaleza hecha de madera y fajinas de ramas atadas con alambre, a lo lejos se veían los ranchos espaciosos y cuadrados de los indios. La maravillosa puntería de García de Arce es ponderada en todo el Nuevo Mundo, aquí le sirvió para cazar lagartos de río llamados caimanes, si les apuntaba a los ojos seguro puedes estar de que en el hueco de los ojos les daba, sus hombres se alimentaron muchos días con las colas de aquellos animales feos y correosos, les hallaban un sabor a mariscos secos. Igualmente sirvió la destreza de García de Arce para matar indios en abundancia, el famoso arcabucero usaba un ingenioso ardid que consistía en unir dos pelotas con un alambre, al disparar lograba derribar seis indios de un solo tiro: dos que recibían los pelotazos mortales y cuatro a quienes el alambre descabezaba.

Uno de los soldados de García de Arce refiere a la media noche cómo tuvo origen la enemistad entre su caudillo y los indios, al principio éstos eran amables y les traían frutos de la tierra y huevos de tortuga, así se pasó el tiempo hasta un viernes en que García de Arce hizo encerrar a sus visitantes dentro de un bohío y ordenó que los matasen a todos, más de cuarenta fueron exterminados a estocadas y puñaladas, la sangre formó un arroyo que bajaba por la ladera hasta juntarse a las aguas del río, García de Arce se disculpó diciendo que el cacique Pappa les preparaba una celada, el soldado que ha contado la historia espera que el gobernador Ursúa repruebe severamente una acción tan cruel e innecesaria, ilusión vana la tuya compañero, olvidas que el oficial García de Arce no hizo sino copiar punto por punto la sutil estratagema que inventó en Panamá este su amado general Pedro de Ursúa con el fin de arrancarles la vida a doscientos esclavos cimarrones, no hay diferencia alguna salvo que aquellos cadáveres eran negros mientras que éstos son indios, mas los unos y los otros encerraban por igual almas humanas, por lo menos Vuestra Paternidad está en la obligación de creerlo, Monseñor Henao.

La sangrienta medicina aplicada por García de Arce aterró a los indios en forma tal que se perdieron de vista, quedaron vacías las casas cuadradas que se alzan en el valle. En cambio la amistad que nos prodigan los mosquitos resulta insufrible, nubes voraces y pegajosas descienden a nuestros pellejos, pican al través de las ropas y las mantas, no dejan dormir a mi niña Elvira con su musiquilla. Arrancamos de los árboles una gran variedad de sabrosas y extrañas frutas: unas verdes en forma de pera que ocultan una carne amarilla y suave, otras doradas y de un gusto ácido que frunce los labios, otras gordas y pulposas como manzanas pero de piel dura y grandes semillas.

Mientras dura nuestro descanso en la isla, el gobernador Ursúa se acuerda de que debe otorgar autoridad y grados a varios de sus oficiales, legítimo acto de gobierno que no había cumplido antes porque los golosos brazos de doña Inés le tienen adormecida la voluntad. A su servicial y valeroso capitán Juan de Vargas lo hizo teniente de gobernador, al escogerlo desengañó a Lorenzo Zalduendo y a Pedro Antonio Casco y a Juan Alonso de la Bandera, todos tres aspiraban a ese oficio desde la muerte de Pedro Ramiro. A don Fernando de Guzmán lo hizo alférez general, distinción alcanzada por el esfuerzo de sus zalemas y lisonjas, don Fernando de Guzmán es siempre el único invitado a sentarse a la mesa junto al Gobernador y doña Inés, sospecho yo que en su fuero interno le place más la compañía del Gobernador que la de doña Inés, y Dios me perdone. A mí, Lope de Aguirre, me nombraron para teniente de difuntos, yo seré el personaje que llevará la cuenta de aquellos que han de morir en nuestra jornada, guardaré sus papeles y sus postreras disposiciones con gran cuidado y vigilancia, haré una rigurosa lista de los finados y la depositaré el Día del Juicio en las invictas manos de San Miguel Arcángel que los mandará al infierno sin contemplaciones. Permita el cielo Pedro de Ursúa que me toque dar principio al memorial con tu orgulloso nombre de hidalgo baztanés.

Después de una semana abandonamos la isla de García de Arce y perseveramos en nuestra derrota. ¿Qué perseguimos Marañón abajo estos trescientos soldados españoles provistos de un bergantín, tres chatas, cuarenta balsas, cien canoas, tres frailes, diez y ocho mujeres, veinte y cuatro negros, seiscientos indios e indias de servicio, veinte y siete caballos y numeroso armamento de ofensa y defensa? ¿Qué perseguimos preguntan vuestras mercedes? Señores historiadores de Indias: vamos en busca del tesoro de los Omaguas, la esplendorosa fábula del Dorado que vuelve al camino más cautivadora que jamás. Es de advertir inter nos que este servidor vuestro, Lope de Aguirre, desvelado y eficaz teniente de difuntos, no cree poco ni mucho en fantasmas del otro mundo ni tampoco en la realidad verdadera del imperio de los Omaguas, ni en las islas de la perenne juventud ni en las razas que viven debajo del agua. Nací en una provincia vascongada donde la Virgen de Aránzazu vióse en la necesidad de aparecerse en persona y con cencerro para que no dudásemos de su existencia. No he venido al Nuevo Mundo a acumular riquezas en mi provecho, ni a catequizar indios en beneficio de nuestra sagrada religión, ni a emular las inventadas hazañas de Florisando o Palmerín, he venido simplemente a valer más con la lanza en la mano, he servido lealmente al Rey por veinte y cuatro años, he poblado pueblos, he librado batallas, me he quedado cojo en tu nombre Carlos o Felipe, ahora venga lo que viniera ha llegado la hora de esforzarme en el nombre y alteza de mi propia gloria. Desde la barbacoa de mi chata contemplo a los doscientos noventa y nueve compañeros, los contó Pedro de Munguía, que van en la afiebrada conquista del imperio de los Omaguas. Allá por los horizontes, acurrucada en la verdura maternal de la selva, divisan ellos los contornos de la ciudad más prodigiosa del universo mundo. Sus pasos recorren las largas calles de oro macizo, son de plata labrada los muros de las casas, maúllan y mean los gatos sobre tejados de amatista, las reales posaderas del príncipe Quarica descargan su carga sobre bacinicas engastadas en diamantes, el príncipe Quarica se hace barnizar las criadillas con suavísimo alquitrán y luego sus esclavas cubrénselas con polvos de oro y ornánselas con guirnaldas de perlas, en la casa del Sol hay jardines de coral donde se ofrecen a la mano las peras de oro y las calabazas de oro y los huevos de oro que ponen las gallinas de turquesa por sus culos de rubí.

Habéis llegado hermanos al espléndido Dorado concebido por la imaginación de los profetas indios a modo de contrapeso o escudo ante el estrago que les hacían los arcabuces y caballos españoles. En el afán de domeñar esa quimera nos tragan vivos las selvas lóbregas, nos ahogan los ríos tumultuosos, nos matamos los unos a los otros desaforados por la envidia y la ambición. Habéis llegado al maravilloso Dorado del cual echó mano el virrey Marqués de Cañete para librarse de nosotros, trescientos aventureros que le estorbábamos en su fructuosa pacificación del Perú. Habéis llegado al Dorado cuya imagen les sirve a los caudillos para resucitar a los soldados desfallecidos por las hambres y las fiebres, ¡Alzaos que tras de aquella montaña está el Dorado!, entonces el soldado se alza y echa a andar de nuevo dando traspiés por entre ciénagas y riscos. Habéis acometido esta empresa con el designio de haceros ricos y poderosos de golpe y porrazo, sin labrar la tierra, sin amasar el pan, sin forjar el hierro, sin leer los libros, con el oro y la plata de los Omaguas que pedís a Dios hallarlos a flor de tierra, ya que a cavar una mina tampoco os han enseñado. Enloquecidos por la ilusión del oro profanamos sepulturas, matamos en guerra o sin ella a millares de indios, damos tormento a los prisioneros para forzarles a hablar, nuestra codicia jamás se ve harta, si oro encontramos volvemos sobre nuestros pasos en reclamo de más oro, acabaremos nuestras vidas en la miseria o emponzoñados por una flecha o atravesados por una lanza o colgados de una horca, y con nuestras muertes se satisfará la venganza de los sacerdotes indios que fraguaron esta milagrosa mentira.

Tan sólo pueblos abandonados salen al encuentro de nuestra flota, la comarca entera tuvo la noticia de la matanza hecha por García de Arce, los habitantes de las aldeas huyen despavoridos, a mi niña Elvira no le agrada bajar a dormir en estas casas vacías que huelen a fantasmas, en una de ellas encontramos un niño muerto. Algunas leguas más abajo comenzamos a topar gente amigables, los indios de esta parte que se dice Carari nos truecan sus canoas llenas de pescado por cuchillos y espejitos, a la Torralba le regalan un elegante papagayo de varios colores. El gobernador Ursúa consumido hasta las médulas por la pasión amorosa de doña Inés, enfermo además de fiebres cuartanas que a veces le hacen dar diente con diente, se encierra en la melancolía y descuida sus obligaciones, en lugar de usar guías conocedores de los territorios que atravesamos se obstina en escuchar los embustes y enredos de los indios brasiles que trae consigo desde el Perú, o peor aún los desvaríos del marinero Alonso Esteban que hizo esta misma travesía ha diez y ocho años con el descubridor Orellana (los contrastes sufridos en aquella sazón lo volvieron al parecer loco rematado), Alonso Esteban nos anuncia cada día la aparición inmediata del imperio de los Omaguas, saluda desde su balsa a los caimanes como si fuesen antiguos conocidos suyos, habla a solas con las estrellas. El alcalde Alonso de Montoya que viene de mala voluntad en esta jornada pretende amotinarse una vez más, desea volver las espaldas y remontar con su gente las quinientas leguas que nos separan ahora de Santa Cruz de Capocóvar, naturalmente que el gobernador Ursúa no se lo permite, de nuevo lo encadena y le pone collera infamante al pescuezo, a sus parciales los condena a remar en la barca que lleva a doña Inés, el corazón bondadoso del Gobernador le prohíbe hacer matar a Montoya y sus amigos, tal como hubiese acordado yo por evitar que ellos me matasen primero a mí, como sin duda te matarán a ti Pedro de Ursúa si la providencia de los cielos por bien lo tiene. Llegando que llegamos a la región de Manicuri se nos aniega el último bergantín, nos quedan solamente dos chatas pues la tercera se nos pudrió al alejarnos de la isla de García de Arce, el resto de nuestra armada se compone de balsas y piraguas iguales a las de los indios, el gobernador Ursúa nombró al padre Alonso de Henao por vicario y provisor de esta empresa y mantuvo la promesa de hacerlo mañana obispo del país de los Omaguas, el otro cura Pedro de Portillo ha comenzado a agonizar de mengua y despecho, esta noche lo bajaremos cargado a tierra para que entregue su alma al Creador.

De pronto comenzó el hambre. La pesca abundante y rica de los primeros días, los grandes paiches cuya carne espléndida abastecía de comida a diez hombres, los barbudos bagres o cunchis de diversos géneros, las sardinas semejantes a sus hermanas del mar, las pañas o pirañas feroces capaces de devorar a un hombre hasta dejarlo en los huesos pelados, ni siquiera esas pequeñas pirañas criminales se pescan ahora. Los cordeles se arrastran templados en pos de las canoas, al menor temblor el pescador tira con violencia y entonces salta al aire el anzuelo despoblado cuando no trae enredada en su punta una raíz lodosa o una alga seca. No osamos navegar de noche sino que acampamos en las orillas, en vano buscamos árboles frutales o palominos, ésta es una dura región negada a dar alimento y amparo al hombre, los propios indios dejaron de habitarla ha mucho tiempo. Nuestros escopeteros se asoman a los intrincados laberintos de la selva y vuelven con las bolsas vacías, desgarrados sus jubones por las plantas espinosas, arañados sus rostros por las lianas salvajes, hoscos de furia y cansancio. A veces logran matar un gallinazo repugnante, o un lagarto de panza floja y babosa, o un mono raquítico y tan muerto de hambre como ellos. A los cuatro días de privaciones la gente comienza a quejarse amargamente de los desatinos del Gobernador, de sus mentecatos guías brasiles que nada previenen, de los aromas de tocinos y exquisitos guisados que perfuman la barca donde viaja doña Inés. Los soldados gruñen y maldicen alrededor del inmenso caldero en cuyo seno hierven viandas abominables. Estos hombres hambrientos aprecian en grado sumo los muslos escamosos de las iguanas, asan sapos cual si fuesen conejos, mascan agrias raíces que provocan diarrea, preparan caldos con cueros de zapatos y arzones de los caballos, un mono sin pellejo es la misma cosa que el cadáver de un niño, la cara de Antón Llamoso se entristece cuando chupa los huesos infantiles de un mono, luego les toca el honor de la olla a los fieles perros de la flota, al sexto día no queda un solo perro vivo ni vuelve a escucharse un ladrido afectuoso, ¿y los caballos, señor general?, el gobernador Ursúa se ve forzado a pronunciar una fogosa arenga ante sus soldados apiñados en la playa, los caballos son para nosotros la cosa más sagrada, ¿qué sería de nosotros en el imperio de los Omaguas o en el mismo infierno si nos privaran de nuestros caballos?, con estas palabras habla Pedro de Ursúa. No he permitido que mi niña Elvira sufra penas de hambre, traje guardadas para ella en una arca tortas de pan cazabe y variadas frutas desde la región de Maricuri, la Torralba sacrificó una noche su papagayo para aderezarle una cena, generoso gesto que jamás olvidaré. En cuanto a mí, Lope de Aguirre, si se ha de contar la verdad diré que en este trance no he comido monos ni perros ni lagartijas ni culebras ni gallinazos, las verdolagas y bledos que da la tierra me han bastado para no perecer.

A los nueve días de hambre despuntan por el horizonte las chozas indias del país de Machifaro.

Los indios de Machifaro se amontonan en la playa con las armas en belicoso alarde, tú Pedro de Ursúa tomaste la ocasión por los cabellos para rescatar tu maltrecha reputación y recuperar el respeto de tus soldados y reverdecer la pasión amorosa de doña Inés y proveer de alimentos a tu gente amarilla y flaca, te miramos poner pie en tierra erguido y solo tremolando en la mano diestra un lienzo blanco de paz, cincuenta arcabuceros mandados por García de Arce te guardan las espaldas, los indios saben de oídas que nuestras bocas de fuego pueden aniquilarlos a todos ellos en un decir amén, el prudente cacique depone sus ansias de combate y se adelanta a recibirte con los brazos en alto, doña Inés llora humedecida por tu heroicidad, Viva nuestro valeroso general Pedro de Ursúa grita el padre Henao, el cacique acogedor y asustado nos aloja en el centro de su aldea que es la más grande vista por nosotros a lo largo de nuestro viaje, nos regala con inmensas tortugas que encierran tan sobrada carne como un carnero, los soldados hambrientos engullen y tragan con tanto desenfado como poca vergüenza.

En nuestro bohío se goza de bastante comodidad y espacio, en el primer aposento duermo yo con todas mis armas encima, o por mejor decir finjo que duermo, a los desconfiados los ayuda Dios, han comenzado a soplar en el real vientos de alevosía, en la estancia que da al patio se aloja mi niña Elvira en compañía de las dos mujeres que la cuidan, en el bohío vecino viven en vigilancia los hombres de mi mayor confianza: Martín Pérez de Sarrondo, Pedro de Munguía y Antón Llamoso, al poner del sol nos reunimos todos alrededor de las hogueras que hemos encendido con el propósito de ahuyentar a los mosquitos, los mosquitos de Machifaro son los animales feroces más empedernidos del orbe, ni el humo ni las llamas los arredran en su arremetida.

A veces se acerca a visitarnos el bachiller Pedrarias de Almesto amigo y pendolista del gobernador Ursúa, el bachiller Pedrarias de Almesto es un hombre más leído y escribido que el resto de los que van en esta aventura, algunas noches nos quedamos él y yo platicando sobre asuntos de la historia o de la fantasía, mi niña Elvira gusta de oír nuestras palabras sin hacer preguntas ni añadir comentarios.

Una mañana me descubre mi niña Elvira apuntando renglones en un papel y me dice con fingido asombro: ¿Vuestra merced, padre mío, se ha vuelto poeta de repente?, de buena gana escribiría versos si no me fallaran la luz y el ingenio, en estas fojas anoto solamente nombres mondos y escuetos, ¿quiénes se pondrán en contra del gobernador Ursúa y quiénes a su lado en la hora inevitable de darle muerte?, sin su muerte no se cumpliría jamás nuestro destino (que no es, ¡Vive Dios!, el de envejecer o morir buscando un Dorado imaginado sino el de conquistar y ganar un maravilloso país llamado el Perú que está pintado en todos los mapas).

Primero en mi lista: el bravísimo capitán madrileño Juan de Vargas, teniente de gobernador, amigo íntimo y perfecto de don Pedro de Ursúa; matarlo. Segundo: el no menos intrépido oficial y muy fiel paniaguado García de Arce, descubridor de una isla e infalible arcabucero; matarlo. Tercero: el sargento caballericero y herrador Juan Vázquez de Sahagún, compadre amantísimo del gobernador Ursúa; matarlo.

Cuarto: el cronista y escribiente Pedrarias de Almesto, caballero culto y amable aunque perrunamente secuaz del Gobernador; matarlo, y de veras lo lamento. Quinto: el reverendo monseñor Alonso de Henao, vicario de la armada y futuro obispo de los Omaguas; matarlo, y mucho me place. Sexto y séptimo: el comendador Juan Núñez de Guevara y el capitán Sancho Pizarro, lacayos incorregibles del rey Felipe; tarde o temprano será irremisible matarlos. (En el pergamino donde llevo mis cuentas de tenedor de difuntos le pondré a cada cual una cruz anticipada para ahorrarme así el amargo duelo de ponérselas después de muertos.)

Para vosotros en cambio, mis fogosos compañeros de conjura, están reservadas la dichosa vida y la perpetua gloria. Tú, capitán Juan Alonso de la Bandera, a quien los sueltos de lengua llaman impropiamente (puesto que tu brío varonil nadie tiene autoridad para mancharlo de negación o duda) la Valentona, lleno como está tu pecho de orgullo y de ambición soberbia, y tus venas de un amor desenfrenado hacia doña Inés de Atienza que en ningún instante sabes disimular, tú, Juan Alonso de la Bandera, repugnante y necesarísimo camarada, mañana serás conmigo en el trance sublime de dar muerte al tirano Pedro de Ursúa. Y tú, capitán Lorenzo Zalduendo, que llegaste ha menos de un año al Cuzco convocando guerreros voluntarios para incorporarlos con estas huestes de tu general y paisano Pedro de Ursúa, la presencia hechicera de doña Inés de Atienza torció tus designios y derritió tu lealtad, tú nos acompañarás de buen grado en la empresa de matar a tu abominado protector Pedro de Ursúa, tal como nos acompañarías a matar a tu santa madre si la dicha señora se entrometiera entre el cuerpo embriagador de doña Inés y tu sed de gustarlo. Y tú, embravecido alcalde Alonso de Montoya, que vienes en esta entrada sobrellevando prisiones y grillos, tú que has manifestado mil veces en voz alta tus deseos de volverte con tus parciales a Santa Cruz de Capocóvar, tú que has sufrido penas infamantes de remar con collera de buey al pescuezo en la canoa de una barragana, tú precipitado por una justa saña de venganza serás el más resuelto en la noche de hacer justicia al tirano.

Don Pedro de Ursúa se pasea solitario y melancólico por el patio de su bohío, tendida en colchón de amores lo aguarda doña Inés, el encantamiento de la bella mestiza lo ha alejado de sus soldados, el desvío de sus soldados lo alejará de este mundo. El comendador Juan Núñez de Guevara sueña despierto, la vejez y las fiebres malignas le hacen ver tenebrosas imágenes, una noche vio parado en medio de la obscuridad a un fantasma que gritaba: "¡Pedro de Ursúa, gobernador de Omagua y Dorado, Dios te perdone!", y otra noche vio a cuatro espectros de blancas túnicas que cruzaban las calles llevando en andas con acompañamiento de música tristísima un cuerpo tieso y frío que era sin duda el de Pedro de Ursúa, el Comendador me confía reservadamente sus visiones, yo las divulgo con presteza para que todos en el real nos acostumbremos a la venidera muerte del Gobernador. Entretanto el padre Henao hace llover descomuniones sobre aquellos que se niegan a dejar en manos del alto mando sus herramientas de trabajo y los animales de su pertenencia, Vuestra Paternidad castiga a troche y moche con la privación de los sacramentos sin pararse a medir lo que significa para un cristiano tal ausencia de perdón, Vuestra Paternidad descomulgó a Alonso de Villena que es muy devoto del Santísimo Sacramento y al canario Juan Vargas que reza el rosario todas las tardes porque ellos se resistieron a desposeerse de sus caballos, Alonso de Villena y el canario Juan Vargas descomulgados por Vuestra Paternidad se juntaron sin más ni más a nuestra rebeldía.

Para el vencimiento y triunfo de nuestra causa nos hace falta la autoridad de un caudillo cuya brava figura y gallardo talante enardezcan los ánimos de la gente después de la muerte de Ursúa. Este paladín no lo serán jamás La Bandera ni Zalduendo, ambos tienen condición de vasallos, su ambición superlativa es tan sólo la de refocilarse una noche con doña Inés, nunca se han cuidado de lo que de ellos dirá la historia. Tampoco puede serlo Alonso de Montoya, únicamente lo mueve el afán colérico de ver correr la sangre de su enemigo. ¿Y don Fernando de Guzmán? La Bandera y Zalduendo me replican con inquietud que tal conjetura no pasa de desvarío, don Fernando de Guzmán es el muy grandísimo amigo del Gobernador, en Santa Cruz de Capocóvar vivían en costumbre de inseparables compañeros, dormían en una misma cama no obstante que cada uno tenía su cama propia, la llegada de doña Inés quebrantó bruscamente tan fraternos vínculos, yo pienso que don Fernando ha sufrido demasiado en su alejamiento, que la presencia de doña Inés le parte el alma, y Dios me perdone.

Don Fernando de Guzmán no es un grosero buscador de oro y putillas como los otros, lo conozco desde nuestras pláticas en el Cuzco y tengo constancia de que atesora sueños de fama y poderío en las arcas de su corazón, su padre fue regidor del ayuntamiento en el puerto de Cádiz, don Fernando de Guzmán tiene ademanes de mozo ilustre y noble si bien su estatura es limitada y algo escasos los pelos rojos de su barba, ¿será un hombre irremediablemente leal?, es necesario amigos míos correr el riesgo de que lo sea, hable con él vuestra merced Lope de Aguirre que presume de elocuente.

Tengo por cierto que vuestra merced, mi señor don Fernando de Guzmán, es un hidalgo caballero de Sevilla, el más apuesto y bizarro que háyase visto, y lo digo yo Lope de Aguirre que no soy inclinado a lisonjas y zalemas. Vuestra merced me ha dado su palabra de guardar en secreto cuanto voy a decirle, y yo correspondiendo a esa promesa probaré de ser claro y sincero, que no otro lenguaje le place a vuestra merced. Es cosa sabida por todos que el noble corazón de vuestra merced se duele de los dolores y calamidades del prójimo, cuanto más que este prójimo lo forman nuestros compañeros de andanzas y luchas. Jamás escapa a los sentimientos de vuestra merced que los enfermos requieren de cuidados y los afligidos han urgente necesidad de consuelo. Forzosamente hemos de reconocer que nuestro gobernador don Pedro de Ursúa mostró al principio de esta jornada sus dotes de militar bondadoso y magnífico para con sus soldados y servidores, y que las dichas circunstancias se interrumpieron en el malaventurado instante de aparecer en nuestro campo esa hermosa dama que le carcomió el seso a nuestro enamoradizo General y lo llevó a no hacer memoria de los seres que le eran más devotos y mayormente lo amaban. Para doña Inés de Atienza son todos sus desvelos y todas sus palabras de miel, con ella duerme de noche y se encierra de día, el insaciable vientre de doña Inés lo está disminuyendo y consumiendo. En todos los bohíos de esta aldea se habla y murmura que los desatinos de nuestro Gobernador nos traen perdidos sin remedio, por jamás hallaremos ni rastro de aquel Dorado fabuloso cuyo perseguimiento costó la vida a centenares de esforzados españoles, gloria y poderío sólo alcanzaremos si nos volvemos al Perú animados por la resoluta determinación de restaurar la perdida justicia y librar de malhechores a tan maravillosa patria. Vuestra merced, mi señor don Fernando de Guzmán, está destinado a cumplir ínclitas hazañas, de los ojos se le trasluce a vuestra merced el signo de la grandeza. Es cosa muy cierta que el gobernador Pedro de Ursúa ha nombrado a vuestra merced por Alférez General, mas es igualmente cierto que por encima de vuestra merced situó a Juan de Vargas que vale mucho menos, y por sobre de todos colocó en un altar a esa mujer que le perturba los sentidos y que habrá de ser la fatal estrella de su total perdición. Únicamente el coraje y denuedo de vuestra merced, convertido en general y cabeza de este intrépido ejército de marañones, podrán restituirnos la fe a los que la hemos perdido. Tan sólo el brazo valeroso de vuestra merced, mi señor don Fernando de Guzmán, será capaz de conducir esta quebrantada jornada a su glorioso acabamiento.

(Interior del bohío de don Fernando de Guzmán en la aldea de Mocomoco. Al centro de la sala una mesa tosca rodeada de bancos que son simples horcones cubiertos por tablas lisas. En un ángulo una hamaca de colores en la cual está sentado don Fernando de Guzmán. A su alrededor se apiñan los conjurados. Lorenzo Zalduendo, Juan Alonso de la Bandera y Alonso de Montoya permanecen de pie, muy cerca de la hamaca. El mulato Pedro Miranda, Diego de Torres, Alonso de Villena, el canario Juan Vargas, Miguel Serrano de Cáceres y Cristóbal Hernández están sentados en los bancos. Lope de Aguirre y Martín Pérez de Sarrondo no se separan de la puerta.)

FERNANDO DE GUZMÁN *(Al mestizo Felipe López, un servidor suyo que fue castigado anteayer severamente por el gobernador Ursúa a causa de una falta leve)*: —Anda tú hasta la tienda del Gobernador, di que vas de mi parte a pedir un poco de aceite, y averigua discretamente qué hace, quiénes están en su compañía y qué armas tienen.

(Sale el mestizo Felipe López.)

157

LOPE DE AGUIRRE: —Ninguna coyuntura más apropiada para llevar a cabo nuestro motín. Pedro de Ursúa se ha desprendido de sesenta hombres que bajo el mando de Sancho Pizarro se apartaron del real por la orden suya a ver y descubrir caminos que se abren tierra adentro. En volviendo Sancho Pizarro nuestros enemigos serán más numerosos y nuestra empresa será pelea harto más desigual.

MIGUEL SERRANO DE CÁCERES: —Estoy en una duda, caballeros. ¿Queréis explicarme cuáles pasos habremos de seguir luego de apoderarnos del mando y gobierno de esta jornada?

ALONSO DE MONTOYA: —No queda tiempo ya para deshacer dudas, amigo. Urgente es proceder a gran prisa, acortando las dilaciones. Deje vuestra merced las preguntas y demandas para después de haber matado al Gobernador.

FERNANDO DE GUZMÁN: —¿Matar al Gobernador? ¿Es acaso inevitable la muerte del Gobernador? ¿No os parece acción más cristiana la de llevarlo en prisiones sin matarlo?

LOPE DE AGUIRRE: —Todo eso sería como llevar a cuestas el testimonio de nuestra traición, y arrastrar con nosotros a un prisionero impelido por sus agravios a recuperar sus fueros. Una otra elección más cristiana, pienso yo, sería la de dejarlo aquí en esta aldea de indios, desamparado en un bohío aunque acogido a los dulces brazos de su doña Inés.

JUAN ALONSO DE LA BANDERA: —¡Jamás! Es menester matarlo!

LORENZO ZALDUENDO: —¡Voto a tal! No hay más sino matarlo.

FERNANDO DE GUZMÁN: —¡Santo Dios! Hay que matarlo.

ÁLONSO DE MONTOYA: —Hay que matarlo y yo me ofrezco voluntario para empuñar el arma que lo haga. En mis tobillos siento aún la mordedura de sus grillos y en mi pescuezo la vejación de sus colleras.

LOPE DE AGUIRRE: —Tenemos la obligación de matarlo y de acometer luego las hazañas que él anda demasiado remiso de emprender.

MULATO PEDRO MIRANDA: —Que muera el Gobernador desvergonzado, tirano hideputa, tramposo e infame.

(Entra el mestizo Felipe López.)

FELIPE LÓPEZ: —Hallé al Gobernador acostado en su hamaca, descalzo y en disposición de dormir, pues había vuelto ya del bohío de doña Inés. A su lado vi tan sólo al bachiller Pedrarias de Almesto, con quien está platicando, y a dos pajecillos. Uno de estos, el llamado Lira, me dio el aceite que yo había pedido y vino a despedirme hasta la puerta.

LOPE DE AGUIRRE: —¡Viva nuestro caudillo don Fernando de Guzmán!

FERNANDO DE GUZMÁN *(levantándose vivamente de la hamaca)*: —Seré vuestro caudillo. ¡Vamos!

ALONSO DE MONTOYA *(sacando su daga)*: —¡Vamos!
(Salen todos.)

(Una calle de la misma aldea de Mocomoco. De la lejanía llegan los ruidos insólitos de la selva, tal como si una compañía de músicos enloquecidos tocaran en bárbaro desorden sus instrumentos y desataran una melodía irracional y tenebrosa. Se funden en un mismo caudal sonoro: el aullido de los vientos, el retumbo de los truenos remotos, el crujido de las ramas secas quebradas por pasos invisibles, la caída terrible de los inmensos árboles, el rumor constante del gran río, el estruendo del torrente al desprenderse por un estrecho precipicio, el croar de bajo profundo de los sapos gigantes, los silbidos y cantos de mil pájaros diversos, la gritería escandalosa de los papagayos, el chillido de los monos que suplican cual mendigos y lloran cual plañideras, el alarido de un tapir mu-

riendo entre las garras de un puma, el bramido de los caimanes en celo, el llamado de las bocinas de calabaza que los indios hacen resonar en las guazábaras como botutos bélicos, el intenso clamor de los mauaris y yuruparis sagrados, y el repique de los tambores tundulis que se oyen a muchas leguas de distancia.) (Los esclavos Juan Primero y Hernando Mandinga surgen de la oscuridad; Juan Primero trae un candil en la mano.)

JUAN PRIMERO *(esclavo de Juan Alonso de La Bandera)*: —Te digo y redigo que van a matar al Gobernador. Juan Primero escuchó cuando su amo lo platicaba con el mulato Pedro Miranda.

HERNANDO MANDINGA *(esclavo del gobernador Ursúa)*: —Tú no sabes nada. Los negros esclavos nunca sabemos nada.

JUAN PRIMERO: —Los españoles se odian entre sí como fieras sanguinarias, los capitanes van a matar al Gobernador, Juan Primero no quiere ver sangre humana corriendo, Juan Primero es un negro cristiano y bueno, Juan Primero fue a dar aviso al Gobernador de lo que pasaba, Juan Primero no lo halló en su tienda.

HERNANDO MANDINGA: —Estaba revolcándose con doña Inés en su bohío, pero los negros esclavos nunca sabemos nada.

JUAN PRIMERO: —No se encontraba en su tienda, Juan Primero tocó la puerta muchas veces, los pajes no se atrevieron a abrirle, corre tú a darle aviso puesto que es tu amo y lo van a matar esta noche.

HERNANDO MANDINGA: —¡Cállate, negro embustero!

(Al fondo de la calle se oyen los pasos de los conjurados que se acercan. Los doce pasan en hilera, con Alonso de Montoya y Juan Alonso de La Bandera al frente. Lope de Aguirre, provisto de todas sus armas y con la espada desenvainada, cojea en pos de los otros.)

JUAN PRIMERO *(saliendo de su escondite)*: —¡Válgame Dios y la Virgen! Van a matar al Gobernador, Juan Primero lo sabe.

HERNANDO MANDINGA: —¡Cállate, negro unto de mierda! Los negros esclavos nunca sabemos nada.

(Interior de la tienda del gobernador Ursúa. Sobras de comida sobre una mesa. El Gobernador descalzo y sin armas está tendido en su hamaca con las manos trenzadas bajo la cabeza. Pedrarias de Almesto se pasea por la estancia mientras conversa con él.)

PEDRARIAS DE ALMESTO: —Vuestra Excelencia se niega a mirar un peligro tan manifiesto porque su generoso pecho lo desvía a no verlo. Mas yo le apunto otra vez a Vuestra Excelencia que el atrevimiento de los soldados es clarísimo indicio de rebelión.

PEDRO DE URSÚA: —Repetís la misma conseja que el virrey Marqués de Cañete y el capitán Pedro de Añasco me enviaron escrita en cartas: la temerosa historia de los desvergonzados aventureros que van en esta jornada no con el propósito de poblar pueblos sino con la torcida intención de amotinarse contra el rey de España. ¡Voto a Dios que nunca la he creído!

PEDRARIAS DE ALMESTO: —¿Y en esas cartas que Vuestra Excelencia recibió figuraban acaso los nombres propios de los revoltosos?

PEDRO DE URSÚA: —A fe mía que sí figuraban: Juan Alonso de La Bandera, Lorenzo Zalduendo, Martín de Guzmán y Lope de Aguirre eran las principales personas de la lista. Se me pedía encarecidamente que los echara del campo.

PEDRARIAS DE ALMESTO: —Y vuestra merced echó tan sólo

a Martín de Guzmán.

PEDRO DE URSÚA: —Tampoco lo eché, amigo mío. Se marchó por propia voluntad, arredrado por presagios de una muerte que le había de venir, mas me dejó por herencia a su sobrino don Fernando que es agora mi alférez general y mi más fiel compañero.

PEDRARIAS DE ALMESTO: —Vuestra Excelencia confía demasiadamente en el valor de su brazo y en su buena fortuna. Juro a Dios que no soy amigo de aconsejar violencias mas creo que en esta coyuntura cortar cuatro cabezas ajenas sería providencia para salvar la propia.

PEDRO DE URSÚA: —Os pasáis de avisado, mi buen Pedrarias. La rebelión que vos teméis nunca irá más lejos de quejumbres y bravatas. El año que en este día de hoy comienza será, mediante Dios, el más feliz y famoso de mi historia.

(Tocan reciamente a la puerta.)

PEDRARIAS DE ALMESTO: —¿Quién va?

(La puerta se abre de un empujón. Entra Juan Alonso de la Bandera con la espada desnuda, seguido de Alonso de Montoya y los otros conjurados.)

PEDRO DE URSÚA: —¿Qué deseáis, amigos míos? Sed bienvenidos aunque la medianoche no sea ocasión propicia a visitas y parabienes. Algún asunto sin duda muy importante os trae aquí a estas horas.

JUAN ALONSO DE LA BANDERA: —Agora lo veréis.

(Juan Alonso de la Bandera, con la espada asida con ambas manos, le da al Gobernador una estocada en el costado que lo atraviesa de banda a banda.)

PEDRARIAS DE ALMESTO (Intentando desenvainar su espada): —¿Qué traición es ésta, caballeros?

(El canario Juan Vargas y tres conjurados más se abalanzan sobre Pedrarias de Almesto y lo sujetan.)

FERNANDO DE GUZMÁN: —No lo matéis, a Pedrarias no lo matéis.

LOPE DE AGUIRRE: —Huid presto, Pedrarias, si queréis salvar la vida.

(Pedrarias de Almesto huye. Alonso de Montoya le clava su daga en el pecho al Gobernador. Fernando de Guzmán y Martín Pérez de Sarrondo lo acometen con sus armas.)

PEDRO DE URSÚA: —¿También tú, Fernando, mi hermano?

(Fernando de Guzmán lo hiere sin responderle.)

PEDRO DE URSÚA: —¿También tú, Martín Sarrondo, mi paisano?

MARTÍN PÉREZ DE SARRONDO *(hundiéndole la espada en el vientre)*: —Tú no eres vascongado, tú eres francés.

PEDRO DE URSÚA *(agonizante)*: —¡Confesión! ¡Pido confesión!

LOPE DE AGUIRRE: —Mal pensáis si pensáis que el padre Portillo, si agonizando no estuviera agora mesmo, acudiría a confesaros. No olvida los cuatro mil pesos que le robasteis, ni el tormento que le disteis al traerlo forzado a morir en esta oscura selva. Os negaría la confesión, general Ursúa.

PEDRO DE URSÚA: —¡Ten compasión de mí, oh Dios, en la medida de tu misericordia! ¡Miserere mei...!

(Muere.)

LORENZO ZALDUENDO *(dando voces)*: —¡Viva el rey, que es muerto el tirano!

JUAN ALONSO DE LA BANDERA: —¡Viva el rey don Felipe, nuestro señor!

LOPE DE AGUIRRE: —¡Viva la libertad!

(Los amotinados atraviesan la calle que conduce al bohío de

Juan de Vargas, teniente de gobernador. Juan de Vargas les sale al encuentro. Trae puesto un escaupil, que es como un peto guarnecido de algodón, y en las manos una rodela con la vara, que es símbolo real de la justicia.) .

JUAN DE VARGAS: —¿Qué sucede, señores? ¿Cuál es el motivo de tanto desorden y tanto bullicio?

LORENZO ZALDUENDO: —¡Viva el rey, que es muerto el tirano!

JUAN DE VARGAS: —¡Malvados sin conciencia, sucios bellacos, traidores a quienes el demonio confunda!

JUAN ALONSO DE LA BANDERA: —¡También a ti te llegó tu última noche, alcahuete de mil putas, hijo de una vinagrera borracha!

JUAN DE VARGAS: —¡Reportaos, gente canalla y endurecida, perros paridos de mala perra!

(Entre varios conjurados sujetan a Juan de Vargas, le arrebatan la vara y lo desarman. Martín Pérez de Sarrondo le clava la espada en el pecho de tan furioso modo que le atraviesa todo el cuerpo y hiere luego con la punta al canario Juan Vargas que sostenía embrazados atrás los codos del prisionero. Caen a tierra uno y otro Juan de Vargas. Las espadas y dagas de los conjurados se ensañan contra el cuerpo del teniente de gobernador.)

JUAN DE VARGAS: —¡Traidores, traidores! ¡Santo Dios, me estoy muriendo!

(Muere.)

FERNANDO DE GUZMÁN: —¡Viva el rey, que son muertos los tiranos!

LOS OTROS, MENOS LOPE DE AGUIRRE: —¡Viva el rey!

LOPE DE AGUIRRE: —¡Viva nuestro general don Fernando de Guzmán! ¡Viva su leal maese de campo Lope de Aguirre! ¡Vivan sus soldados, los invencibles marañones!

(Soldados llenos de espanto y asombro se asoman a las puertas

de los bohíos. Algunos corren aterrados hacia la selva, otros se encierran en sus aposentos. Los amotinados forman un escuadrón en el centro de la explanada, al cual se suman muchos hombres allegados de buen agrado y otros que son llevados a empujones y amenazas. Antón Llamoso y Pedro de Munguía, que se han adherido prestamente a la rebelión, son los más activos en recoger parciales y persuadir vacilantes.)

LOPE DE AGUIRRE *(a los esclavos)*: —¡Traed vino para celebrar nuestra victoria! El vino de las misas o cualquier otro, ¡a prisa!

(Salen los esclavos negros y vuelven al cabo de un rato con dos botijas de vino a cuestas. Entretanto crece la magnitud del escuadrón. El padre Henao sale de su bohío y bendice a don Fernando de Guzmán. Antón Llamoso, Pedro de Munguía y Cristóbal Hernández sirven vino a la gente en tazones de barro y escudillas de calabaza. Lope de Aguirre se trepa a un banco.)

LOPE DE AGUIRRE: —¡Soldados, mis marañones! Las muertes del tirano Pedro de Ursúa y de su secuaz Juan de Vargas no han sido ejecutadas por antojo de nuestra maldad, ni por envidia nuestra a sus cargos, ni para aprovecharnos de sus bienes materiales. Hemos hecho justicia quitándoles el mando y dándoles la muerte pues el sacrificio de esas dos vidas mezquinas convenía a la salvación de doscientas vidas preciosas que en esta empresa vienen consumiéndose, y a la libertad de millares de hombres humanos que en el Perú padecen desmanes de los virreyes, afrentas de los jueces y hambres de los oidores. Los virreyes y oidores, a quienes el infierno se trague y Satanás les meta tizones por detrás, nos han enviado a conquistar y poblar un imperio de los Omaguas que jamás ha sido, para librarse de esta manera de nuestra rebeldía y hacernos perecer en manos de este río mal afortunado y cruel. Nosotros, marañones míos, habremos de mudar esa derrota filistea en triunfo romano, esa tonta ensoñación de quimeras en conquista de una patria real y verdadera. No nos pesa ni nos causa remordimiento la muerte necesaria que le hemos dado a Pedro de Ursúa, su sangre no nos mancha la conciencia sino que la alzamos como estandarte. Hemos nombrado por general y cabeza de nuestro campo a don Fernando de Guzmán, noble caballero resuelto en encumbrar esta jornada hasta alcanzar nuestra vuelta triunfante y vencedora al Perú. Nada común nos asemeja a aquellos seguidores de Gonzalo Pizarro que andaban dispuestos a pasarse al Rey en la primera adversidad, ni somos como aquellos rebeldes falsos y desleales que abandonaron a Hernández Girón en poder de sus verdugos. Nosotros somos los indomables marañones, una estirpe de tigres libertadores que el universo mundo jamás ha visto. Juramos que ninguno de nosotros ensuciará su nombre abandonando su bandera para abrazar la del contrario, que ninguno de nosotros pedirá perdón del enemigo ni aun rodeado por las tinieblas de la agonía, que nuestros pechos no hallarán tregua ni descanso hasta tanto no haber cumplido nuestro destino vengador en el Nuevo Mundo. Somos la espada de San Miguel Arcángel, somos la ira de Dios Padre, somos las siete plagas de la justicia, somos los endemoniados marañones a quienes Dios nuestro señor guarde, ilumine y haga vencer.

(Interior de la tienda del gobernador Ursúa. El cadáver del Gobernador yace cubierto de sangre en medio de la sala. Los esclavos negros Juan Primero y Hernando Mandinga entran arrastrando el cuerpo muerto de Juan de Vargas, lo dejan tendido junto al de Pedro de Ursúa y salen de nuevo. Por la puerta frontera entra Inés de Atienza seguida de su dueña y dos esclavas. Inés de

Atienza cae de rodillas ante el cadáver de Pedro de Ursúa, le cierra los ojos dulcemente y comienza a llorar.)

SOLDADOS *(parados a la puerta de la tienda)*: —¡Puta, mil veces puta! ¡Bruja, mil veces bruja! Fuiste su ruina y perdición en la vida y agora lo lloras con hipocresía en la muerte.

(Inés de Atienza sigue llorando sin oírlos. Pasa sus manos por el pecho del cadáver y luego se mira fijamente los dedos tintos en sangre.)

SOLDADOS: —¡Puta asquerosa y malvada! ¡Grandísima puta desvergonzada! Tuya y solamente tuya es la culpa de esa sangre que agora te desespera ver correr.

(Inés de Atienza besa largamente la frente del cadáver. Su negra cabellera desplegada cubre totalmente el rostro del difunto.)

SOLDADOS: —¡Puta, mil veces puta! ¡Bruja, mil veces bruja!

(Entra Juan Alonso de La Bandera, pone en fuga a los soldados y se acerca a Inés de Atienza.)

JUAN ALONSO DE LA BANDERA: —Respeto vuestro dolor, señora, y temo de vuestro futuro. Habéis menester de protección y yo he venido a ofrecérosla humildemente. *(Inés de Atienza sigue llorando sin prestar atención a las palabras de Juan Alonso de La Bandera.)* Os digo que habéis menester de protección, señora. Habéis quedado desamparada en estos bosques a merced de doscientos hombres alacranados que los unos dellos os aborrecen con odio mortal y los otros dellos desean gozar vuestro hermoso cuerpo como bestias. Vengo de ser nombrado Teniente Gobernador de esta jornada y mi primera acción de mando ha sido la de correr a ponerme a vuestros pies. *(El cuerpo de Inés de Atienza se estremece sobre el cadáver.)* Pedid lo que queráis, señora, que yo pondré singular empeño en ver satisfecha vuestra demanda.

(Inés de Atienza alza los ojos por primera vez hacia Juan

Alonso de La Bandera.)

INÉS DE ATIENZA: —Yo solamente deseo y pido que me permitan enterrar a mi muerto.

JUAN ALONSO DE LA BANDERA: —Lo enterraréis, señora, lo enterraréis, os doy la palabra. Lo enterraréis en un rincón de la selva, el padre Henao le rezará la oración de difuntos y una cruz cristiana quedará señalando el lugar de su sepultura. Os lo prometo. *(Sale.)*

INÉS DE ATIENZA: —Pedro de Ursúa, desdichado amante mío, juro por tu Dios y por los dioses de mi madre... *(Los sollozos no le permiten concluir.)*

(Comienza a aclarar el día. Inés de Atienza sigue llorando en silencio, abrazada al cadáver de Pedro de Ursúa. Lentamente van invadiendo y dominando la escena las confusas fuerzas musicales de la selva: sonidos salvajes que simulan hoscos rezongos de órganos, zumbidos de roncos atabales, lenguaje pastoril de caramillos y dulzainas, penetrantes alaridos de pífanos y clarines, trémolos apresurados de panderos gitanos y maracas caribes, vocerío amenazador de coros infernales, estruendo desenfrenado de fanfarrias enloquecidas, oleaje resonante del amanecer.)

MUERTO EL TIRANO, era de justicia que se distribuyeran los oficios entre los ejecutores de su muerte. Ya don Fernando de Guzmán había sido aclamado por general y cabeza de nuestra jornada, gracias al designio de todos los conjurados. Ya Lope de Aguirre habíase convertido de tenedor de difuntos en maese de campo, Dios sea loado, pues sin mi presencia a tu lado no llegarías a alguna otra parte sino a tu perdición, arrogante e incauto don Fernando. Capitán de la guardia será desde este instante don Juan Alonso de La Bandera, en premio al furor terrible de que hizo alarde clavándole su espada en el pecho al Gobernador. Alonso de Montoya será capitán de a caballo, Lorenzo Zalduendo y Cristóbal Hernández y Miguel Serrano de Cáceres serán capitanes de infantería, y Alonso de Villena será alférez general, y el mulato Pedro de Miranda será alguacil mayor, y Pedro Hernández será pagador mayor, y en esa forma todos los amotinados que acudimos a la tienda de Pedro de Ursúa para darle muerte quedaremos proveídos de cargos, salvo el canario Juan Vargas que salió mal herido de la refriega y convalece en hamaca de sus dolencias. En cuanto a ti, Martín Pérez de Sarrondo, que tampoco recibiste recompensa y que eres el marañón de mi mayor esperanza y confianza, yo te pido que aguardes una hora más oportuna en la que puestos de mando te han de sobrar.

—Lo más conveniente a nuestra empresa, mi glorioso general don Fernando, es procurar que todos los miembros de esta jornada se sientan ufanos de la muerte que le hemos dado al tirano, que la sangre vertida anoche riegue las cabezas de nuestro pequeño ejército en lluvia tan copiosa que a ninguno le queden ganas ni facultad para borrar su mancha. Incorporemos en esta hazaña de haber matado al Gobernador a todos aquellos que sufren la tristeza de no haber contribuido a matarlo. Repartamos autoridad y mando entre el mayor número de soldados, inventemos nuevos cargos si es necesario, que si alguno hiciese resistencia a compartir el honor y la gloria de nuestra rebeldía, si alguno demostrase turbación o acogiese con melindres nuestra liberalidad, ése estaría cavando para sus huesos la misma sepultura de Pedro de Ursúa.

—Hagamos capitán de infantería al viejo comendador Juan Núñez de Guevara cuyas blancas barbas inspiran respeto y cuyos espectros le anunciaron puntualmente el violento fin de la vida del Gobernador, y también a Pedro Antonio Galeas que es hombre siempre resuelto a emprender aventuras y descubrimientos. Hagamos capitán de munición a Alonso Enrique de Orellana, y capitán de la mar al piloto Sebastián Gómez, y almirante de la mar a Miguel Bonado. Y hagamos justicia mayor del campo a don Diego de Balcázar, que según se dice aportó sus bienes de fortuna para sustentar esta jornada, como también se dice que el virrey Hurtado de Mendoza le concedía el privilegio de jugar a los naipes con él.

Todos recibieron sus nombramientos con mucho recato y humildad, menos el dicho Diego de Balcázar que en la ceremonia de aceptar la vara de justicia mayor dijo con voz pública y sonora: "Ésta la tomo en nombre del rey Felipe, nuestro señor, y no de otro", lo cual en otras palabras significa que tiene la intención determinada de pasarse al campo del

Rey en cuanto lo divise cercano, a menos que yo, Lope de Aguirre, no me halle en su vecindad para impedírselo.

A los dos días volvió al real Sancho Pizarro, que se había apartado por la orden del gobernador Ursúa con sesenta arcabuceros a descubrir caminos y sembrados. Temíamos que hiciera contra nosotros una reñida guerra en medio de esta selva de bárbaros salvajes, que el diablo nos habría llevado tanto a los unos como a los otros. Mas Sancho Pizarro acercóse muy sagaz y prudente, se enteró de los sucesos del campo sin sobresalto alguno, o por lo menos se eximió de manifestarlo. Sancho Pizarro recibió complacido el cargo de sargento mayor que le ofrecimos, nos dio las gracias con sumisa compostura, ¡cuerpo de quien me parió!, que no creo en tus palabras, Sancho Pizarro eres el más peligroso y torcido entre todos los vasallos del rey Felipe que van en esta jornada, te lo digo yo Lope de Aguirre que nunca caigo en error cuando sospecho dónde se esconden mis enemigos.

Seguidamente despunta en nuestro campo la yerba venenosa que ha sido ruina y deshonra de todas las revueltas peruleras. Hemos cometido un crimen de lesa majestad, hemos dado muerte al Gobernador y representante del Rey que el propio Rey nos había puesto, y agora nos asalta el insensato afán de hacernos perdonar de un Rey que irremisiblemente nos cortará las cabezas cuando las tenga bajo su real arbitrio. Hete aquí a don Fernando de Guzmán, que es el caudillo mayor de nuestra desvergüenza, y hete aquí a don Juan Alonso de La Bandera y a don Alonso de Montoya, que fueron los más empecinados en borrar de este mundo al Gobernador y los que esgrimieron con sus manos los fierros que lo borraron, hételos aquí rastreando el asidero de disculpar ante el Rey un delito que gracias a Dios no tiene la más mínima disculpa. Nuestro teniente general, nuestro capitán de la guardia y nuestro capitán de caballería corren desalados de aquí para allá escogiendo las palabras del acta contrita que van a escribir, reciben con beneplácito al bachiller Pedrarias de Almesto que vuelve al real pues ha preferido verse preso que morir de hambre en la selva, Pedrarias de Almesto comienza a copiar con su pulida letra de pendolista un disparatado testimonio del tenor siguiente: "En el pueblo de Mocomoco y provincia de Machifaro, a los dos días del mes de enero de mil quinientos sesenta y un años, ante el escribano y testigos..." Las demás partes de la información son muestras infelices de arrepentimiento servil: hemos matado al Gobernador tan sólo porque iba remiso y descuidado en servir a Su Majestad el Rey, porque tardaba en descubrir las tierras que había prometido conquistar en nombre de Su Majestad el Rey, la muerte del Gobernador era necesaria para impedir que los soldados desesperados se amotinaran en contra de Su Majestad el Rey, esa muerte nos ha de servir para acrecentar la gloria y poderío de Su Majestad el Rey, ¡vivan los sacrosantos cojones de Su Majestad el Rey!

Cuando quedó hecho y derecho el pergamino de Pedrarias de Almesto, entramos en hilera los oficiales y capitanes del campo impacientes de firmarlo. El primero en hacerlo, tal como le corresponde a su superior autoridad y grado, es nuestro capitán general don Fernando de Guzmán, y a fe mía que su enroscada rúbrica no desentona debajo las letras perfectas del Pedrarias. El segundo lugar me toca a mí maese de campo, mas no firmo "Lope de Aguirre, maese de campo" como toda la gente esperaba, sino "Lope de Aguirre, traidor" mirando sin mover pestaña a La Bandera y Montoya, y leo mi firma y su aditamento con voz que retumba duramente, y un sordo gruñido de pasiones contrapuestas acoge mis cuatro palabras, y yo infiero que ha llegado el tiempo de decir la verdad.

—¿Qué locura o necedad es ésta, marañones, de imaginarse que una información pensada y maquinada por nosotros mismos nos va a eximir de la culpa de haber muerto a un gobernador del Rey que traía su poder escrito, y provisiones selladas con su sello, y representaba a su real persona? ¿Por qué os conturba que yo haya firmado como traidor si para la corona, a quien esta carta va dirigida, todos hemos sido nada más que traidores, no doce apóstoles que se despojaron de un tirano para servir al Rey, sino doce judas que dieron muerte a un servidor del Rey porque estorbaba sus ambiciones? Todos hemos sido traidores bravos y bizarros, y ninguna acta de contricción podrá salvarnos de la cólera sanguinaria que los reyes de España cultivan como preciada herencia. Ni dado el caso portentoso de descubrir nosotros en el porvenir mundos nuevos, y hallar en nuestra derrota verdaderos Dorados y Omaguas de oro macizo, y alcanzar a poblar inmensas tierras debajo las banderas de Su Majestad, ni dado ese caso jamás visto escaparían nuestros cogotes del patíbulo, puesto que el primer bachiller, virrey, regidor, o fraile que viniere a tomar residencia española de estas tierras, se afanaría en cortarnos las cabezas. No, capitanes y oficiales, nuestra salvación no está en escribir papeles de humillación que a ninguno engañarán, sino en vender bien caras nuestras vidas rebeldes, en volver al Perú no en busca de perdones inaccesibles sino de amigos igualmente descontentos como nosotros, aquellos millares de hombres disgustados porque nunca les fueron gratificados sus servicios, aquellos millares de peruleros resentidos por el mal trato de los virreyes y oidores. Volvernos al Perú y unirnos a ellos para tomar esa tierra como nuestra y defenderla de

173

nuestros enemigos por más poderosos e invencibles que desde lejos nos parezcan, esto es lo que a todos nos conviene.

Era la primera vez que yo hablaba con tan grande insolencia y sinceridad, los hombres se sepultaron en un silencio que sólo se oían los rumores del río y de la selva, finalmente lo rompió el alférez general Alonso de Villena cuya inteligencia parece haberse aclarado desde el día en que el padre Henao lo descomulgó. Dijo así:

—Yo apruebo y confirmo todo lo que ha dicho nuestro maese de campo Lope de Aguirre, pues hacer lo contrario sería entregarnos como mansos corderos dispuestos a ser degollados en los mataderos del Virrey.

Mas hubo uno que no quedó de acuerdo con mis opiniones sino que saltó a la palestra aguijado por el mote de "traidor" que le picaba en la nuca del cerebro como una avispa. El noble y pundonoroso caballero Juan Alonso de La Bandera, tercera autoridad de nuestro campo y capitán de la guardia, a quien algunos soldados llaman impropiamente la Valentona, habló de este modo:

—Protesto lleno de indignación el apelativo de traidores que el maese de campo Lope de Aguirre, con extraña ligereza, nos ha aplicado a todos. Porfío yo que haber matado a Pedro de Ursúa y a su teniente Juan de Vargas no ha sido traición al Rey sino lealtad al mismo, pues las dos autoridades depuestas andaban remisas de cumplir las misiones que el soberano de España les había encomendado, las cuales no eran otras sino descubrir y poblar tierras, y de ningún modo malbaratar los tesoros que para nuestro avío el virrey Marqués de Cañete les había puesto en sus manos. Digo que en mi vida he cometido jamás traición, y digo que no le acepto a hombre alguno que lance sobre mí tan vil calumnia. Quien dijere que yo soy traidor, desde aquí le respondo que miente, y

174

sobre ello me mataré con él.

Toda esa bravata la pronunció la Valentona sin volver los ojos a mí, con la mano engarabatada en el puño del arma que hirió de muerte a Pedro de Ursúa, parecía un San Jorge de puro indignado y marcial. Me apresuré yo en sacar mi espada al aire, y el mismo gesto hicieron a mi lado Martín Pérez de Sarrondo y Pedro de Munguía, sin mentar a Antón Llamoso cuya daga en punta ya estaba a dos dedos de las costillas de mi adversario. Fue menester que interviniera nuestro flamante general don Fernando de Guzmán, para buena ventura de todos, y digo buena ventura porque también La Bandera tenía capitanes que eran sus parciales, y aquella disputa habríase convertido sin ninguna duda en una temprana mortandad.

—Reportaos, mis amigos —dijo don Fernando poniéndose de por medio entre La Bandera y yo. —Siendo como son comunes nuestro destino y nuestros peligros, en mal hora nos arriscamos a matarnos entre nosotros mismos.

Intervinieron con iguales razones apaciguadoras los capitanes Lorenzo Zalduendo y Cristóbal Hernández, y lo hicieron en forma tan porfiada y eficaz que yo concluí en enfundar mi espada, y La Bandera nunca llegó a sacar la suya. Con una voz muy diferente a la de antes, La Bandera dijo:

—Hagan vuesas mercedes lo que les pareciere, que yo seguiré lo que hicieron todos, pues no le temo a la muerte que el Rey pueda darme por lo que habemos hecho ni por lo que habremos de hacer en lo futuro, y añado que tengo tan buen pescuezo para la horca como cualesquiera de vuestras mercedes.

Con lo cual se disolvió la junta sin legitimar acta alguna, pues no quedaron al pie del malogrado documento sino dos firmas: la de Fernando de Guzmán, gobernador; y la de Lope de Aguirre, traidor.

Los indios del país volviéronse huidizos a causa de las tropelías y ofensas que nuestros soldados les hacían, una de las dos chatas que nos quedaban como resto de nuestra armada anegóse frente a la aldea de Mocomoco. Don Fernando de Guzmán ordena mover el campo río abajo en busca de lugares no tan duros y negados. La chata donde vienen nuestros veinte y cinco caballos avanza por las aguas del río con el almirante Miguel Bonado a bordo y tres navegantes más, los demás seguimos cruzando las orillas en extraña procesión. Los indios de servicio cargan en hamacas y canoas a las mujeres y los enfermos; si el enfermo es un indio se queda voluntariamente en zaga para morirse en paz. A veces se oponen a nuestra marcha barrizales verdosos, lagos hediondos cuajados de sapos disformes y hongos podridos en los cuales las piernas se hunden hasta la rodilla. Otras veces la ribera se estrecha de manera que viene a formar un despeñadero de imposible paso. Entonces es menester apartarse un buen trecho hacia la maleza y andar por medio de matorrales enmarañados y montes breñosos hasta encontrar de nuevo el río una legua adelante. Los macheteros marchan al frente de nuestro batallón truncando ramas para abrir camino. De repente se trenza aún más tupida la bóveda de los árboles soberbios y se oscurece el aire en pleno mediodía como si llegase la noche. Uno de los indios que cargan la hamaca de mi niña Elvira es un viejo de confusa edad y natural sabiduría cuya conversación a ella la distrae y encanta. El indio se dice Juan Piscocomayoc, apellido que le dieron en Lambayeque por ser cazador de perdices y venados, y habla con bastante

176

soltura nuestra lengua pues se la enseñó un padre de doctrina, y yo no entiendo su porqué de venir en esta jornada donde todos los otros indios son más ignorantes que él. Juan Piscocomayoc sabe diferenciar y nombrar los millares y millares de árboles que pueblan esta selva la más infinita del universo. Juan Piscocomayoc le cuenta a mi niña Elvira que en estos bosques hay hormigas enormes que en muriendo se transforman en plantas, acaban su vida allá arriba trepadas al follaje de un árbol, su cuerpo de animal muerto comienza a respirar como bejuco vivo, finalmente se vuelven cordeles mimbreños que sirven para tejer canastos y atar los troncos de las balsas. También, niña Elvira, vive en estas selvas una mariposa oscura que clava sus patitas como garfios en el tallo de una planta hasta que las dichas patitas se convierten en raíces y las alas en grandes hojas, y ya no es nunca más mariposa sino rama o flor. Mi niña Elvira escucha embelesada estas historias de Juan Piscocomayoc, y las cree, y tiene razón al creerlas pues son mucho más verdaderas que los tesoros de Omaguas y Dorados.

De ese modo caminamos dos días hasta llegar a una aldea abandonada por los indios donde determinamos de plantar el campo. La chata de los caballos navegó veinte leguas; nosotros en la tierra habíamos andado muchas más esquivando lodos, barrancos y malezas. Se nos murieron dos indios, no del hambre sino del cansancio, y otros dos emponzoñados por la yuca amarga que en sus tripas resultó raíz venenosa. La mejor medicina contra el hambre y la fatiga es la voluntad de no dejarse arrinconar por ellas, digo yo cojeando y con todas mis armas a cuestas.

De la armada que partió ha cuatro meses del astillero de Santa Cruz de Capocóvar ya no navega por el río otro barco sino esta chata donde vienen los caballos. Tampoco es el mismo el espíritu de nuestra empresa, ya el gobernador don Pedro de Ursúa está muerto y sepultado, ya todos los marañones sabemos que el imperio de los Omaguas es una mera invención.

—Líbrenos Dios de seguir arrastrando esta pesadumbre de mendigos tras el rastro de una chata mal construida y asquerosa, roguemos a Dios que nos deje sin embarcación alguna, pidamos a la voluntad de Dios que nos obligue y fuerce a fabricar verdaderos navíos, esta naturaleza nos brinda con magníficas maderas en generoso socorro —digo yo a media voz.

La chata de los caballos y el estiércol amaneció barrenada al día siguiente. Martín Pérez de Sarrondo, Juan de Aguirre y Joanes de Iturraga cumplieron a media noche el encargo de agujerear sus tablas con agudos punzones. Ante aquella provechosa calamidad sentime yo movido a pedirle a don Fernando que juntara a toda la gente del campo y me permitiera hablarles de esta manera:

—Oficiales y soldados, mis marañones, quiero anunciaros que de este sitio partirá una jornada que no mirará otro norte que la justicia y la libertad, bauticemos esta aldea con el nombre de los Bergantines pues aquí nos detendremos todo el tiempo requerido para proveernos de navíos capaces de llevarnos al Perú al través de los mares. Vamos a construir dos barcos que nos permitirán salvar la vida y conquistar la gloria.

Fue inevitable matar nuestros veinte y cinco caballos pues en esta región de la selva no se topa ningún animal de caza, a este brazo del río nunca acuden los peces. Los soldados hambrientos se comen la carne de unas horrendas aves negras cuyo sustento es la podredumbre y cuyo nombre es por ironía gallinazas. Mostrando mi autoridad de maese de campo tomo en mis manos la construcción de los bergantines, nunca vi armar una barca en mi juventud pues Oñate no es puerto de mar, no obstante esto, todo hombre de natural vascongado lleva metido en su cuerpo el empeño de no morir sin antes haber fabricado un bajel. Bajo mi mando pongo a aquel mismo enredador maese Juan Corso de quien se sirvió don Pedro de Ursúa en Santa Cruz de Capocóvar, óyelo bien maese Juan Corso, estos barcos no habrán de ser quebradizos como los primeros sino firmes y recios bergantines que no se hundirán jamás, yo no ando acostándome con ninguna doña Inés sino atizando el fuego del trabajo, aquel que sude sin desfallecer en el astillero tendrá carne de caballo para su cena, aquel otro que ande flojo y descuidado comerá cazabe desabrido y ruin verdolaga, ánimo marañones, los robles y caobos caen de su altura derribados por las hachas de nuestros leñadores, nuestras sierras y martillos imponen sus sonidos a los ruidos de la selva, los negros carpinteros trabajan cantando, los indios vuelven del bosque cargando preciosas vigas de cedro, los casquillos de los caballos se convierten en clavos y tornillos, de los cueros de los caballos hacemos fuelles y cobertizos, la fragua de los herreros alumbra las noches de esta aldea sombría, de la tierra mana una melaza negra que uŝan los calafates en vez de alquitrán, las mujeres cosen y cocinan para los jornaleros, ni el sol ni la lluvia detienen la faena, los palos del monte se vuelven mástiles y travesaños, ya se alza la armazón de una quilla sobre la arena de la playa, ánimo marañones, viva la libertad.

A TI FELIPE rey español te declaro enemigo mío cincuenta
veces más mi enemigo que el ya muerto Pedro de Ursúa cien
veces más que el fanfarrón Juan Alonso de La Bandera y que
todos los vasallos tuyos que han de morir para que edifique-
mos sobre sus huesos nuestra empresa de libertad Felipe digo
y sostengo que eres rey de España sin merecimiento de corona ni trono rey de España tan sólo porque naciste hijo de
Carlos emperador augusto y heredaste de sus manos el más
grande imperio del mundo Felipe cuyo poderío y gloria ha
crecido a costa del hambre y penuria de los conquistadores
venidos a las Indias a descubrir países en tu servicio a poblar
pueblos en tu provecho a encadenar indios en tu beneficio
Felipe reverenciado y temido por soberanos y obispos criado
entre sedas y terciopelos doctrinado en monasterios y libre-
rías lisonjeado por marqueses de rodillas y condes postrados
Felipe triste y sombrío llorando en capillas y sepulcros llorando a solas por tu hijo que nació contrahecho y creció enconado escondiendo tus pasiones bajo fingimientos de moderación y prudencia Felipe carcomido por un despecho
enlutado Felipe profesor de zancadillas y mentiras mi pecho
atesora contra ti un odio mortal pues no eres justo con las na-
ciones que impropiamente riges y eres cruel con los conquistadores que tantísimas riquezas te acarrean jamás recompensas sus hazañas ni te dueles de sus dolores Felipe que envías
al Nuevo Mundo a administrar justicia en tu nombre a virreyes desalmados oidores avarientos y frailes disolutos rey
español que malgastas los tesoros ganados por nosotros con

nuestro sudor y sangre de soldados emprendiendo guerras y malos negocios que han de producir la fatal ruina de España Felipe a ti poderoso rey yo te desprecio y te desafío desde este mísero rincón del río de las Amazonas somos doscientos cincuenta marañones mal contados tú eres soberano de grandes ejércitos y armadas monarca proveído de cañones y generales nosotros somos apenas doscientos cincuenta marañones greñudos y piojosos mas si alguien nos preguntara en este áspero trance qué vamos a hacer mañana yo le respondería sin titubear: vencer rey español ha de parecerte locura o desvarío mi reto a combate tan desigual ignoras que cada marañón vale por doscientos soldados comunes ignoras que nuestro ejército ha de crecer en guerreros armas y navíos al día siguiente de cada victoria ignoras que todos nos habemos determinado a morir en esta demanda ignoras que los espíritus de los hombres muertos nunca podrán ser vencidos por los cuerpos de los vivos cobardes no nos asusta la muerte ni nos arredra que las tenazas o el látigo nos arranquen el pellejo en jirones que sujetados a terribles hogueras sintamos el hedor de nuestra propia carne quemada que al ser arrastrados por caballos nuestros espinazos den botes sobre las piedras que nuestros huesos sean descoyuntados en la garrucha que el garrote nos quiebre la nuca del cerebro que nuestra cabeza ruede cortada por el hacha del verdugo ni el árbol de cuyas ramas van a colgarnos ni la lanza que va a atravesarnos el pecho ni la daga que nos partirá el corazón ni la pelota de arcabuz que nos matará para siempre nada de ello atemoriza a doscientos cincuenta marañones que se aprestan a librar al Perú de tus reales garras rey español heroico y famoso a quien este mínimo vasallo tuyo te anuncia triunfos y prosperidad en tus guerras de Europa ruego a Dios que aniquiles y venzas al sumo pontífice de Roma papa infalible mas pésimo y siniestro gobernante ruego a la Santísima Virgen que desbarates en batalla a los ingleses y franceses sin hacer luego penitencia de casarte con reinas o princesas encrespadas ruego al milagroso San Sebastián que conquistes de nuevo a Germania sin traer en esta ocasión a España sus enfermedades contagiosas y sus asquerosos vicios ruego a Santiago el Apóstol que aprisiones a todos los turcos de la tierra y los fuerces a construir iglesias y catedrales ruego por otra parte a San Miguel Arcángel que seas vencido y humillado por nosotros marañones aventureros en castigo de tu injusticia glorioso rey español católica sacra y real majestad que bribón y puto fueras si la mala estrella de España no te hubiera destinado para ser su rey.

—Pedro de Munguía, mi inseparable compañero desde el día en que me convidaste a matar al general Pedro de Hinojosa en los Charcas, camarada que sufriste junto conmigo las inicuas persecuciones del mariscal Alvarado, soldado a la fuerza como yo en las batallas contra el rebelde Hernández Girón, íntimo amigo mío compartiendo luego entrambos las tristes soledades del Cuzco, a ti Pedro de Munguía tengo necesidad de confiar el tamaño de mis ambiciones y la medida de mis propósitos, que no se reducen a conquistar el Perú para conservar intacto el santo yugo de la monarquía española, sino que aspiran a desnaturarlo de España y convertirlo en una nación libre bajo las estrellas. Si suspiramos por alcanzar el buen suceso de tan magna empresa, habemos la imperativa deuda de despojarnos de todas las debilidades humanas, ser duros delante del sufrimiento propio y más duros aún delante de los sufrimientos de nuestros enemigos. Es cosa sabida de todo el mundo que yo Lope de Aguirre soy un cristiano de mucha fe que respeta y venera los sagrados preceptos de la santa madre iglesia católica de Roma, no obstante esto pienso que entre sus mandamientos hay uno imposible de cumplir si en verdad nos disponemos a vencer al rey español como Dios mediante lo venceremos. Te dije y te repito, mi fiel marañón Pedro de Munguía, que amo a Dios por encima de todas las cosas, que jamás usurpo su nombre en vano, que oigo misa los domingos pese a que sea el desvergonzado padre Henao quien la dice, que honraba a mi padre en Oñate aunque el maldito viejo pecaba de insufrible, que no me tientan las fornicaciones y adulterios pues mi carne se aquietó tras la muerte de Cruspa mi mujer, que en mi vida he robado pertenencias de otros ni me ha cautivado la tentación de robarlas pues no son los dineros y haciendas el sueño que desvela mi imaginación, que no levanto a nadie falsos testimonios sino acuso a mis enemigos apedreándoles con amargas verdades, que tampoco codicio los bienes ajenos ni la mujer del prójimo pues mis envidias son de gloria y no de monedas y nalgatorios, y aquesta envidia que yo experimento no está prohibida en las reglas divinas. Si haces bien la cuenta, mi paciente amigo Pedro de Munguía, hallarás que acato devotamente nueve entre los diez mandatos que recibió Moisés en el monte Sinaí escritos por la mano de Jeová sobre dos tablas de piedra, y sólo resta uno al que no obedezco como tampoco le obedeció el propio Moisés cuando exterminó a los perseguidores de su pueblo con plagas y naufragios. Roguemos a Dios como buenos cristianos, hermano mío Pedro de Munguía, que Él nos perdone nuestro olvido de ese único mandamiento, el quinto que ordena no matar, pues en este trance si no nos apresuramos a destruir a nuestros enemigos nos pondremos a riesgo de que ellos nos destruyan a nosotros.

El primero en pasar a mejor vida fue el bravísimo capitán García de Arce, el devoto paniaguado del difunto gobernador Pedro de Ursúa, su escudero el más fiel en las aventuras de Santa Marta y Panamá, su fraternal ayudante en el exterminio de los negros cimarrones del rey Bayamo, García de Arce el arcabucero de más prodigiosa puntería, el implacable guerrero que mató a más de cuarenta indios en una isla de este río de las Amazonas. García de Arce andaba triste y melancólico desde la muerte del Gobernador, reprendía con severidad a los soldados cuando éstos hacían mala memoria del desdichado caudillo, prevengo a Su Excelencia general don Fernando de Guzmán que el dicho García de Arce vive esperando el resquicio de vengar a su enterrado protector, García de Arce es sin ninguna duda un hombre diestro y arrojado, no le faltan unos cuantos parciales en el campo, permítame Su Excelencia general don Fernando de Guzmán que el negro Hernando Mandinga le dé garrote por la orden mía.

Don Fernando de Guzmán se acogió finalmente a mis razones. En cuanto al esclavo Hernando Mandinga, fue la única recompensa que yo acepté en la hora de repartirnos los bienes del general Ursúa, los otros tomaron ropas y armas, Alonso de Montoya se quedó para sí con el cofre de las alhajas, yo preferí apropiarme de Hernando Mandinga que es un negro forzudo y listo a quien le he prometido su libertad al tiempo de nuestra victoria, Hernando Mandinga y otro de los esclavos echan mano a García de Arce cuando éste sale de su bohío, le anuncian la pena de garrote a la cual ha sido sentenciado, el curtido capitán no se amohína al sentirse con la soga al cuello, con voz entera pide confesión, yo concedo con su demanda pues entiendo que de nada le valdrán absoluciones de frailes en el otro mundo a quien degolló atrozmente a más de cuarenta indios en una sola noche.

El segundo secuaz del rey español a quien le tocaba morir en esta aldea de los Bergantines era don Diego de Balcázar, justicia mayor del campo, aquel que en la circunstancia de tomar la vara y el cargo dijo con bastante altanería y descaro que los recibía en nombre del rey Felipe y no de ningún otro, era prudente proceder sin tardanza para evitar los escrúpulos inexpertos de don Fernando, don Fernando argumentará que el Balcázar fue servidor muy íntimo del virrey Hurtado de Mendoza, que el Balcázar entregó buena parte de su hacienda para contribuir al gasto de esta entrada de los Omaguas, y qué sé yo cuantas majaderías más. Sin que se enterara don Fernando en el asunto fueron Hernando Mandinga y el otro negro a buscar al Balcázar, Antón Llamoso marchaba acompañándoles con la espada desenvainada para imprimirle mayor solemnidad a la ejecución de aquella muerte, el Balcázar olió la desgracia que le estaba destinada y no la admitió hidalgamente como lo había hecho García de Arce sino que se les soltó a los verdugos y echó a correr dando voces, ¡Viva el Rey! ¡Viva el Rey! ¡Socórrame Vuestra Excelencia don Fernando que me quieren matar!, Antón Llamoso y los negros lo persiguieron en medio de aquella noche muy oscura, el aterrado fugitivo se despeñó en una barranca, iba desnudo tal como le hallaron en su bohío y herido de una cuchillada que Antón Llamoso alcanzó a darle, de allí a tres días un soldado que salió de caza lo descubrió escondido en un matorral, don Diego de Balcázar volvió al campo cubierto de sangre y magulladuras que daba pena, el afligido caballero lloraba desconsoladamente, don Fernando le acogió en su tienda y le prometió la protección que él suplicaba, nunca olvidaré los serviles gritos de ¡Viva el Rey! con que pretendió salvar su vida, corría entre las sombras espantado y desnudo gritando ¡Viva el Rey!, lástima grande que el Rey no sane heridas ni dé vida, habrá de verlo vuestra merced.

Las muertes que siguieron a las ya dichas no deben ser anotadas en la cuenta de Lope de Aguirre sino en la tuya Inés de Atienza cuya belleza mestiza desenfrena a todos los varones del real, digo mal, hay aquí dos hombres sobre quienes se hacen astillas tus máquinas de encanto, el primero es el general Fernando de Guzmán gobernador de esta jornada, no siente don Fernando otro apetito sensual aparte de su amor a los buñuelos de yuca que le lleva puntualmente hasta su hamaca la dueña María de Montemayor concubina de Lorenzo Zalduendo (Receta de María de Montemayor: se hace una pasta con yuca cocida y huevos de cualquier ave prefiriéndose los de gallina, se ponen redondos los trozos de masa como si fueran pelotas, se fríen en aceite o manteca, se sacan de la sartén, se riegan pródigamente con miel de las abejas, se enharinan con polvos de canela, y se sirven calientes), tú Inés de Atienza fuiste a visitar a don Fernando de Guzmán en su tienda, aquella tarde lucías más hermosa que nunca, don Fernando te contempló severamente y te preguntó con mucha cortesía si traías alguna queja de la comida que te daban o del bohío donde te alojaban, ¡con qué alejada dignidad te habló aquel hijo de un veinticuatro de Sevilla!, dice un refrán que cuando Dios da la llaga da la medicina.

Tampoco valen mucho tus hechizos delante del maese de campo Lope de Aguirre a quien tú abominas con todas las fuerzas de tu ánima, Lope de Aguirre cojo maltallado tuerto desdentado te mira fijamente como si quisiera escudriñar tus pensamientos, otras veces deja de mirarte días enteros, tal vez sospecha de tus íntimas intenciones, Inés de Atienza.

Tú no has parado de llorar un pequeño minuto la muerte de Pedro de Ursúa, la lloras con los ojos secos y las manos empuñadas, él era el más ardiente y tierno de los amantes, la sangre te hierve dulcemente cuando en tu cama sueñas con sus caricias, tú juraste sobre su cadáver (por su dios cristiano y por los dioses de tu madre) tomar venganza de aquellos que le quitaron la vida, eres la mujer más bella del Perú y no tienes más arma que tu belleza, todos los hombres del real sacando a Fernando de Guzmán y Lope de Aguirre se dejarían cortar una mano a trueque de dormir una noche contigo, el capitán de la guardia Juan Alonso de La Bandera te acosa y acorrala como perro de caza, al capitán de infantería Lorenzo Zalduendo se le brota la lujuria por los ojos cuando se topa contigo en las calles de la aldea, el alguacil mayor Pedro de Miranda pasa largas horas velando ante tu bohío, el pagador mayor Pedro de Hernández llega hasta tu puerta todas las tardes cargado de regalos y palabras suplicantes.

Fue inevitable que cedieras a los requerimientos de Juan Alonso de La Bandera, no tenías otra salida, mi pobre Inés de Atienza. Juan Alonso de La Bandera se cuela en tu aposento al cerrar la noche, se desviste y se tiende desnudo a tu lado, tú cierras los ojos para no verle, ausente y muda le permites que penetre tu carne, piensas en la sangre vertida por las venas de Pedro de Ursúa para que tu cuerpo no sienta otra cosa sino rencor, aborreces furiosamente a Juan Alonso de La Bandera cuando él gruñe "mi vida" en el estremecimiento final.

A Juan Alonso de La Bandera le contaste una de esas noches las molestias y enfados que a espaldas suyas te sucedían. El alguacil mayor Pedro de Miranda me persigue impertinente y lascivo, ese mulato asqueroso entra a mi bohío a deshora y sin anunciarse, me da a entender que vendrán tiempos mejores y que él me hará la reina de este campo, otras veces amenaza que me violará si no accedo de buen grado a sus pretensiones. El pagador mayor Pedro de Hernández me regala con frutas y collares, dice denuestos y calumnias acerca de don Fernando y vuestra merced, me ruega casi llorando que me acueste con él. Juan Alonso de La Bandera salió de tu bohío desencajado de sus quicios por los celos.

Por las cuales razones es justicia decir que las dos últimas muertes acaecidas en el real no deben ser anotadas en la cuenta de Lope de Aguirre sino en la tuya, mi dulce Inés de Atienza. Juan Alonso de La Bandera acudió a la tienda del general Guzmán y reveló una conjura que el mulato Pedro de Miranda y el sanluqueño Pedro de Hernández estaban tramando, esos traidores maquinan quitarle la vida a Vuestra Excelencia, le ruego a Vuestra Excelencia general Guzmán que sean castigados con la pena de garrote, el maese de campo Lope de Aguirre no puso objeción alguna, aquella madrugada fueron ahorcados en una misma ceiba tus dos enamorados, de sus pechos colgaba un letrero que decía: "Por amotinadorcillos", Juan López Cerratos y Juan López de Ayala (dos marañones muy sus amigos de Lope de Aguirre) pasaron a ocupar los oficios de alguacil y pagador que dejaron vacantes los difuntos, Juan Alonso de La Bandera tornó esa noche a tu bohío desfalleciente de amor y erizado de lujuria. De los doce que fueron a matar al gobernador Pedro de Ursúa, diez quedan todavía con vida, mi desdichada Inés de Atienza.

A ti, Teniente general Juan Alonso de La Bandera, hinchado de soberbia y lleno de colores como un pavón, mayor placer te hace el mostrarte como macho público de doña Inés que el folgar secretamente con ella, doña Inés atiza tu vanidad y sopla como fuelles tus ambiciones, doña Inés te instiga contra don Fernando de Guzmán quizá porque sueña con verse de nuevo hecha dama suprema de este campo, doña Inés te empuja en contra mía porque me odia, ella me mira y contempla a veces como si tomase la medida de mi pequeño cadáver.

Tú, Juan Alonso de La Bandera, que te alzaste en armas contra el gobernador Pedro de Ursúa no movido por la rebeldía de corazón sino por el ansia de arrebatarle las humedades de doña Inés que él disfrutaba, tú, Juan Alonso de La Bandera, que tras haber matado al gobernador del Rey corriste compungido a testificar que lo habías hecho por lealtad a ese Rey que traicionabas, tú, Juan Alonso de La Bandera, eres mi mortal y capital enemigo, y por desgracia tuya yo no lo olvido a ninguna hora del día.

Si ando continuamente cubierto con todas mis armas, vestida la cota, enarbolado el arcabuz, pronta la lanza; si abandono por las noches mi tienda y escondo mi vigilia como zorro entre los matorrales, si Martín Pérez de Sarrondo y Antón Llamoso acechan como grullas tus movimientos y los de tus secuaces; es porque no he echado en saco roto tu intención de matarme, y no es ésa la muerte que aspiro tener. Me han contado soldados de tu propio bando, y espíritus del otro mundo que son mis más diestros espías, cómo acudiste presuroso a la tienda de don Fernando de Guzmán, a amedrentarlo con ciertas supuestas malignidades mías y a pedirle que me colgase de un árbol, y me contaron igualmente los dichos espíritus que él te respondió: "Antes que matar a Lope de Aguirre que tan buen amigo me ha sido, habéis de matarme a mí y echar mi corazón al río", a fe mía que se portó esta vez como un magnífico señor.

Lo que no me es posible sufrir, Juan Alonso de La Bandera, es que pretendas usurpar los atributos correspondientes a mi grado de maese de campo, estando el tuyo de teniente general situado por debajo del mío: enviaste a Sancho Pizarro con veinte hombres a remontar un río y buscar bastimento sin consultar antes mi opinión ni solicitar mi licencia; despachaste a Alonso de Montoya con otros veinte hombres a descubrir pueblos y matar indios sin que yo me enterase de esta disposición. Por no poder tolerar tu atrevimiento, Juan Alonso de La Bandera, al cielo pongo por testigo que te lo he de cobrar.

El general don Fernando de Guzmán se ha puesto en la rigurosa obligación de elegir entre dos graves peligros, y vacila y cavila mientras paladea sus buñuelos de yuca. Don Fernando adivina que tú, toledano envidioso y desaforado, andas rumiando el crimen de arrancarle el mando y la vida para convertirte en caudillo único de esta jornada. Don Fernando presiente de mi lado designios oscuros que no alcanza a determinar. Mi malicia me fuerza a entender que finalmente se inclinará su balanza a la parte tuya, pues el temor que a mí me tiene es al presente mucho menor que el que te tiene a ti.

—Sepa Vuestra Excelencia, general y amigo mío don

Fernando de Guzmán, que no son mis deseos causarle a Vuestra Excelencia angustias ni calamidades de ningún género. Había venido hoy a la presencia de Vuestra Excelencia impelido del deber de referirle cómo el teniente general Juan Alonso de La Bandera se toma por su cuenta para sí mandos y gobiernos que pertenecen a mi cargo de maese de campo. Mas al acercarme a Vuestra Excelencia y hallarlo tan atribulado ha variado de súbito mi pensamiento, y sólo quiero pedirle con corteses palabras a Vuestra Excelencia que me exima de este oficio de maese de campo, excesivo para mi edad madura y superior a mis flacas fuerzas, y me nombre en cambio para capitán de caballos, pues montar y domar estas nobles bestias han sido siempre mis ocupaciones, amén de que en el real ya no hay caballos pues todos nos los hemos comido. Haga Vuestra Excelencia maese de campo a Juan Alonso de La Bandera, que tanta gana tiene de serlo, y que es un mozo bravo y despabilado que a buen seguro escuchará mis consejos. Líbreme Vuestra Excelencia de las enojosas incomodidades que el mando trae consigo, pues precio más consagrarme al cuidado de mi hija Elvira que todo el oro del mundo, porque aunque es mestiza la quiero mucho, y además mis huesos necesitan reposar un poco ya que ha muchísimas noches que no duermo.

Acogió de buen talante don Fernando esta proposición mía que lo libraba de dificultades, te nombró a ti, Juan Alonso de la Bandera, para maese de campo, a más de teniente general que ya lo eras, y entonces se te subieron hasta el tope los humos de grandeza, tan ensoberbecido andabas que no te cabía un alfiler en el culo, la diste en maltratar a los soldados gritándoles insultos y haciéndoles humillaciones, tornaron a llamarte en sus corrillos la Valentona, tan crecido te sentías que no supiste aprovechar aquel fortunado trance para quitarme la vida antes que fuese demasiado tarde, no prestaste atención a los sanos consejos que sin duda te susurraba doña Inés bajo las sábanas, "¿porqué no acabas de darle garrote a ese cojo maldito y siniestro?", la verdad es que yo dormía con ambos ojos abiertos, y que mientras tú agraviabas a la gente yo veía crecer el número de mis amigos, Pedro de Munguía, Martín Pérez de Sarrondo, Juan de Aguirre, Nicolás de Zozaya, Pedro de Arana, Diego Sánchez Bilbao, Juan Lascano, Juan Luis de Artiaga, Martín de Iñiguez, Joanes de Iturraga, Enríquez de Orellana, Diego Tirado, Alonso Rodríguez, Antón Llamoso y no pocos otros, son mis invencibles marañones, tiene razón de sobra tu hermosa concubina doña Inés de Atienza al avisarte que soy un cojo maldito y siniestro.

Los prudentes cambios de mando que hizo el gobernador don Fernando, en lugar de aquietar sus íntimos recelos, no sirvieron de otra cosa que de agrandarlos. Juan Alonso de La Bandera volvióse más insolente y peligroso en virtud de la abundancia de poderes que el Gobernador acumuló en sus manos. Sospecha al mismo tiempo el general Guzmán que yo Lope de Aguirre no me he resignado a verme capitán de unos caballos ya difuntos tras haber sido constructor de dos bergantines verdaderos y maese de campo con la entera autoridad del cargo. Acongojado y liberal viene a visitarme en mi bohío.

—Quiero haceros saber, valiente y esforzado capitán Lope de Aguirre, que antes de volvernos al Perú os será restituido vuestro cargo de maese de campo, al cual habéis renunciado muy a mi pesar, y la cual resolución vuestra vime forzado a aceptar por motivos de cordura y seguridad que no escapan de vuestro entendimiento.

Tres días más tarde repite su visita, me encuentra amolando un puñal sobre una laja blanca que Antón Llamoso sacó del río.

—Cuando de nuevo nos hallemos en el Perú, bizarro capitán Lope de Aguirre, que algún día volveremos allí vencedores y triunfantes, será acción de buen juicio que apretemos nuestros lazos de amistad, pues ambos hemos sido los acometedores principales de estas hazañas. Yo os propongo con voluntad sincera que concertemos desde este día el matrimonio de vuestra hija Elvira con mi hermano Martín de Guzmán, que es soltero y vive en la ciudad de los Reyes. Vino a ser mi hermano Martín el menor entre nosotros, los Guzmanes de Sevilla, y es por añadidura mozo de buen parecer y dotado de válidas prendas morales.

Doyme yo por contento y satisfecho, agradezco el honor que se nos hace a mi hija mestiza y a este humilde soldado vascongado, aunque si bien se mira el linaje de los Aguirres de Oñate viene caminando de más lejos que el de los Guzmanes de Sevilla. Mi niña Elvira tiene solamente dieciséis años, tal vez quince, nunca ha cruzado mi mente la intención de casarla con hombre alguno, empero le digo a don Fernando que considero esta boda como el don más crecido que pudiera otorgarme.

El domingo en la tarde se llega una tercera vez don Fernando a nuestro bohío, agora la requerida es mi niña Elvira, el visitante se aparece cargado de presentes, trae telas de seda y terciopelo que ayer pertenecieron al gobernador Ursúa, con ellas la Torralba le hará a mi niña una saya muy rica y gallarda, una saya digna de la novia de don Martín de Guzmán.

—Ya tenéis conocimiento de mis propósitos, hermosa

niña, que son los de celebrar en el Perú vuestras bodas con mi hermano Martín de Guzmán, quien al veros quedará enamorado de vuestros encantos, y más aún cuando aprecie seguidamente vuestra discreción y bondad de alma. Vuestro padre Lope de Aguirre me ha dicho y confirmado que acogéis con mucho gusto mi petición, y por ello he venido a veros para haceros saber que al partir de este instante os trataré como cuñada mía y que todos los hombres del real os llamarán doña Elvira.

Luego le besó la frente con gran ceremonia, mi niña Elvira lo miraba escudada con una sonrisa tímida o incrédula; por mi parte me dije: Lope de Aguirre, ha llegado la hora de hablar sin tapabocas los asuntos con el capitán de la guardia Lorenzo Zalduendo.

Este Lorenzo Zalduendo cuya alianza debo procurar es otro bellaco de baja ralea, no me hago fantasías. Los hechizos excesivos de doña Inés de Atienza lo sacaron de seso desde el momento en que la vio por vez primera, se le adelantó Juan Alonso de La Bandera en la conquista y posesión de la hermosa mujer, anda con su rencor a cuestas como perro desdeñado. Lorenzo Zalduendo vino a esta jornada en compañía de una barragana que trae consigo desde Trujillo, la María de Montemayor, que cuece los mejores buñuelos del Nuevo Mundo, manceba desventurada a quien piensa arrojar al río el día en que consiga los favores de doña Inés. En tal caso, dígome yo, considerando lo rolliza que es María de Montemayor y lo bien que guisa los palominos, no faltará un soldado caballeroso que la saque de las aguas y la ampare en su lecho.

A Lorenzo Zalduendo no le permiten vivir en paz la lascivia y los celos. Lo tengo por sujeto depravado que sueña dormido y despierto con asquerosas fornicaciones, se ha revolcado con mil putas distintas en jergones de zahúrdas y mancebías, le han podrido la sangre todas las enfermedades infernales, cuando llegó al Cuzco como enviado de Pedro de Ursúa su primer interés fue preguntar dónde hallaría coño de ramera que joder. ¡Ay de ti, Lorenzo Zalduendo! Todas las desenfrenadas concupiscencias de tu putesco pasado volviéronse polvo de harina al cautivarte doña Inés con sus ojos oscuros, sus anchas nalgas de mestiza y sus pequeños senos redondos. Te morías de envidia a media noche cuando la imaginabas desnuda entre los brazos de Pedro de Ursúa, te mueres de furor agora cuando la imaginas desnuda entre los brazos de Juan Alonso de La Bandera, por amor a doña Inés me ayudaste a matar al primero, por amor a doña Inés me ayudarás a matar al segundo.

—Escuche vuestra merced atentamente, capitán Lorenzo Zalduendo, las graves novedades que vengo a darle. Es el caso que el maese de campo Juan Alonso de La Bandera, alborotado por su hinchazón y pretensiones, viene tramando en su corazón traidor una conjura encaminada a derribar y matar a don Fernando de Guzmán, y matar asimismo a vuestra merced pues siempre ha temido que lo despoje vuestra merced de su privanza con doña Inés, y matarme a mí pues me sabe su mortal enemigo, y matar al mayordomo mayor Gonzalo Duarte por castigar la grande confianza que el Gobernador le tiene.

No necesito de más palabras para convencerlo y persuadirlo. Mayor fuerza que mis razones tiene su sueño de ver un día a Juan Alonso de La Bandera tendido en tierra con una espada clavada en el pecho, y hallar luego a doña Inés sola y acurrucada en su bohío. El mayordomo Gonzalo Duarte, cuya probable ahorcadura por mí avisada lo puso declaradamente de nuestro bando, nos conduce sin dilación a la tienda de don Fernando de Guzmán y ahí es Lorenzo Zalduendo quien eleva la acusación.

—Señor Gobernador, a quien Dios guarde, hemos venido a revelar a Vuestra Excelencia la noticia de un levantamiento que anda fraguando el maese de campo Juan Alonso de La Bandera, desvergüenza de la cual ya tienen conocimiento muchos soldados del real, pues el dicho traidor no disimula sus torcidos apetitos. En compañía de seis desalmados secuaces suyos, entre los cuales se descuella el perverso matador Cristóbal de Hernández a quien ha prometido hacerlo maese de campo, se dispone a asaltar el real en una madrugada próxima y apuñalear cruelmente a Vuestra Excelencia y al mayordomo mayor Gonzalo Duarte aquí presente, entre tanto el capitán Lope de Aguirre y yo seremos llevados sin confesión a la horca. Proceda Vuestra Excelencia sin tardanza a castigar al instigador de tanta villanía, que los oficiales y soldados se enterarán de ese castigo con grande regocijo, pues están hartos de sus maltratos y vejaciones.

Y como el general don Fernando permaneciese perplejo y callado, procedí yo a aplacar su incertidumbre con las siguientes palabras:

—Déme licencia Vuestra Excelencia para atajar las ambiciones del insolente La Bandera que yo le aplicaré el mejor remedio que se ha inventado en el mundo.

Con esto, oída mi petición y sabiendo mi ánimo tan determinado, don Fernando cesó de dudar y nos dio su consentimiento para hacer lo que más conveniente nos pareciese.

Don Fernando de Guzmán los convidó el domingo de

carnestolendas a jugar al primera en su tienda. El teniente general Juan Alonso de La Bandera, el capitán de infantería Cristóbal de Hernández, el sargento mayor Sancho Pizarro y el comendador Juan Gutiérrez de Guevara eran los cuatro que intervenían en la partida. Juan Alonso de La Bandera, ¡válame Dios!, gozaba de suerte tan venturosa en el envite como en el amor. En aquel último y trágico instante de su vida tenía entre las manos un lindo flux de bastos o, por mejor decir, un siete, un caballo, una sota y un cinco de ese mismo palo. Seguro estoy de que iba a echar su resto, y a ganarles un puño de escudos a sus compañeros, cuando un negro destino se entremetió en su camino.

El secretario de don Fernando de Guzmán, un bachiller que se decía Gonzalo de Guiral, llegó jadeante a darnos oportuno aviso. Lorenzo Zalduendo y yo habíamos emboscado diez bravos soldados escogidos entre aquellos que mayor malquerencia le tenían a Juan Alonso de La Bandera. Con todos ellos armados de agujas, espadas, y arcabuces entramos de rondón en la tienda del gobernador don Fernando, que ya la puerta nos había sido abierta por el mayordomo Gonzalo Duarte.

Lorenzo Zalduendo dio orden de disparar y al punto tronaron los arcabuces. Juan Alonso de La Bandera no alcanzó a levantarse de su silla, una pelota le destrozó el hombro derecho, la espada de Lorenzo Zalduendo lo remató clavándose en su corazón, los cuatro naipes de bastos cayeron sobre la mesa tintos en sangre, aquel que fuera en vida un guerrero apuesto y valentón doblóse cual muñeco de retablo, de su cuerpo derrumbado manaba sangre por no sé cuántos agujeros.

Cristóbal de Hernández por su parte, cuyas primeras heridas fueron leves ya que su muerte no era para nosotros sino un escarmiento accidental, tuvo tiempo de ganar la puerta y correr desbocado hacia la orilla del río. Era aquel Cristóbal de Hernández el hombre al cual más odio le tenía toda la gente del campo, nadie le perdonaba sus tiranos procederes del presente ni su pasado tenebroso, fue violador de mujeres en la villa de Guancavilca, fue torturador de infelices indios chiriguanas en la Plata, Juan Alonso de La Bandera tenía en mientes nombrarlo maese de campo, en tal caso más de la mitad de nosotros habría perecido a manos de este caifás sanguinario, agora corre despavorido y se arroja de cabeza en el río tratando de escapar de una muerte inevitable. Cuantas veces asoma la cabeza del agua procurando aire que respirar o pidiendo a voces confesión, le llueven pedradas y disparos de arcabuz hasta que uno de éstos le da en mitad de la frente y seguidamente nos amontonamos todos para mirar complacidos desde la playa cómo su cuerpo muerto se lo llevan las aguas río abajo.

En esta sazón, Inés de Atienza, no lloras tú amargamente ni suplicas que te permitan enterrar el cadáver de tu amante. Parada y tiesa como un pino a la puerta de tu bohío, la cabellera negra caída sobre tus hombros morenos, ves pasar en silencio aquella masa ensangrentada que hasta ayer fuera el pecho jactancioso de Juan Alonso de La Bandera. De los doce que fueron a matar el primero de enero a don Pedro de Ursúa, todavía ocho quedan con vida, mi inconsolable Inés de Atienza.

Muerto como ha sido don Alonso de La Bandera, tan devoto de doña Inés de Atienza como del rey Felipe, y restituido como me ha sido el cargo de maese de campo, cambiada veo mi desgracia en ventura, ya don Fernando de Guzmán no se puede pasar sin mis consejos, soy su futuro consuegro, su primer capitán, su privado de mayor valimiento. El alma de la cuestión, dígome yo, está en conocer hasta cuáles alturas es capaz de subir este predestinado don Fernando, ya que ambiciones no le faltan ni apostura tampoco. Dios quiera que ambos atributos le duren hasta el final de estas hazañas pues en tal caso los libros de historia le tienen reservado un lugar parecido al de Pompeyo, que fue el más grande hombre del universo mundo hasta el día aciago en que Julio César lo venció y disminuyó.

Escuchando mis consideraciones y tomando mis consejos, convocó don Fernando de Guzmán a la plaza del poblado, por público pregón, dos juntas que mudaron por siempre jamás el porvenir de nuestra jornada. En la primera consultó humildemente a los oficiales y soldados si veían con gusto y conformidad que él, don Fernando de Guzmán, siguiera andando en el ejercicio del cargo de capitán general que ostentaba desde la noche en que dimos justa muerte al gobernador Ursúa. Mostróse don Fernando en aquella sazón más elocuente y magnífico que nunca. "De orden del maese de campo y por disposición del general", que con tales palabras comenzaba el bando, se hallaban remolinados en la plaza tanto los oficiales como los soldados y demás habitantes del asiento, incluidos los indios y las mujeres, despertados desde el amanecer por nuestros destemplados tambores. Don Fernando salió paso a paso de su tienda, armado de una partesana y seguido por diez de nosotros, sus más leales servidores.

"Caballeros, señores y amigos míos", de este modo dio principio a su arenga que la gente escuchó hasta el fin con gran quietud y silencio. Dijo que el cargo de general que tenía no le placería seguirlo teniendo si ello se volvía en disgusto para alguno. Dijo que si habíase convertido en gobernador del campo no fue por su propia disposición sino porque un acuerdo de esforzados capitanes lo levantó a tal dignidad, mas él, para quedar y sentirse satisfecho, necesitaba la conformidad de todos. "Os he juntado, amigos míos, para eximirme en público de mi cargo y de igual modo estos oficiales que me acompañan, con el objeto de que vosotros déis esos oficios libremente a la persona que vosotros elijáis y nombréis por general." Dicho lo cual clavó en tierra la partesana que entre las manos tenía, dando así testimonio y señal de renunciamiento, y cruzó sus manos sobre el pecho como si fuese un sacerdote antiguo.

A todos conmovió la generosa acción de don Fernando, tanto que yo me sentí obligado a responderle en nombre del campo entero, le pedí de todo corazón que aceptase de nuevo ser nuestro general y cabeza, pues estábamos dispuestos a poner nuestras vidas por seguirle y obedecerle. No bien hube acabado de hablar cuando comenzaron a oírse claramente vivas a don Fernando que partían de los varios rincones de la plaza, y así quedó aclamado sin discrepancia por general, y el padre Henao lo bendijo en latín con gran ceremonia.

La segunda junta volvióse acontecimiento de mayor solemnidad que la primera, ya que en el curso de ella se dieron juramentos y estamparon firmas, y la gente enardecida se resolvió en hacer la guerra en el Perú, guerra que forzosamente ha de ser rebeldía en contra de los oidores y virreyes, y en contra de ti, Felipe, rey español. Martín Pérez de Sarrondo me dice que no todos los oficiales y soldados del campo se inclinan en favor de tan extremados propósitos, algunos hay que llevan metidos en la sangre como venenos el acatamiento a la monarquía y la veneración de sus símbolos, otros hay que solamente sueñan con la riqueza de los Omaguas, vinieron en esta empresa en busca de oro y no de honores, tienen consigo más alma de avarientos que de guerreros.

—¿Cuál de entrambos caminos vamos a tomar, el de poblar la tierra en nombre del Rey, o el de ir sobre el Perú a trabajar por la libertad de los hombres? —pregunta don Fernando a toda la gente que había acudido a nuestro llamado. —Diga cada uno de vosotros su parecer sin temores, que yo me atendré fielmente a aquello que señalen los más votos.

—Yo os aconsejo, bravos marañones, como soldado viejo y de experiencia que soy —dígoles yo, Lope de Aguirre— que os inclinéis en este trance a combatir en tierras del Perú, nunca a seguir buscando para beneficio del Rey y sus ministros ciudades de oro que son fábula y mentira. Voto a Dios que en el Perú nos colmaremos de gloria y poderío, y también se llenará de riquezas aquel que le plugue. Ésta debe ser nuestra elección y no la de seguir de rodillas ante un Rey que sin oír razones nos cortará las cabezas, pues por jamás nos perdonará la muerte que le dimos a su gobernador Pedro de Ursúa.

El padre Henao, vestido con ropa de pontificar, dijo la misa en un altar que habíamos levantado en mitad de la plaza. Tras el ite misa est y la bendición, don Fernando nos invitó a todos a dar el juramento que nos obligaba ante Dios y ante nosostros mismos:

Juramos a Dios y Santa María, su gloriosísima madre, y a estos santos evangelios y ara consagrada, que unos y otros nos ayudaremos y favoreceremos, y seremos todos conformes en la guerra que vamos a hacer en los reinos del Perú, y que entre nosotros no habrá revueltas ni contrarias opiniones en orden a hacerla; antes moriremos en la demanda, favoreciéndonos unos a otros, prosiguiéndola sin que ninguna cosa de amor, parentesco, lealtad ni otra causa alguna puedan hacer parte para retardar el hacerla, y que en todo el discurso de la guerra tendremos por general a don Fernando de Guzmán, obedeciéndole y haciendo todo lo que él y sus ministros nos manden, so pena de perjuros e infames, y de caer en caso de menos valer.

Don Fernando volvió a dar muestra de su espléndida magnificencia:

—Si algunos de entre vosotros prefiriesen quedarse a poblar la tierra, en vez de hacer la guerra en el Perú, yo les permitiré que lo hagan y elijan el caudillo que deseen. Y a aquellos que me pidiesen seguir algún tiempo a nuestro lado, yo los llevaré de buen grado y los dejaré en la isla Margarita, sin hacerles daño ni darles castigo alguno. Mi más grande deseo y afán es que firmen y juren hacer la guerra tan sólo aquellos que tengan la voluntad de hacerla.

El padre Henao, fraile engañador que en malos infiernos arda, recibía los juramentos en el altar. El primero en darlo fue el propio don Fernando, los oficiales y soldados lo imitamos uno por uno, la mano puesta sobre el ara consagrada, la misma mano abierta luego sobre el misal, nuestros tambores destemplados retumbaban gloriosamente, las mujeres lloraban a la puerta de los bohíos, yo miraba y escudriñaba los rostros de cada cual cuando se adelantaban a firmar, Sancho Pizarro cerró los ojos para no ver cómo su propia mano desmentía su lealtad al rey Felipe, el comendador Juan de Guevara no alcanzaba a disimular del todo su mala gana, Pedro Alonso Casco quedóse arrodillado en su sitio para librarse así del juramento, Juan de Cabañas confesó de plano su resolución de no firmar, Antón Llamoso por el contrario quiso firmar dos veces, doscientos cincuenta marañones prometimos ante el altar de Jesucristo nuestra palabra y fe de esforzarnos hasta la misma muerte por ganar la libertad del Perú.

Te digo, rey Felipe, que la historia universal contará con admiración y asombro las cosas que sucedieron en este poblado de los Bergantines, provincia de Machifaro, en los días postreros del mes de marzo de mil quinientos sesenta y un años. Nosotros somos doscientos cincuenta marañones desesperados, perdidos en la selva del río más poderoso y terrible del universo, desencuadernados por el hambre y las enfermedades, con más remiendos en el cuerpo que ropa de mendigo, sin otras armas que un puño de arcabuces y otros tantos fierros, sin otra flota que dos barcos construidos por nuestras propias manos, mas tenemos en cambio sobrado ánimo para desconocerte y desafiarte a ti, excelentísimo Rey, el más ingrato y orgulloso soberano que ha parido mujer humana.

Para hacer la guerra en el Perú con justos títulos, y así mismo para que el tamaño de nuestra traición de lesa majestad y lesa patria no le permita mañana volver atrás a ninguno de los que en ella andamos envueltos, es fuerza desnaturarnos de ti, de tu corona y cetro, y de España que es tu patria y señorío. Los guerreros de Indias somos desdichados vasallos a quienes tú, rey Felipe, de la misma manera que ayer lo hizo

Carlos tu padre, nos has forzado a trabajar de muerte y nos has desposeído de nuestros legítimos premios, y bueno es recordar que ambas demasías fueron siempre en tierras vizcaínas motivos suficientes para desnaturarse del señor. Todas las rebeldías del Perú, yo me lo sé, la de Gonzalo Pizarro, la de Sebastián de Castilla, la de Francisco Hernández Girón, perdiéronse porque jamás osaron sacudir el vasallaje, se atemorizaron ante el desafío que significaba levantar un rey para oponerlo al monarca de España, e izar una bandera para remediar el repudio de la bandera española.

Yo, Lope de Aguirre, estoy cojo y chamuscado por defender tus privilegios contra el rebelde Francisco Hernández Girón, estoy viejo y sin dientes por obra de las leyes de la naturaleza, carezco de la juventud y donaire que el Rey de una patria nueva está obligado a tener. Para suplir esta falta haremos Príncipe de Tierra Firme y Perú y Chile a nuestro general don Fernando de Guzmán, que es noble y gallardo, dadivoso y altivo, y lo coronaremos por Rey en llegando al Perú y de esta guisa te arrebataremos un mundo que en justicia no te pertenece. Mayores derechos divinos y humanos de reinar en el Perú habemos nosotros, conquistadores y pobladores del Nuevo Mundo, que los que hubo el godo Ataúlfo de reinar en España, y la verdad es que ya ninguno le porfía a aquel afortunado vencedor el haberlo hecho. Con voz levantada digo a los marañones que me rodean:

—*Es necesario forzosamente que nos desnaturemos de los reinos de España donde nacimos y neguemos la obediencia al Rey don Felipe, señor de ellos. Es necesario que reconozcamos y obedezcamos a don Fernando de Guzmán por nuestro Príncipe y señor natural, y que en llegando al Perú le demos la corona de Rey.*

Y concluyo mis razones de esta manera:

—*Haciendo yo principio, digo que me desnaturo desde luego*

206

de los reinos de España, donde era natural; y que si algún derecho
tenía a ella en razón de ser mis padres también naturales de aque-
llos reinos y vasallos del Rey don Felipe, me aparto totalmente de
ese derecho y niego ser don Felipe mi Rey ni señor. Y digo que no
lo conozco, ni quiero conocerlo, ni tenerlo ni obedecerlo por tal.
Antes, usando totalmente de mi libertad, elijo desde luego por mi
Príncipe, Rey y señor natural a don Fernando de Guzmán, y juro
y prometo de serle leal vasallo y morir en su defensa, como por la
de mi señor y rey que es. Y en señal y muestras de este reconoci-
miento y de la obediencia que como a tal le debo tener, le voy luego
desde aquí a besar la mano con todos los que quisieren confirmar y
aprobar lo que he dicho en esta elección de Príncipe y Rey a don
Fernando de Guzmán; porque el que no hiciere esto, dará claras
muestras de ser otro su ánimo de lo que han sido sus palabras y ju-
ramentos.

Los marañones ensalzaron mi arenga y siguieron mis pasos, y todos nos encaminamos a la tienda del general Fernando de Guzmán, convertido desde este día en Su Excelencia don Fernando, Príncipe y Rey natural en razón de nuestra
propia voluntad, único soberano del Perú y la entera Tierra
Firme, consagrado por las voces de doscientos cincuenta marañones que te hemos arrebatado hoy, rey Felipe, la alhaja
más preciada de tu corona y el pedazo más maravilloso de tu
imperio.

Debo confesar que la dignidad y realeza de don Fernando de Guzmán excedieron en muchos quilates a mis aspi-
raciones. No nos permitió besarle la mano cuando llegamos
de tropel a darle entera relación de cómo habíamosle aclamado por nuestro Príncipe, sino que nos abrazó llanamente a
todos, y conmovidas lágrimas le llenaron los ojos. Se estreme-

cía de gozo cuantas veces uno de nosotros lo llamaba de Su Excelencia o de Príncipe, y más todavía cuando el padre Henao, que siempre exagera sus adulaciones, lo trató con evidente anticipación de Su Majestad.

Don Fernando convirtió su tienda de campaña en improviso palacio real y alzó a gentilhombres a Juan Gómez y Pedro Gutiérrez que antaño trabajaron haciendo de arrieros en Toledo y Valladolid, y nombró por maestresala a Alonso de Villena que había sido porquero y criado en la ciudad de los Reyes, sin hacer mención de los pajes y trinchantes, ni de la cocinera mayor que le tocó serlo a María de Montemayor en agradecimiento de los sabrosísimos buñuelos de yuca que freía. Refiero estas cosas alegremente mas sin intención de hacer burla de ellas, pues tengo a don Fernando por un verdadero Príncipe y no dudo que será mañana el Rey de uno de los más grandes imperios de la tierra, y ende le sobran razones para ejercer su gobierno gastándose tanta pompa y arrogancia.

El Príncipe don Fernando fija cuantiosos sueldos y premios que han de ser pagados en sus cajas reales del Perú según rezan las cédulas que sus pródigas manos conceden: "Yo, don Fernando de Guzmán, por la gracia de Dios Príncipe de Tierra Firme y del Perú y de Chile, gratifico al capitán de guerra Diego de Tirado con un salario de doce mil pesos en recompensa de sus relevados servicios pasados y presentes".

Otros piden a Su Excelencia la posesión de tierras y haciendas situadas en diversas partes del Perú y de cuya bonanza y riqueza tienen noticia, y no faltan algunos concupiscentes poseídos del diablo de la carne, los muy desvergonzados pretenden que el Príncipe les conceda por decreto y cédula el derecho a refocilarse con la mujer que traen clavada en la imaginación.

—Con todo el respeto debido solicito de Su Excelencia autoridad y permiso para gozar a su tiempo de doña Catalina Rodríguez, que es por agora mujer casada con el encomendero Rodrigo de Padilla en Arequipa, mas cuya fogosa condición me cuadra a mí mejor que a él.

—Ruego con toda humildad a Su Excelencia que me dé licencia para arrebatarle, a pura fuerza si fuese menester, la concubina que tiene el padre de doctrina Serafín Cepeda, clérigo de Guamanga, una chapetona ella de nombre Lucinda Rojas, alta de pechos y que me haría mucho placer.

Viéndose en tales aprietos el discreto Príncipe da promesas turbias, su buen ingenio inventa artimañas para que sus rijosos vasallos se resignen en manos de ilusiones y esperanzas.

El Príncipe don Fernando me ha llamado a consejo con gran apremio y necesidad. Llégome yo a su presencia, acompañado de mi fiel camarada Pedro de Munguía y de mi no menos leal ayudante Martín Pérez de Sarrondo; este último tras larga pertinacia mía ha sido nombrado sargento mayor del campo en lugar del taimado Sancho Pizarro (el dicho Sancho Pizarro vino a descender de ese modo a capitán de nuestros quiméricos y ya comidos caballos, y yo no le quito la vista de encima). Don Fernando nos recibe sentado a la mesa, que acaba de ser alzada por dos pajes afectados y solícitos. El Príncipe cena solitario, a la luz de las velas de un gran candelabro.

—Os he llamado —dice con gentil desenvoltura— porque vos, mi estimado maese de campo, habláis noche y día de volvernos triunfantes al Perú, y aunque yo confío ciegamente en vuestro ingenio lúcido, y sé que atesoráis verdaderas experiencias del arte militar en la cabeza, quisiera conocer de vuestros propios labios si habéis pensado y escogido cuáles caminos de agua y tierra habremos de emprender, y cuáles ardides de guerra habremos de usar, y cuáles fuerzas armaremos para vencer a los virreyes y oidores, y para combatir a los ejércitos que contra nosotros enviará sin duda alguna el rey Felipe Segundo.

—Me placen en sumo grado —dígole yo— las demostraciones de celo y prudencia que hace Vuestra Excelencia al pedirme una relación de mis trazas y propósitos. Tenga Vuestra Excelencia la certeza de que yo no estoy loco ni otra cosa semejante. Quizá podría alguien llamar locura nunca vista esta demanda de doscientos cincuenta marañones que, sumidos en barrizales tan remotos, osan darse títulos de conquistadores del Perú, libertadores de las Indias y creadores de un reino nuevo y libre. No obstante esto, si Vuestra Excelencia escucha mi plática con atención, verá que no son sinrazones de insano sino el fruto de cuerdos pensamientos el orden que ha trazado mi mente con el designio de irnos al Perú y vencer a los ministros y generales del rey español.

—Pues hablad que os oiré con todos mis cinco sentidos —dice don Fernando.

—Nuestra primera diligencia —dígole yo— será la de acabar de construir los dos bergantines, que ya demasiado tiempo hemos gastado en esa obra, y lanzarlos luego río abajo en busca del mar océano, no sin desembarazarnos antes de unos cuantos traidores que aún vienen agazapados en nuestro bando. Afirmo que este río va a caer sin remedio en el mar océano, pronóstico que no es una invención mía sino un descubrimiento comenzado y coronado por Francisco de Orellana (en compañía de un fraile apellidado Carvajal que soñaba perpetuamente con tetas de mujer y por tal motivo imaginó la historia de unas tribus de amazonas que jamás fueron reales, mas le dieron su nombre fantasioso a este poderosísimo río, en vez de Marañón que es como propiamente debiera llamarse). Perdóneme Vuestra Excelencia esta disgresión, y volvamos al momento en que nuestros bergantines, el "Santiago" y el "Victoria", caen en el mar océano y toman el rumbo de la isla Margarita, que es la tierra más conveniente a nuestros fines por hallarse tan cercana, por el natural pacífico de sus habitantes, y porque su rico suelo habrá de socorrernos con abundantes provisiones.

—En la isla Margarita nadie nos espera —dígole yo— y ¡voto a Dios! que en virtud de esta circunstancia nos apoderaremos de ella con grandísima facilidad. Encomiende Vuestra Excelencia la dicha misión a mis manos que yo sabré cumplirla en volandas. Tomaremos la Margarita y la gobernaremos tan sólo por tres días que nos bastarán para pertrecharnos de agua y bastimento, y para asaltar los navíos que en sus costas se hallen ancorados, y para recibir en nuestro campo a decenas o centenas de hombres que voluntariamente desearán combatir a favor de la libertad.

—El segundo escalón de nuestro viaje —dígole yo— es Nombre de Dios, adonde seguiremos con toda presteza y donde tampoco nos estará esperando nadie, y que es puerto de singular importancia pues en sus calles se cruzan todos los caminos que traen los soldados de España al Perú y llevan el oro del Perú a España. La arremetida contra Nombre de Dios la haremos tras tomar tierra en las orillas del río Saor que de sobra conozco pues lo he navegado muchas veces.

—Desde Nombre de Dios —dígole yo— marcharemos hasta Panamá el través de la sierra de Capira, en cuyos riscos emboscaremos cincuenta arcabuceros que cuidarán nuestras espaldas y guardarán los caminos. La toma de Panamá habrá de ser la batalla más principal que haremos y venceremos en este primer curso de nuestra guerra pues en la aguas de ese puerto nacerá nuestra flota y de esas mismas aguas nos partiremos a cumplir en el Perú `nuestro hazañoso destino.

—En el gobierno de Panamá —dígole yo— trataremos con mano recia e implacable a los secuaces del rey Felipe que allí son abundantes y vanagloriosos, pondremos terquedad en destruirlos sin tardanza antes que ellos intenten levantarse contra nosotros. Tendrá entonces noticias el rey Felipe de que nuestra guerra es a muerte, tal como ha sido siempre a muerte la guerra que España ha hecho contra todo hombre rebelde.

—En la provincia de Panamá —dígole yo— formaremos el animoso ejército que habrá de libertar al Perú y Chile. Es cosa sabida que en los montes de Panamá y en las serranías del Darién ocúltanse no pocos soldados perseguidos por la justicia del Rey, los cuales bajarán a hacerse parte de nuestras tropas. E igualmente correrán a juntársenos más de dos mil negros cimarrones que andan huyendo en aquellas montañas y que nos colmarán de bendiciones en sabiendo que fuimos nosotros quienes ejecutamos la muerte del general Pedro de Ursúa, el mismo que les hizo vil traición, y mató por la espalda a sus caudillos, y se llevó encadenado al muy confiado rey Bayamo.

—En el puerto de Panamá —dígole yo— apresaremos los barcos de que tengamos necesidad y pegaremos fuego a los restantes para evitar que alguno los emplee mañana en pos de nosotros, y construiremos una o dos galeras de tres palos en cuyas crujías irán enclavados nuestros cañones. Tenga por cierto Vuestra Excelencia que de Panamá zarpará una flota de más de veinte navíos, llevando embarcados a más de tres mil guerreros, con grande munición de arcabuces y pólvora, amén de una galera proveída de artillería, un ejército diez veces más copioso que los de Pizarro y Hernández Girón cuando éstos se rebelaron contra la autoridad de los virreyes y oidores, un ejército el nuestro que además no peleará gritando ¡Viva el rey de España!, sino ¡Muera el rey de España! y ¡Viva nuestro rey natural don Fernando!

El Príncipe ha entendido muy bien que estoy cuerdo y en mi entero juicio, levántase conmovido de su asiento y me abraza con lágrimas en los ojos, tal como si yo fuera su hijo, o por mejor decir, su padre.

EN ESTE TIEMPO comenzó a correr de boca en boca la extraña novedad: yo, Lope de Aguirre, llevo conmigo dentro de mi cuerpo un familiar, un demonio mínimo que me obedece como siervo y me da noticia de las cosas secretas que suceden en el real y de las marañas que se urden en contra de mi persona. El familiar se llama Mandrágora y es una nubecilla que nadie alcanza a verla, Mandrágora se cuela en los bohíos a media noche, Mandrágora escucha las murmuraciones para contármelas luego, Mandrágora está en todas partes pues (según el testimonio de los Libros Sagrados) los demonios están en todas partes al igual que Dios, Mandrágora y yo hemos firmado (con sangre de mi dedo meñique izquierdo) un pacto por cuya fuerza y virtud él me advertirá de los peligros que corro y de las traiciones que en el campo se fraguen, y yo le entregaré mi alma en cambio a la hora de mi muerte. Hé hecho un lindo negocio ya que he vendido un alma cuyo fatal signo no era otro que el infierno, pienso además que Dios es infinitamente misericordioso y en último término perdonará (después de algunos siglos de llamas y suplicios) a todos los condenados al fuego eterno, en este perdón estarán incluidos Satanás y sus ángeles caídos, y entonces el infierno desaparecerá, eso lo escribía San Jerónimo y lo repite Mandrágora para consolarme y consolarse a sí mismo. Díceme también Mandrágora que el Maligno no ha tenido jamás esa cornuda figura corpórea que le pintan los pintores sino que es una sustancia invisible parapetada en las almas de los hombres, y que en la dicha palestra hace sus batallas con Dios, yo no me meto a disputar de teologías con Mandrágora pues su condición de diablo lo fuerza a saber esas materias demasiado mejor que yo.

Después de tres meses de una residencia en tierra que quedará señalada con mayúsculas letras de oro en la historia del Nuevo Mundo gracias a nuestro juramento de libertad, nos partimos del poblado llamado los Bergantines. El "Santiago" y el "Victoria", que han sido construidos bajo mi mando y vigilancia, carecen todavía de cubiertas mas son suficientemente grandes y navegadores, todos hallaremos lugar sobre sus tablas rasas, ¡más abajo los acabaremos de armar y entonces mudarán su tosca apariencia en donaire de briosos navíos! Doy orden de ceñir nuestra derrota a la margen izquierda del río, así vamos costeando arenales deshabitados aunque más saludables opino yo que los verdores de la orilla derecha detrás de los cuales es sólo una visión supuesta y mentirosa el imperio de los Omaguas.

A los tres días de navegación, siempre pegados a la mano izquierda para esquivar de las tentaciones, hallamos un pueblo mísero que los indios abandonaron con toda brevedad al divisar nuestros barcos en la lejanía. Tomamos tierra en busca del maíz y el pescado en barbacoa que los indios dejaron en su huida y, al acordarnos que hoy es Domingo de Ramos, decidimos acampar por siete días en este lugar y celebrar devotamente la Semana Santa. El padre Henao encaramado sobre una piedra hará conmovidos sermones acerca de la pasión de Dios y llorará hipócritamente cuando a Él lo coronen de espinas, el Jueves Santo las mujeres traerán flores del bosque para entretejerle un monumento a la hostia consagrada, el Domingo de Resurrección nuestras dos disonantes campanas repicarán una y otra vez el aleluya.

Fue en esta aldea desvalida donde encontró su muerte
Pero Alonso Casco, que fuera ayer alguacil mayor y fidelísimo amigo del infortunado gobernador Pedro de Ursúa, y
agora no alcanza a ocultar su amarga pena. Este Pero Alonso
Casco es creyente y rezador hasta no poder más, se sabe en
latín las cuatro oraciones y las letanías, quedóse arrodillado y
rezongando padrenuestros cuando se les llamó a todos a firmar el juramento de fidelidad a don Fernando de Guzmán,
hoy Miércoles Santo vienen a contarme dos de mis marañones vascos que Pero Alonso Casco ha gritado en latín amena-
zadoras palabras que no son en ninguna manera oraciones
cristianas sino versos paganos. Tenía el tal Pero Alonso
Casco una conversación con el soldado Juan de Villatoro, y
de pronto la interrumpió para mesarse las barbas y exclamar
en voz alta:

> *Audaces*
> *fortuna*
> *juvat,*
> *timidosque*
> *repelit,*

lo cual, según aprendí de mi tío Julián de Araoz en Oñate,
significa en lengua española que la fortuna ayuda a los auda-
ces y desdeña a los cobardes. ¿Contra quién pretendes em-
plear esa audacia que predicas, Pero Alonso Casco? Contra el
maese de campo Lope de Aguirre, sin duda alguna. Ordeno
sin más ni más que te den garrote, de nada te vale que el príncipe don Fernando en un rebato de magnanimidad se re-
suelva en revocar mi sentencia, cuando llegan sus mensajeros
a salvarte la vida ya Hernando Mandinga y Benito

Mayomba te han quebrado los huesos del pescuezo con sus cordeles, tu cadáver yace sobre una estera, en tu pecho hay un letrero que dice: "Por habladorcillo", quise añadir "*Sic transit gloria mundi*" para corresponder a tus latines mas era ésta una sentencia que aventajaba en grande exceso las medidas de tu cuerpo.

Enterrado Pero Alonso Casco y pasada la Semana Santa, proseguimos nuestro curso, y al cabo de otros siete días dimos en un poblado mucho más grande que el anterior; éste es un anchuroso puerto habitado por indios corteses y amorosos, aunque también borrachos y bastante ladrones. A media legua se alza un bosque de muy ricas maderas. Ordeno y mando dar fondo en aquel sitio y consagrarnos por entero a acabar las cubiertas de los bergantines. Haciendo uso de mi autoridad de maese de campo dispongo que nuestra gente se divida en tres partes y se acomode en la forma siguiente: en la playa de más abajo se alzará el bohío principalísimo de don Fernando, donde morará el Príncipe con su escogido número de oficiales y servidores; en la playa del medio, muy pegada al astillero donde serán concluidos los bergantines, me albergaré yo en compañía de mis sesenta marañones más probados; y en la playa de más arriba, que viene a ser nuestra banda norte, acampará el resto del ejército. Colocados en tan prudente orden, los de abajo no podrán juntarse con los de arriba sin que los del medio los veamos pasar.

No obstante esto, tanta y tan continuada ocupación me acarrea el aderezo final de los bergantines (vigilar el corte de los árboles, acuciar a los carpinteros, proveer de viandas a las mujeres que trabajan de cocineras, regañar a los negros remisos que trasladan las tablas a los huecos de los navíos) que no logro caer en la cuenta del peligro mortal que me rodea. El primero en darme aviso y voz de alerta es Mandrágora, mi desvelado diablo familiar:

—Anoche celebró el príncipe don Fernando en su tienda una consulta a la cual fueron convidados todos los oficiales del reàl salvo tú, Lope de Aguirre, sin haber en consideración que eres el maese de campo. ¿De qué se trató en la dicha junta? ¿Por qué se hizo a tus espaldas? ¿Por qué el Príncipe se esquiva de tu presencia como de la de un enemigo?

La segunda advertencia llégame de la boca del oficial vascongado Nicolás de Zozaya, que es verdadero marañón y amigo mío:

—Dos juntas ha hecho ya el príncipe don Fernando en ausencia tuya. Me ha referido mi compadre el capitán Pedro Alonso de Galeas, el cual fue testigo de vista de cuanto en ellas sucedió, que el Príncipe se muestra agora arrepentido de haber dado muerte al gobernador Ursúa, y de haberse desnaturado de España, y de haber aceptado la corona que en la cabeza le pusiste. Es tan inmenso su arrepentimiento que lloró con lágrimas y sollozos, más parecía una mujercilla francesa apaleada por su marido que un guerrero español. Así me lo refirió fielmente mi compadre el capitán Pedro Alonso de Galeas.

—El más vil entre todos —susurra Mandrágora una vez que Nicolás de Zozaya se ha despedido y alejado— es el fementido príncipe don Fernando, puto de carnestolendas, nalgas de madre abadesa, que a ti te debe todo cuanto ha sido y cuanto es, y viene a pagarte con esta rastrera follonía. Únicamente puede comparársele el padre Henao (a quien en el infierno estamos aguardando con grande impaciencia) que se valió del sacramento de la penitencia para imponerle al Príncipe como pena sacrílega que te cortara la cabeza.

A la postre de Zozaya y Mandrágora viene el capitán Pedro Alonso de Galeas en persona y me cuenta punto por punto todo lo dicho y hablado en las misteriosas juntas de don Fernando de Guzmán:

—Lorenzo Zalduendo y el padre Henao mantuvieron empedernidos que se te debía matar en volandillas, sin esperar un minuto más. Alonso de Montoya arguyó entonces que sería temeridad desafiar tu ira y la de los sesenta marañones que te son más fieles. Las razones de Montoya persuadieron al general don Fernando, y por tal motivo tomóse la resolución de dejar para una noche en que nuestros bergantines estuviesen navegando, y tú durmieras descuidado y a pierna tendida en la cubierta del "Santiago", la faena de coserte a puñaladas.

Mayor indignación produce en mi pecho la ingratitud de don Fernando que la imagen sombría de mi futura muerte. A la media noche, acostado en mi hamaca y con Mandrágora por único testigo, los cubro de denuestos y maldiciones:

—¡Traidores asquerosos que queréis untar de mierda la bandera de la libertad, hideputas que soñáis con volver a sentir en el cuello el oprobioso yugo del rey Felipe, ¡bendito sea Satanás!, que antes os escupiré y os daré muerte a todos!

Mandrágora baila y zapatea en mi interior; aunque sabe que mi alma ya está irremisiblemente perdida, le place verme acumular pecados mortales.

Ya fueron acabadas y ajustadas las cubiertas de los navíos, la gente se afana embarcando sus armas y provisiones, predice Mandrágora que en esta víspera del viaje se precipitarán los odios, sucederán los episodios más sangrientos y terribles, hallarán su muerte muchos de aquellos que en contra de mi vida se conjuraban.

Ando yo atareado en la elección de las cosas más esenciales que llevarán los bergantines, cuando se aparecen dos negros cargados de colchones, almohadas y cofres femeniles, y pretenden subirlos a bordo y hacerles lugar en las bodegas. Pregúntoles yo quién había enviado aquellos trastes y dado aquellas órdenes, y respóndenme ellos que obedecen mandatos del capitán de la guardia Lorenzo Zalduendo, y entonces yo los fuerzo a volverse atrás con sus ridículos envoltorios a cuestas.

El primero de estos colchones es el lecho de doña Inés de Atienza, la mujer más bella del Perú; el segundo es la yacija de la otra concubina de Lorenzo Zalduendo, una tal por cual María de Montemayor, la freidora de buñuelos; Zalduendo no repudió a la segunda al enredarse con la primera sino que prefirió seguir folgando a tambor batiente con ambas a dos. ¡Menguado capitán de la guardia este garañón que en vez de desvelarse cuidando con la espada a su general se pasa las noches sirviendo de gallo pisador a dos gallinas diferentes!

En qué oscuro barranco te has despeñado, mi pobre Inés de Atienza, Juan Alonso de la Bandera te heredó de Pedro de Ursúa, Lorenzo Zalduendo te heredó de Juan Alonso de La Bandera, otro cualquiera te heredará mañana, cual si fueras un botín de guerra o una perra caminera. Este Lorenzo Zalduendo es el más puerco y más bajo entre todos. Ha llegado en edad a más de cuarenta años, no declinan sus bríos de obstinado fornicador, te cabalga cada noche dos o tres veces, te fatiga y lastima su insolente virilidad de verraco, te causan asco y náusea sus quejidos acezantes, mi sufrida Inés de Atienza, en tus lindas nalgas se cruzan las huellas de los dedos de Lorenzo Zalduendo cuyo vicioso fuego se enardece cuando te pega.

221

Hay un soldado en el real que no cesa de rondarte y atisbarte, se llama Nicolás de Zozaya y se cuenta entre los secuaces de Lope de Aguirre, es feo y retorcido como una higuera, tú volviste una vez el rostro para mirarlo y el hombre tembló de pies a cabeza, la segunda vez que lo miraste se puso a murmurar palabras incomprensibles con lengua tartamuda, la tercera vez que lo mires se postrará a tus pies como un esclavo.

El soldado marañón Nicolás de Zozaya va en busca de Lope de Aguirre y le da parte de un gravísimo caso:

—El capitán de la guardia Lorenzo Zalduendo anda ciego de rabia contra ti, maese de campo Lope de Aguirre, y es tan grande su furia que no se recata de proferir amenazas. Te traigo como ejemplo palpable de su desvergüenza lo sucedido ha poco rato, cuando llegaron de vuelta a su bohío los colchones de sus dos concubinas. El capitán Lorenzo Zalduendo púsose en cólera y gritó delante de las mujeres: "Me llena de amargura que un hombre de mis años y condición véase obligado a suplicar mercedes de un advenedizo como lo es Lope de Aguirre. Pese a tal con este perro que sin él nos pasaremos y sin él proseguiremos nuestra jornada y estamos muy prontos para librarnos por siempre de sus impertinencias y disparates".

—¿Eso dijo? —pregunto yo.

—Eso dijo —responde Zozaya.

Mandrágora, mi advertido familiar, me aconseja en voz bajísima que no pierda un instante más. "No olvides que Zalduendo hizo alarde de un desalmado rencor hacia ti en las juntas que se hicieron para considerar el modo y el tiempo de matarte. El Zalduendo, ofendido por el agravio que le hiciste a los colchones de sus rameras, pedirá agora al general don Fernando que se dé prisa a ejecutar en tu cabeza la pena de muerte que ellos acordaron." "Ya corre hacia la tienda de don Fernando a suplicárselo", dice Mandrágora.

A la frente de los más bravos de mis sesenta marañones salgo empós de Zalduendo. No lo topamos en su bohío, ha bajado hasta la tienda del Príncipe a rogar que sea acelerado el plazo de mi muerte, no erró Mandrágora en su vaticinio. Interrumpimos la siniestra plática con la lluvia de estocadas y cuchilladas destinadas por entero al cuerpo de Lorenzo Zalduendo. El príncipe don Fernando grita: "¡No lo maten!", "¡Ordeno que no lo maten"! "¡Ruego que no lo maten!", mientras salta del uno al otro rincón del aposento. La sangre de Lorenzo Zalduendo mana por más de cincuenta agujeros, la muerte no le da tiempo de pedir confesión, en menos que canta un gallo entrega su alma a Lucifer.

Lope de Aguirre entendió finalmente que tras de todos aquellos rencores y traiciones, tras de aquellas porfías que acababan siempre en sangre y muerte, estaba tu hermosa mano, mi implacable Inés de Atienza. Lope de Aguirre percibe agora que esa tu mano no se detendrá hasta tanto de los doce que fueron a matar a don Pedro de Ursúa no quede ninguno con vida. Lope de Aguirre discierne agora por qué entregaste tu cuerpo simpar a dos bellacos que te repugnaban. Lope de Aguirre adivina que tu futuro dueño, tu futuro siervo, tu futuro instrumento será Antonio de Zozaya, no indigno lacayo del rey Felipe como los anteriores sino marañón rebelde y valeroso. Lope de Aguirre llama a su lado a Antón Llamoso y Francisco Carrión, y les hace unas señas que significan:

—¡Id y matad a doña Inés de Atienza!

Tú te hallas serena en tu bohío, peinándote la negra cabellera, dolorosa y bella Inés de Atienza, aguardando nuevas de las horribles cosas que han de suceder en este día. De pronto se abrirá la puerta, entrará el soldado marañón Antonio de Zozaya y te dirá con inflamada voz: "¡Han muerto al capitán de la guardia Lorenzo Zalduendo!", o bien: "¡Han muerto al príncipe don Fernando de Guzmán!", o tal vez: "¡Han muerto al maese de campo Lope de Aguirre!", cualesquiera de esas tres muertes te será placentera, los tres fueron parte del perverso motín contra Pedro de Ursúa. Los dioses incas de tu madre te han avisado que la sangre derramada será la de Lorenzo Zalduendo, los dioses incas nunca yerran en sus profecías, llegará a la puerta de tu bohío el soldado marañón Antonio de Zozaya, te dará noticia del fiero crimen, y se quedará a dormir contigo.

Mas se abre la puerta y no es Antonio de Zozaya quien atraviesa los umbrales sino los dos más crueles sayones del maese de campo Lope de Aguirre, Antón Llamoso y Francisco Carrión caen sobre ti sin miramientos, te sacan a empellones del bohío, se adentran en la selva barriendo zarzas y peñascos con tu cuerpo, mi desventurada Inés de Atienza.

A la sombra de un árbol cuya madera es tan oscura como tus ojos te dan de cuchilladas y lanzazos, tu sangre es olorosa como los azahares y escarlata como las amapolas. Tú, Inés de Atienza, hija de Chestan Xefcuin que fuera concubina del príncipe Huáscar; hija por igual del capitán Blas de Atienza que fuera soldado de Vasco Núñez de Balboa; tú, Inés de Atienza, no pides clemencia, ni te humillas en el llanto. Tu único gemido es el de la agonía.

Cuando llegan las esclavas a darte sepultura descubren entre los breñales el más bello cadáver que jamás ha sido visto en estas selvas, tus airados ojos negros siguen encendidos como lámparas, tu abundosa cabellera negra enluta desconsoladamente los espinos, te amo, mi muerta Inés de Atienza.

EL PRIMERO EN darme aviso del peligro fue Mandrágora mi demonio familiar, de allí a poco vinieron con el cuento el soldado marañón Nicolás de Zozaya y el astuto capitán Pedro Alonso Galeas, agora llaman a la puerta de mi bohío Gonzalo de Guiral y Alonso de Villena y me refieren punto por punto todo cuanto se dijo en las últimas juntas que se tuvieron en la posada del Príncipe con el fin de decidir mi muerte, el Guiral y el Villena son capitán de don Fernando el uno y maestresala el otro mas presienten que esta lid habrá de resolverse en mi favor, dan este paso por escapar del fatal destino que aguarda a todos mis enemigos, nada me importa la causa que los mueve, los acojo con los brazos abiertos y les doy un sitio en mi corazón.

Tras de haberse querellado amargamente el Príncipe de la justa venganza que yo ejecuté en las personas de Lorenzo Zalduendo y su hermosa doña Inés (—No os permitiré, señor maese de campo, que prosigáis cometiendo abusos y desafueros sin mi consentimiento), y tras haber escuchado mi indignada réplica (—Vaya Vuestra Excelencia a freír buñuelos que yo no me fío ya de su palabra ni guardo respeto alguno por sevillanos falsarios que juegan tretas dobles), el dicho Príncipe ha prevenido y mandado la partida de los bergantines para mañana al amanecer. Tráeme la noticia el capitán Miguel de Serrano y comienza a decir con voz levantada el siguiente mensaje:

—Ordena Su Excelencia el Príncipe a vuestra merced que acuda con prontitud a su tienda para ventilar en junta de oficiales...

—Dígale vuesa merced a Su Excelencia el Príncipe que no iré. A otras juntas donde se tomaron disposiciones que yo me sé, nunca fui convidado. Lo cierto, capitán Serrano, es que hemos llegado a un punto el cual no le da cabida a más conversaciones.

Ya ninguno puede llamarse a engaño, don Fernando y sus secuaces se han dispuesto a librarse de mí quitándome la vida, yo confío en mis sesenta marañones más constantes para impedir tal ruindad, acampo con mi gente en la mitad de la isla a pocos pasos del lugar donde están surtos los bergantines, en los dichos bergantines he hecho meter las municiones y los pertrechos de guerra, ambos navíos cabecean atados con recias cadenas a dos inmensos árboles que se alzan frente a mi bohío. La albergada del Príncipe queda allá abajo, separada de nosotros por un ancho estero que requiere ser pasado en canoas. En el campo de arriba se asientan Alonso de Montoya y Miguel de Bovedo con algunos soldados y no sé cuántos indios de servicio.

Alonso de Montoya y Miguel de Bovedo se hallan más a mano, mi estrella me inclina a comenzar la justicia por ellos. Es una noche tan oscura que solamente sus propias tinieblas se alcanzan a divisar, a la frente de veinte marañones bien armados marcho hacia el bohío donde cenan y platican los dos oficiales, los bergantines se harán mañana a la vela, a las diez horas de navegación mataremos a Lope de Aguirre tal como tú Alonso de Montoya lo propusiste sagazmente, tú almirante Miguel de Bovedo llevarás el gobierno del navío, Lope de Aguirre dormirá tendido en la cubierta del "Santiago", de repente llegarán dos lacayos del Príncipe don Fernando a partirle el corazón con sus dagas, Lope de Aguirre despertará entre bocanadas de sangre y luego expirará sin dar un grito, el Montoya y el Bovedo están conversando una vez más acerca de esos sus turbios enredos cuando entran al aposento diez enfurecidos marañones, los dos traidores no atinan a levantarse de sus asientos, desfigurados quedan sus cuerpos por obra de cien estocadas y puñaladas, Alonso de Montoya había aplazado mi muerte para un día en que el "Santiago" navegara Marañón abajo, el almirante de mar Miguel de Bovedo tendría el mando y señalaría el rumbo de ese navío mortal, que Dios los haya perdonado.

—Agora le toca al Príncipe —dígole yo a Martín Pérez de Sarrondo que jamás se aparta de mi lado en los tragos crueles. —¡Vamos!

—Tan negra está la noche —responde él— que no se distinguen los bultos de los cuerpos, mucho menos las caras. Correremos el riesgo de matarnos entre nosotros mismos si intentamos de asaltar en tumulto la tienda de don Fernando.

Entiendo sus razones y dígole:

—Nos pasaremos la noche a bordo de los bergantines. Si por cualquiera circunstancia llegase a oídos del Príncipe noticia de los desastres sucedidos en la parte de arriba, y si los oficiales del Príncipe se resolviesen en atacarnos para vengar la afrenta, ni por pienso arrostraremos el combate sino que cortaremos las amarras de los navíos y dejaremos a don Fernando y su corte abandonados a merced de la selva.

Mas ningún signo sospechoso llega a revelarse, ningún osado se atreve a cruzar las aguas negras del estero para llevarle relación al Príncipe de cómo murieron Alonso de Montoya y Miguel de Bovedo, nuestros centinelas sólo escuchan los monstruosos ruidos de la selva que no cesan. Al clarear la madrugada avanzamos en cuatro canoas por medio del estero

227

sesenta marañones silenciosos.

—¡Tú, Nicolás de Zozaya, y los cuatro soldados que van contigo, os encargaréis de dar muerte al mayordomo Gonzalo Duarte! ¡Tú, Diego de Trujillo, junto con tus cuatro ayudantes, daréis cuenta sin tardanza del capitán Miguel de Serrano! ¡Tú, Diego Sánchez de Bilbao, usarás tu gente en someter y matar a Baltazar de Toscano, que es el más peligroso entre todos esos desvergonzados! —tales instrucciones doylas desde mi sitio a los que van en las otras canoas.

—En cuanto a vosotros, Martín Pérez de Sarrondo y Juan de Aguirre, en vuestras manos encomiendo la muerte del príncipe don Fernando, procurad que no os fallen el pulso ni el tino, que si os fallaren, tú, Antón Llamoso estarás muy cerca para dar buen fin a este negocio —dígoles a los tres que van en mi compañía.

El primer bohío que la mañana dibuja ante nuestros ojos es aquel donde duerme el padre Henao, fraile engañador y envilecido que dijo misas solemnes para honor y gloria del gobernador Ursúa y las repitió luego para celebrar su muerte, contóme Mandrágora que el padre Henao mostróse ser el más arrebatado inquisidor en aquellas juntas donde se acordó de matarme, juró y voceó allí que era preciso destripar a esta serpiente (yo) tal como San Miguel Arcángel había destripado a Satanás. El soldado Alonso Navarro y otro de nombre Chávez, que grande ojeriza le tienen al fraile porque les amenazó cierta vez con descomulgarles si no cumplían la penitencia de entregarle al confesor (que era él mismo) una puerca que ellos habían criado, los dichos Navarro y Chávez me suplican que les dé licencia para enviar el reverendo a los infiernos, yo se las concedo de muy buena gana, Dios sea loado, Alonso Navarro se mete de rondón en la capilla donde duerme el padre Henao, sin distraerse en despertarlo le clava la espada en la panza con fuerza tanta que lo pasa de parte a parte como un cuero de vino, el fraile comienza a dar grandes alaridos y a decir injurias y maldiciones al borde de la muerte con lo cual Vuestra Paternidad agrava la perdición de su alma que según Mandrágora ya estaba más que perdida.

El príncipe don Fernando despierta de su sueño al ruido de nuestros pasos de nuestras voces de nuestras armas, asómase en camisa a la puerta de su tienda, muy poco resta de su altiva dignidad de Príncipe, ahora es un sevillano cualquiera de esos que tiemblan de los pies a la cabeza ante la presencia de la muerte, desque me reconoce dice con ojos espantados:

—¿Qué es esto, padre mío?

—Sosiéguese Vuestra Excelencia —le respondo yo ásperamente— que hemos venido a hacer un ejemplar castigo en tres capitanes que se aprestan a amotinarse. Cuando un general no sabe ni puede defender su propia vida, le es forzado hacerlo a su maese de campo.

Y paso sin más detenerme a lo interior de la tienda donde mis marañones cumplen bravamente sus obligaciones. Gonzalo Duarte, Miguel Serrano y Baltazar Toscano caen en el suelo abatidos por una tempestad de agujazos y puñaladas, valga en disculpa de ellos que fueron quince contra tres, y valga en su condenación que ellos eran tres sabandijas y que ninguna otra suerte merecían.

Al príncipe don Fernando no lo quise ver morir, tan sólo alcancé a oír el estampido de los arcabuzazos que sobre su pecho descargaban Martín Pérez de Sarrondo y Juan de Aguirre en la sala de al lado, cuando corrí renqueando a persuadirme de su desventura ya estaba irreparablemente muerto, la última puñalada de Antón Llamoso había sido un castigo sobrante. Entre las siete víctimas de este día aciago, el solo y único cuya desdicha me causa pesar es este mozo don Fernando que fue en vida tan garrido, razón tuvo en llamarme padre mío al pronunciar las que fueron sus últimas palabras, por haberlo amado tal como un hijo lo alcé a general de esta jornada y a Príncipe del Perú y Chile, ingratísimo hijo mío que pagaste mi afecto maquinando mi muerte y preparándote a rendir nuestra bandera libre ante los pies odiosos del rey Felipe, seguiremos la guerra adelante sin ti, infeliz hijo mío que nada sacaste de tu padre.

Ha salido un sol claro y limpio, las terribles noticias corren por todo el real, unos cuantos vecinos de acobardado ánimo huyen aterrados hacia los bosques cercanos, más de veinte soldados marañones se parten en busca de los fugitivos, al mediodía se remolina la gente en la playa que se abre a pocas brazas de los bergantines, rodeado por ochenta de mis marañones armados de todas armas háblole a la multitud:

—Caballeros, nadie se alborote, que la guerra trae estos disgustos; hasta aquí eran nuestros negocios muchacherías por ser mozo el que nos mandaba; agora se verá de veras la guerra, pues no hay quien nos vaya a la mano; lo que pretendo es ver a vuestras mercedes muy próperas y ponerles el Perú en las manos, para que corten a su voluntad. Déjenme a mí hacer, que yo haré que el Perú sea señoriado y gobernado por marañones, y ninguno de todas vuestras mercedes ha de haber que en el Perú no sea capitán y mande a las demás gentes, porque de nadie me tengo de fiar sino de vuestras mercedes. Ténganme buena amistad, que yo haré que salgan del Marañón otros godos y que gobiernen y señoreen en el Perú como los que gobernaron a España.

—¡Viva nuestro general y cabeza Lope de Aguirre! —grita Martín Pérez de Sarrondo.

—¡Viva el fuerte caudillo de los invencibles marañones! —añade mi fiel compañero Pedro de Munguía, y me hace mucho placer el título, y lo llevaré como insignia al pie de mi nombre.

—Seré vuestro general y caudillo —digo a toda la gente que por tal me aclama— para hacerle al rey Felipe la cruel guerra que nunca quiso hacerle Pedro de Ursúa, pues éste era de condición servil y no rebelde, la reñida guerra que no pudo hacerle Fernando de Guzmán pues estotro era un mancebo incierto y débil. A la guerra vamos, marañones míos. Solamente quiero y ordeno que nadie hable de oído ni en secreto, porque vivamos seguros y sin motines.

Seguidamente procedo como buen general a hacer los nombramientos de importancia, prefiriendo alzar al oficio de capitanes a hombres de sangre plebeya que a otros de mayor alcurnia. Hago a Martín Pérez de Sarrondo maese de campo, y a Nicolás de Zozaya capitán de la guardia. Juan Gómez que fuera calafate será almirante de mar, y Juan González que fuera carpintero será sargento mayor. En cuanto a don Juan Iñíguez de Guevara, pomposo comendador del hábito de San Juan, a toda hora respetable y vestido de negro, que fuera grandísimo amigo y consejero de don Fernando, despójolo de su cargo para dárselo al trianero Diego de Trujillo; y también el arrogante Juan Álvarez de Cerrato entregará su mando de capitán al soldado Francisco Carrión que es mestizo y casado con una india. A Diego de Tirado lo hago capitán de caballos pues es valeroso para la guerra y viéneme a ser conveniente ganarme su voluntad. Y a Sancho Pizarro lo confirmo en el puesto que ocupaba no obstante que Mandrágora me ha soplado que traza enredos y follonías, ten paciencia mi buen Mandrágora que a su tiempo le cortaremos las uñas.

A los dos días de tan enormes sucesos nos partimos de aquel poblado al cual los murmuradores del campo bautizaron con el lóbrego nombre de la Matanza, nuestros bergantinos navegan a corriente y remo pues aún carecen de mástiles y velas, de estas cosas nos proveeremos río adelante en alguna otra playa. Bordeando siempre la orilla izquierda nos topamos el humo de unos cuantos pueblos de indios, en uno de ellos bajaron a tierra cuarenta de mis hombres entre los cuales iba el muy embustero bachiller y cronista Francisco Vázquez, el dicho Francisco Vázquez torna a bordo diciendo y jurando que los indios de estos lugares son antropófagos, Francisco Vázquez dice que al huir de nuestros arcabuces los indios dejaron grandes calderas en las que habían cocido cuerpos humanos, Francisco Vázquez vio una pierna de niño a medio hervir y una cabeza de anciano despellejada y con los ojos abiertos, el no menos bachiller Pedrarias de Almesto replica en voz baja que tales historias no son más que luengas mentiras del Francisco Vázquez tan ficticias como las amazonas de tres tetas y el fabuloso tesoro de los Omaguas, dice por añadido Pedrarias de Almesto que las viandas hervidas que asomaban por las calderas no eran sino lagartos llamados iguanas que miran con ojos muy parecidos a los de los hombres tristes.

Finalmente dimos con una bonita playa que hubimos luego de llamar las Jarcias ya que a su amparo aderezamos todo cuanto les faltaba a nuestros navíos para hacerse dignamente a la mar. Por quince días seguidos nos anduvimos trabajando, usamos de las hamacas y redes de pesquería de los indios naturales para trenzar las jarcias de nuestros bergantines, apañamos las sábanas de lienzo de los soldados y las mantas de algodón de los indios de servicio para dar fin a las velas de los barcos, los flexibles palos del monte son mudados por nuestras manos en mástiles y antenas, los indios abandonaron en su huida harto pescado seco y sementeras de maíz, el guiso de iguana y yuca dice María de Arriola que es un manjar exquisito mas mi niña Elvira se niega a probarlo.

Con grande dolor de mi ánima vime forzado a ordenar las muertes de unos cuantos que sin causa ni razón conjurábanse alevosamente contra mí, tan ruines villanos se hablaban de oído y se secreteaban la traza de coserme a puñaladas, en mirándoles de frente adiviné sus disimuladas intenciones, luego las confirmaron por verdad los avisos de dos negros abnegados que me dan cuenta de todas las menudencias que pasan en el real.

El primero en recibir ejemplar castigo fue un soldado flamenco o tudesco llamado Bernardino Verde o Monteverde, para tal se mudó porque el suyo era un enredado nombre germanesco que ningún cristiano alcanzaba a pronunciar, tenía cara y quizá pensamientos de luterano mas estos desvíos de nuestra Madre Iglesia me inquietaban menos que su desvergüenza y desgano, el dicho Monteverde iba siempre murmurando descontentos en su idioma, olvidábase de cumplir mis órdenes fingiendo que no las entendía claramente, hubo de hacerlo pedazos la daga de Antón Llamoso para que en el otro mundo aprendiera la lengua castellana.

Después de esto quiso Dios ayudarme a descubrir el motín que tramaban el capitán Diego de Trujillo y el sargento mayor Juan González, estos caballeros canallas pensaban cortarme la cabeza y huir con gran prisa río abajo en el bergantín "Santiago", a ambos les había dado yo altos cargos luego que contribuyeron eficazmente en la derrota y muerte del príncipe don Fernando, agora me corresponden juntándose para armar trampas criminales en contra de mi vida, ando entre traidores que por los cuatro lados me cercan y amenazan, a veces creo que no oigo la voz del tal Mandrágora sino la de mi propio corazón que se disfraza de demonio familiar para revelarme los peligros, ordeno que les den garrote a Diego de Trujillo y Juan González, y que de paso reciba la misma pena Juan de Cabañas ya que éste había sido secretario del gobernador Ursúa y más adelante se abstuvo de firmar nuestros juramentos de rebeldía y a mí nunca dejó de mirarme con arraigado rencor.

El siguiente cuerpo difunto fue el del comendador Juan Iñiguez de Guevara, nuestros bergantines proveídos de mástiles y velas navegaban ya con majestuoso paso río abajo, el comendador Juan Iñiguez de Guevara era un santero hipocritón que rezaba credos y más credos arrodillado en la cubierta, en sus sueños veía fantasmas y gentes del otro mundo, uno de mis negros fieles hízome información de cómo el anciano Comendador andaba mezclado en el motín de Juan González y Diego de Trujillo, el Marañón nos arrastraba bajo la poca luz de una tarde oscurecida por nubes de lluvia, el venerable Comendador escudriñaba la ribera lejana arrimado al borde del "Santiago", sus espaldas vestidas de negro formaban un bulto invisible entre las sombras, díjele yo a Antón Llamoso que le diera su merecido a ese viejo traidor y me aparté del sitio, ¿de dónde sacó Antón Llamoso aquella espada mohosa y embotada que usó para dar cumplimiento a mis deseos?, ¿de dónde sacó tanta vida el ruinoso Comendador?, son misterios que mi mente no alcanza a penetrar, Antón Llamoso dióle siete tajos que no fueron bastantes para derribarlo, sacó luego su daga y se la hundió dos veces por los riñones sin que se vieran sus efectos, al fin tomólo en peso y lo lanzó al río, desde las aguas daba voces pidiendo confesión y perdón de Dios, habíame yo movido hacia la popa del navío y vi cómo su cadáver se iba borrando a lo lejos como si fuese un punto negro. María de Arriola que hallábase a mi lado y es muy sensitiva, conmovióse de su desgracia y rezó una avemaría por la salvación de su ánima.

De allí a poco se sucedieron las muertes de Juan Palomo y Pedro Gutiérrez a quienes su insolencia los perdió. Era el caso que andábamos demasiadamente apretados en los dos bergantines, tanta era la muchedumbre: doscientos o más españoles, veinte negros y cien piezas de servicio, no contando las gentes de las piraguas que vienen en nuestro seguimiento y que por fuerza deberán de subir a los navíos desque caigamos en el mar. Visto esto me resuelvo en dejar en algún paraje a las cien piezas de servicio, o por mejor decir, a los indios que desde el astillero de Santa Cruz de Capocóvar nos acompañan, ya encontrarán el modo de avenirse y entenderse con sus hermanos de raza que estas regiones pueblan. Muy de mañana se acercan a mí los soldados Juan Palomo y Pedro Gutiérrez, vienen a rogarme que revoque lo que he ordenado, alegan que los indios antropófagos de estos bosques habrán de comerse sin dilación a nuestras desvalidas piezas de servicio, secretéame Mandrágora que no los mueve la caridad cristiana sino el pesar de perder la compañía de dos indias retozonas y preñadas que con ellos duermen y les hacen placer, replícoles yo a los querellantes que el cuento de los antropófagos es sólo charlatana invención, dígoles además que echarnos al mar con gente de sobras podría conducirnos al naufragio y ahogamiento de todos, Juan Palomo y Pedro Gutiérrez se retiran resignados mas al anochecer pónense a murmurar dichos amenazadores: "Lope de Aguirre ha matado a muchos de nuestros amigos y agora nos deja aquí nuestro servicio; hagamos lo que se ha de hacer". Lo que se ha de hacer es darles garrote a ambos. Juan Palomo con el cordel al cuello propóneme que le mude la sentencia de su muerte por la de dejarlo en tierra junto con las piezas de servicio, él se obligará a doctrinarlas en la fe de Cristo, la pura verdad es que nunca antes mostró vocación de ermitaño, tan sólo desea y quiere quedarse cabalgando a su india a campo abierto, sus fingimientos no lo salvan del garrote justiciero.

Otro que entregó su alma al Señor en estos días (éste sin ninguna intercesión mía) fue el desventurado padre Portillo, el pobre cura venía agonizando ha muchos meses sin atreverse a dar el último suspiro, hablaba únicamente en desvaríos y muy escasas palabras para acordarse de los cuatro mil pesos que le robó el gobernador Ursúa y de cómo el dicho Gobernador lo trajo forzado y lloriqueando en esta jornada, el cadáver del padre Portillo es un mísero fardel de pellejo y huesos, amargo desengaño sufrieron los peces cuando lo echamos al río.

Si alguna otra muerte sucedió en esta derrota del Marañón fue la de un indio a quien habíamos hecho cautivo en una guazábara, el soldado Gonzalo Cerrato le arrebató una de sus flechas y le preguntó por señas si era venenosa, respondióle el prisionero también por señas que no lo era, entonces el Cerrato le hizo con la punta de la flecha un rasguño en la pierna izquierda del cual manó sangre, el indio impasible no dijo palabra ni hizo gestos, a la mañana siguiente lo hallaron emponzoñado y muerto por su propia flecha, Lope de Aguirre dice y afirma que no le place matar indios como tenía de costumbre García de Arce, Lope de Aguirre añade que le place mucho menos matar negros como lo hizo en Panamá el vanaglorioso Pedro de Ursúa, en lugar de matar a los negros les concederé a todos su libertad el mismo día de mi victoria, cosa más digna de ser contada es matar capitanes españoles que son malos y serviles vasallos tuyos, rey Felipe a quien Dios guarde.

De súbito la serena anchura del Marañón comenzó a erizarse de pequeñas islas grandes islas dos mil islas distintas, estremecióse el cielo sacudido por tempestades profundas truenos retumbantes relámpagos cegadores, las aguas bajaron tanto en su descendimiento que los bergantines estuvieron a dos dedos de encallar en los lechos de arena, ¡oíd marañones!, de lo lejos viene subiendo el oleaje desmesurado de la creciente, fabulosas montañas de agua salobre remontan la corriente del río se adentran en su dulce inmensidad, los bergantines giran locamente dan consigo en las aguas de perdidos canales, las piraguas son lanzadas a gran altura caen luego y se hunden en un caos de furiosas espumas, las islas recién brotadas desaparecen bajo el embate del mar, pues es el mar quien acude a la pelea resistido a dejarse penetrar por el río poderoso y violento, el estruendo del encuentro resuena en los abismos verdes de la selva apaga los chillidos de cien mil pájaros acalla los gritos de los remeros a quienes el torbellino de las aguas sepulta, repónese el río de la descomunal acometida doblega la muralla que lo ataja prosigue su ruta hacia el mar que es su morir, aquel claro universo cimbrado por el filo del aire es el mar, aquel bramido de tigres contra el acantilado es el mar, aquella infinita alfombra azul extendida ante los pies de Dios es el mar, el "Santiago" y el "Victoria" caen en el seno luminoso del mar océano, un pequeño y viejo soldado cojo y chamuscado se empina sobre el puente del "Santiago" y ordena con terrible voz: ¡Tomad el rumbo de la Margarita!, luego se llega paso a paso hasta la proa del navío y allí el viento le despeina las mechas blancas, se enfrenta a las soledades y grita: ¡Yo soy Lope de Aguirre el Peregrino!, ¡Yo soy la ira de Dios!, ¡Yo soy el fuerte caudillo de los invencibles marañones!, ¡Yo soy el Príncipe de la Libertad!

LOPE DE AGUIRRE EL PEREGRINO

TRAS DIEZ Y siete días de navegación marina los bergantines de Lope de Aguirre divisaron las costas de la Margarita en veinte días del mes de julio de mil quinientos sesenta y un años, hasta ese instante el tiempo había sido suave y bondadoso para con ellos, ya cerca de la isla los embistió un temporal que separó a un bergantín del otro en forma tal que se perdieron entre sí de vista. Es posible que Lope de Aguirre se privara de acercarse a Pueblo de la Mar, porque era éste el único lugar fortificado de aquella tierra; o tal vez la causa estuvo en la desmaña de los pilotos Juan Gómez y Juan de Valladares que no eran otra cosa sino un calafatero y un marinero elevados a estos oficios; lo cierto fue que ambos bergantines vinieron a dar fondo allá lejos, en la parte superior de la isla, y no en las playas del sur que eran las más propicias al rumbo que traían.

El "Santiago" se abrió paso por entre olas embravecidas y echó el áncora en una región que los indios guaiqueríes llaman Paraguache. La playa de Paraguache es una ensenada azul cercada de cerros verdes de escasa altura, no muy lejos canta un gallo, ¡un gallo! grita la niña Elvira, hacía muchos meses que aquellos peregrinos no escuchaban el canto familiar de un gallo.

"El Victoria", bajo el mando del maese de campo Martín Pérez de Sarrondo toma puerto en la Banda del Norte, más arriba de Paraguache, doblando un cabo si se sigue la ruta del mar, a dos leguas apenas si se va por tierra. La noticia del aparecimiento de las dos extrañas naves corrió de casa en casa por toda la Margarita. El cura Pedro de Contreras juraba y perjuraba que eran piratas saqueadores de casas y violadores de mujeres, ¡Dios las ampare!, mas una piragua de indios que se avecinó al borde mismo del "Santiago" avizoró que se trataba de honrados navegantes españoles mandados por un anciano cojo y abatido. Lope de Aguirre, para quien la artimaña y el disimulo eran las armas más eficaces en la guerra, había escondido sus soldados bajo cubierta como también las lanzas y arcabuces, sólo se ofrecían a la vista sobre el puente las mujeres y los enfermos. Después de los indios llegaron hasta el costado del navío dos vecinos blancos de Paraguache, uno de ellos muy parlero que se decía Gaspar Rodríguez subió a bordo, Lope de Aguirre lo acogió con extrema cortesía, le relató elocuentemente la tristísima historia que había inventado. Somos los restos de una jornada que se partió del Perú a poblar pueblos en servicio del Rey. Nuestro general y cabeza, el muy valeroso don Pedro de Ursúa, murió de calenturas en el inclemente río de las Amazonas. Después de esta desdicha los soldados me aclamaron a mí, Lope de Aguirre, por su caudillo y guía para que los condujese a buen puerto. Venimos muertos de hambre, fatigas y enfermedades, que ya no podemos tenernos en pie. Antes de proseguir nuestra ruta hacia Nombre de Dios habemos menester de vituallas y medicinas que pagaremos a buen precio, pues desde el Perú traemos nuestros dineros y pertenencias que no son pocas. Permítame vuestra merced que le haga regalo de esta capa de grana con pasamanos de oro, y de este anillo engastado en esmeraldas, y de esta copa de plata labrada en Potosí.

Gaspar Rodríguez volvió a tierra maravillado y se dio a pregonar la magnificencia de los maltrechos peruleros, los vecinos movidos por la caridad los unos y por la codicia los otros bajaban por las laderas cargados de ricas provisiones: carneros recién degollados, gallinas muertas y desplumadas, sacos de maíz y yuca, cestos de frutas, tinajas de vino, no parecían otra cosa sino piadosos pastores camino de Belén.

El teniente de gobernador Juan Sarmiento de Villandrando había venido a este mundo alumbrado por el signo de la felicidad. Aún le faltaban seis meses para cumplir los treinta años y ya había conquistado para sí la primera autoridad de la Margarita, sin más esfuerzo que el muy dulce de haberse casado con la nieta del oidor Marcelo Villalobos, amigo entrañable del rey Carlos V. El dicho augusto emperador le había hecho a Villalobos donación escrita de la isla de las perlas, de por vida y con el privilegio de poder transmitirla a sus descendientes. Así por herencia la recibió la hija del dicho oidor Villalobos, doña Aldonza Manrique, quien a su vez la ofreció como espléndido regalo de bodas el día en que su hija Marcela y este don Juan Sarmiento de Villandrando contrajeron amoroso matrimonio.

Se casaron hace tres meses y ya doña Marcela anda preñadita, tendrá un hijo varón que será hasta el fin de sus días el gobernador más gallardo y prudente que la Margarita conociera en toda su historia, en tan risueño porvenir piensa el teniente de gobernador tendido en una hamaca blanca que cuelga entre dos árboles de cotoperí, de repente llegan a la Villa del Espíritu Santo dos labriegos del Norte portadores de una insólita noticia, don Juan de Villandrando vislumbra la coyuntura que tanto lo desvelaba: la de dejar de ser el esposo de doña Marcela Villalobos a secas para convertirse por añadidura en poderoso dueño de incontables riquezas.

—Ha dado fondo un bergantín en Paraguache y otro en la Banda Norte, a bordo de los dichos navíos vienen más de cien hombres hambrientos y desvalidos, salieron del Perú por mandato del Virrey y atravesaron los ríos más grandes del universo, suplican la ayuda de Vuestra Excelencia, seguidamente proseguirán su viaje, dicen haber descubierto el tesoro de los Omaguas que es más rico que el mismísimo Dorado, traen cofres atestados de plata y oro.

Don Juan de Villandrando saltó de la hamaca e hizo llamar con apremio al alcalde Manuel Rodríguez de Silva, al regidor Andrés de Salamanca y al alguacil mayor Cosme de León, para decidir entre ellos el modo más caritativo de socorrer a los desdichados peregrinos. Esa misma noche hicieron ensillar sus caballos, el gobernador Villandrando subió en uno blanco llamado Lucero que era su cabalgadura más preciada, y tomaron todos el camino del Norte ansiosos de llegar a las playas de Paraguache junto con las primeras luces del alba.

Al pasar los caseríos se les aparejaron unos cuantos vecinos y curiosos, cuando bajaron hacia los arenales del mar ya más de veinte personas formaban la caravana, Lope de Aguirre había desembarcado del "Santiago" para recibirlos acatadoramente, besó la mano del gobernador e hincó rodilla en tierra de modo que la reverencia pareciese obediente y humilde.

—Alzaos —dijo con su natural gentileza don Juan de Villandrando— que ya sé que sois el caudillo de esta jornada y con el respeto que tal condición se merece os habremos de tratar. Dispuestos estamos a brindaros toda la asistencia y auxilio que necesitéis.

—Agradeceremos hasta la hora de la muerte las mercedes que nos ofrecéis —respondió Lope de Aguirre, en tanto sus soldados ayudaban a los recién llegados a apearse de sus caballos, y luego íbanse a atar las bestias a los árboles menos cercanos.

Continuó hablando Lope de Aguirre con tanta labia que cautivó toda la estimación del joven gobernador, le pintó con vivos colores el río Marañón y los prodigiosos tesoros de los Omaguas que habían descubierto, acabó su discurso pidiéndole licencia para que sus soldados bajaran a tierra sin despojarse de sus arcabuces y lanzones con el objeto de hacer algunas ferias con los señores vecinos, se avino gustosamente el Gobernador con su demanda, entonces Lope de Aguirre subió de nuevo al "Santiago" a llevar la grata novedad, al cabo de un momento aparecieron sobre la cubierta todos los soldados que andaban escondidos en las bodegas, surgieron de súbito vestidos con sus cotas y empuñando sus armas, una gran salva de arcabuces espantó a los alcatraces e hizo latir más de prisa el corazón del Gobernador y los de sus acompañantes.

Lope de Aguirre bajó nuevamente del navío, ahora venía seguido de cincuenta marañones bien armados, no habló con el tono melifluo de antes sino de esta manera:

—Señores, nosotros hemos venido desde el Perú y volveremos al Perú para hacer la guerra, y de paso os digo que no llevamos los pensamientos de servir al Rey, pues el rey de España es un hombre como cualquiera de nosotros, con menos títulos y esfuerzos de los que nosotros hemos conquistado. Y dado que no confiamos en vuestras mercedes, ni tenemos motivo alguno para confiar, os ordenamos que dejéis las armas y seáis presos hasta tanto adquiramos honradamente el aviamento que habemos menester para proseguir nuestra empresa.

—¿Qué es esto? —gritó el Gobernador despavorido. Jamás sus oídos habían sido afrentados por un lenguaje tan sacrílego, le punzaban las costillas cinco puntas de agujas, le apuntaban a la cabeza un par de arcabuces, otro tanto le sucedía a sus compañeros, todos sin excepción entregaron con mucha diligencia sus armas, Diego de Tirado montó de un salto sobre el brioso alazán que había sido del alcalde Rodríguez de Silva, asimismo apañaron dos yeguas rucias el vasco Roberto de Zozaya y el mestizo Francisco Carrión, Lope de Aguirre montó sin apurarse sobre el caballo blanco del Gobernador, nunca había llevado Lucero sobre sus lomos un jinete más diestro y endiablado que aquél.

¡Cuán diferente de la placentera ida fue la doliente vuelta del gobernador Villandrando a su Villa del Espíritu Santo! El general Lope de Aguirre ofrecióse hidalgamente a llevarlo en las ancas de Lucero, el Gobernador rechazó ofendido este convite que tomó por vejamen, lo rechazó durante la primera legua de camino, a la mitad de la segunda legua comenzaron a hinchársele los pies y a quemarse su arrogancia bajo el sol, ahí convino con subir a las ancas del caballo aunque procurando no acercarse demasiado al jinete cuyo roce le causaba esquiva repugnancia, en tan desairada imagen lo vio entrar su atribulada doña Marcelita a la ciudad capital.

El maese de campo Martín Pérez de Sarrondo, que se había juntado a la gente de Lope de Aguirre en saliendo éste de Paraguache, se pone ahora a la frente de los hombres de a caballo que al atardecer del veinte y dos de julio, día de la Magdalena, entran triunfantes y vencedores a la Villa del Espíritu Santo, disparan al aire sus arcabuces y gritan ante los vecinos que se asoman a sus puertas enmudecidos y pasmados de asombro: ¡Viva el príncipe Lope de Aguirre, caudillo de los invencibles marañones! ¡Viva la libertad!

Las prevenciones que hizo Lope de Aguirre al apoderarse del gobierno de la Margarita, no fueron tan desatinadas ni tan crueles como le han contado a vuestra merced. La primera de ellas fue encerrar al gobernador Villandrando y a los otros prisioneros en el fortín de Pueblo de Mar, centinela de piedra que desafiaba al viento con sus saeteras y la torre almenada que lo coronaba. Los presos sin grillos ni cadenas se paseaban libremente por el patio, y al cabo de tres días se permitió a todos que volvieran a sus casas.

Con el buen propósito de borrar todo símbolo y vestigio del dominio imperial sobre la isla, Lope de Aguirre, mandó destruir a hachazos el rollo de madera donde en nombre del Rey se ahorcaba a la gente en la plaza del pueblo, hizo luego despedazar las puertas del aposento donde se hallaba la caja real, confiscó las monedas de oro y quemó los libros con las cuentas reales que dentro de esta caja estaban, quemó también los registros y memoriales, la historia de la isla volvía a comenzar.

Tomando providencia para preservarse contra desórdenes y motines, Lope de Aguirre echó el siguiente bando: *"Manda el Excelentísimo Señor Lope de Aguirre, la Ira de Dios, Príncipe de la libertad y del reino de Tierra Firme y de Chile, con las demás provincias que se incluyen de una tierra a la otra, y grande y fuerte caudillo de los marañones, que todas las personas, vecinos y moradores, estantes y habitantes en la isla, traigan luego ante Su Excelencia todas las armas que tuvieren, ofensivas y defensivas, so pena de muerte, y so la misma pena se recojan al pueblo todas las personas que estuvieren en el campo, y las que no estuvieren en él no salgan fuera sin su licencia y mandado, porque así conviene a su servicio"*. Y ese mismo día hizo amarrar en una ensenada todas las canoas, piraguas y otros barcos pequeños que en aquellas costas navegaban, y los guardó con gran vigilancia para impedir que alguno los usara llevando a Tierra Firme noticias de lo que estaba sucediendo en la Margarita.

Con el fin de acrecentar el número de sus marañones con gente brava y bien dispuesta, Lope de Aguirre hizo discursos y multiplicó razones convidando a los hombres del lugar a seguir sus banderas. No quería soldados a la fuerza sino voluntarios que lo acompañasen hasta el Perú en la guerra que haría para castigar a los malvados oidores y regidores. El fruto de estos afanes fue que más de cincuenta vecinos, mayormente jóvenes aunque había tres que pasaban de cuarenta años, se alistaron en el bando de Lope de Aguirre que para ellos era el partido de la libertad.

Desvelándose en asegurar el abastecimiento de su ejército, Lope de Aguirre obligó a los habitantes ricos de la isla a aportar ganados y vituallas para el sustento de su gente; les impuso a los dichos ricos el tributo de hospedar en sus casas a los soldados marañones; y que pusieran por inventario todos sus vinos y comidas y los guardasen en depósito.

Puesto que los lugareños que trabajaban en los hatos y sembrados eran continuamente embaucados por gobernantes y mercaderes, mandó Lope de Aguirre alzar los precios que se les pagaban por sus piezas y faenas; fue obligatorio comprar por tres reales los pollos que antes costaban dos, y por seis reales los carneros que antes vendíanse a cuatro; y también las vacas y terneras, el maíz y los frutos fueron mejorados en sus precios en la misma proporción.

Lope de Aguirre, por último, se esforzó por defender la integridad de las mujeres honradas. Desde doña Marcela, la esposa del Gobernador, hasta las no menos virtuosas consortes del criado Juan Rodríguez y del carpintero Pedro Pérez, todas ellas fueron hospedadas decorosamente en la misma casa donde vivía la niña Elvira, la hija del caudillo. Lope de Aguirre no vacilaba en aplicar la pena de muerte si algún soldado se atrevía a poner la mano (contra la voluntad de la víctima) sobre el cuerpo de una mujer honrada.

Por tan varias razones hemos dicho más arriba que el gobierno de Lope de Aguirre en la isla de la Margarita no fue tan salvaje ni tan desatinado como lo han contado a vuestra merced los frailes vengativos y los malos cronistas.[1]

Lo que acaeció luego no lo esperaba yo ni tampoco vuestra merced, Lope de Aguirre fue abandonado y vendido por el amigo en quien había puesto mayor confianza y fe, de ahí adelante se hizo mucho más lóbrega e incrédula el alma del caudillo. Pedro de Munguía había sido mi más allegado com-

1. El novelista, que ha escrito todos sus libros anteriores nutriéndose de experiencias propias y de testimonios ajenos, se vio enfrentado en esta oportunidad a un obstáculo cuasi insalvable: no existía sobre la faz de la tierra un solo superviviente del siglo xvi a quien interrogar. El novelista se sometió a la humillación de husmear en bibliotecas y archivos, a contrapelo de sus técnicas de trabajo y de sus propensiones personales. Acerca de este infortunado Lope de Aguirre, a quien el novelista eligió como protagonista de su historia, se han escrito centenares de volúmenes que fue imprescindible leer, analizar y acotar. Con hasta entonces desconocida paciencia, el novelista consultó las obras de ciento ochenta y ocho autores diferentes (no tan diferentes puesto que suelen copiarse casi literalmente los unos de los otros), entre cronistas de Indias, memoralistas, historiadores, ensayistas, psiquiatras, moralistas, narradores, poetas, dramaturgos, etc., que en alguna forma se ocuparon de Lope de Aguirre, sus aventuras y su muerte. No aparece al final de este libro la lista completa de sus ciento ochenta y ocho antecesores porque es precepto universal que los novelistas no estamos obligados a rendir cuentas a nadie de nuestras bibliografías.

pañero, mi hermano en las dichas y desdichas desde tiempos muy lejanos, desde aquel nunca olvidado alzamiento de don

Lo que sí desea el novelista poner de relieve es la implacable inquina con que casi la totalidad de esos escritores consultados han tratado en sus páginas al caudillo marañón. Basta tomar de acá y de acullá algunos de los conceptos emitidos por ellos, en sus diversas épocas y en sus encontrados géneros literarios, para apreciar la magnitud del rencor que la figura de Lope de Aguirre despierta en sus plumas:

"hombre sin religión y sin ley que obedece a una voluntad inexorable y a instintos de hiena";

"tirano tan cruel como jamás este mundo vio";

"cauteloso, vano, fementido y engañador; pocas veces se halló que dijese verdad; y nunca guardó palabra que diese";

"no era un ente humano sino un agente del infierno";

"vicioso, lujurioso, glotón, mal cristiano, y aun hereje luterano, o peor";

"no hay ningún vicio que en su persona no se hallase";

"jaguaresco, neurótico, blasfemo, ateo, cruel, desenfrenado";

"ser desequilibrado, y sanguinario que sólo merece el oprobio que por siglos ha venido sufriendo";

"felino astuto y carnicero que celadamente hace sus presas";

"traidor que jamás dijo bien de Dios ni de sus Santos ni de hombre humano ni de amigo ni de enemigo ni de sí propio";

"su ánima y su cuerpo durarán perpetuamente en las penas infernales";

"de nada se dolía, siempre con un furor luciferino que toda piedad aborrecía";

"sólo por entretenimiento y contentamiento mataba hombres sin ninguna ocasión ni culpa";

"más que Nerón y Herodes inclemente";

"era el más mal hombre que de Judas acá hubo";

"su vida fue un tejido de atrocidades inauditas que la pluma se resiste a escribir y a creer el entendimiento";

"sus palabras, su trato, su gobierno, eran a semejanza del infierno";

250

Sebastián de Castilla en los Charcas, juntos anduvimos a matar al general Pedro Hinojosa, juntos obtuvimos perdones con condición de que saliéramos a combatir la rebeldía de Fran-

---

"si la pluma pudiera expresar todos sus desafueros no hubiera cora-zón para sufrir crueldades, ni ojos para llorar lágrimas, tales fueron los insultos, robos y atrocidades que cometió aquella fiera";

"eterna la memoria de su bárbara impiedad, acreditándose de fiera entre los hombres";

"exponente nítido de la perturbación mental";

"no se puede siquiera llamar cruel a aquel pequeño homúnculo, cojo y enclenque, ya que, preso su ser por los diablos de la vesanía, era absolutamente irresponsable de sus actos";

"astuto e intrigante hasta la falsedad, impulsivo y cruel hasta la ferocidad";

"perverso tirano, gran traidor, cuando no tuvo a quien matar mató a su propia hija".

Es suficiente. Los biógrafos e interpretadores de Lope de Aguirre se han conjurado para acumular sobre su memoria tal arsenal de improperios que han ganado el pleito de convertirlo en prototipo máximo de la iniquidad humana.

Hubo, sin embargo, un notable escritor, político y guerrero del siglo XIX, que no vio a Lope de Aguirre como un simple matador de gentes sino que lo juzgó esencialmente como un precursor de la independencia americana. Ese ensalzador de las ideas de Lope de Aguirre se llamaba Simón Bolívar y es conocido por nosotros los venezolanos bajo el sobrenombre de El Libertador.

Simón Bolívar aludió en varias ocasiones a la osadía del caudillo de los marañones, mas no precisamente para condenarla como vesanía criminal sino para exaltarla como insurrección irreductible contra la corona española. El Libertador ordenó a uno de sus edecanes, en la tarde del 18 de septiembre de 1821, que copiase íntegramente la carta de desafío que Lope de Aguirre escribió a Felipe II desde Venezuela en 1561, y que dicha carta fuese publicada de inmediato en el periódico "El Correo Nacional" de Maracaibo, dirigido por el doctor Mariano Talavera, periodista clerical que ofuscado por sus prejuicios se atrevió a desobedecer las órdenes del ge-

251

cisco Hernández Girón, juntos nos hallábamos en la batalla de Chuquinga donde yo fui herido en una pierna y quedéme cojo para siempre, juntos nos volvimos a las soledades del Cuzco, juntos nos partimos en la jornada de Pedro de Ursúa que iba a conquistar el tesoro de los Omaguas, juntos afrontamos los terribles sucesos que en el río Marañón nos trajo nuestro destino. Te nombré por capitán de mi guardia luego que hube depuesto de ese oficio a Nicolás de Zozaya que en otro tiempo pretendió y nunca pudo llegar a ser amante de doña Inés de Atienza. ¿En quién sino en ti, Pedro de Munguía, podía pensar yo, Lope de Aguirre, puesto en el trance de confiar a alguien el más secreto y principal de los encargos?

neral Bolívar, o al menos así se deduce de los hechos ya que en las reediciones de "El Correo Nacional" no aparece en ningún sitio la famosa carta. Se ha encontrado sí, en los archivos de la época, una comunicación del coronel Francisco Delgado comandante general e intendente de los ejércitos de la República de Colombia, fechada el 29 de septiembre de 1821 en Maracaibo, por medio de la cual le notifica al Ministro de la Guerra que ha recibido la copia de la carta de Aguirre enviada por el general Bolívar y que ha dado el mandato de su publicación. El Libertador calificaba el documento de desnaturalización de España, firmado por Aguirre y sus marañones en la selva amazónica, como *"el acta primera de la independencia de América"*.

Más todavía, Lope de Aguirre. Por una afortunada determinación de la historia, otro hijo de fieles vasallos vascongados como tú, emprenderá dentro de doscientos cincuenta y ocho años la misma ruta que tú llevabas cuando te mataron en Barquisemeto y te cortaron la cabeza. No eras tan loco, Lope de Aguirre, como te han juzgado tus infamadores. Simón Bolívar, tal como tú lo soñabas, cruzará las cumbres de los Andes al frente de sus soldados rebeldes e intrépidos, vencerá una y otra vez a los ejércitos reales en las llanuras del Nuevo Reino de Granada, proseguirá su jornada

Tres naturales de la isla, que agora sirven con prontitud vigilante en el campo de los marañones, se llegaron a la fortaleza y dieron a Lope de Aguirre novedades extraordinarias:

—Por estos mares andan navegando dos navíos a los cuales Vuestra Excelencia podría echar mano con grandísima facilidad. El primero de ellos pertenece al mercader Gaspar Plazuela, a quien Vuestra Excelencia ha puesto en prisión pues se negaba a revelar el sitio donde había escondido su barco. Por un milagro de la Virgen del Valle nosotros supimos que el dicho barco se oculta disimulado en una ensenada, media legua al norte de Punta de Piedra.

—¿Y el otro? —dijo Lope de Aguirre.

—El otro navío se acomoda divinamente a los propósitos y trazas de Vuestra Excelencia. Es un barco artillado con cañón y versos, y de buen andar, que al presente hállase surto en la costa de Maracapana, lugar éste que es tierra firme aunque bastante ahí cerca pues en pasando la salina de Araya se topa. Este otro navío navega bajo el mando y gobierno militar del fraile Francisco Montesinos, hijo del diablo, Provincial de la Orden de Santo Domingo, quien salió de la Margarita dispuesto a convertir en cristianos a los indios de la Guayana, y de Maracapana no ha pasado todavía. El fraile tiene treinta hombres consigo que de poco le valdrán pues anda desprevenido y sin vislumbres de guerra.

¡Un navío armado de cañones y versos y defendido por un fraile! Era todo cuanto Lope de Aguirre ansiaba y requería. Los dos bergantines que hasta la Margarita lo habían traído, arribaron a esta isla tan rotos y maltratados que él los

---

triunfante hasta el Perú y, tal como tú lo soñabas, arrojará para siempre de las Indias a los gobernadores y ministros del rey español, que ya no se llamará Felipe I sino Fernando VII. (*Nota del novelista*.)

hizo desbaratar y quemar. Ahora sólo le era hacedero disponer de tres barcos pequeños que había quitado con mano armada a los negociantes de la isla, y otro mediano que era del gobernador Villandrando y que aún los carpinteros no habían acabado de fabricar. ¡Un navío proveído de cañones, defendido por un fraile y ancorado a pocas leguas de este lugar! Lope de Aguirre hizo llamar al instante a Pedro de Munguía.

—Alista bajo tu mando a veinte soldados bien escogidos y lleva de baquiano al negro Alfonso de Niebla, que es fiel servidor y conoce la región. Anda primeramente a Punta de Piedra, dale asalto al barco de Gaspar Plazuela y envíame toda la mercancía del dicho barco con el portugués Custodio Hernández, que irá contigo. Sigue tu camino con el resto de los hombres hasta Maracapana, donde hallarás el navío del fraile provincial. No intentes guerra sino válete de maña y ligereza para engañar a esos mentecatos y apoderarte del navío, cuéntales la historia portentosa de nuestras aventuras en el río de las Amazonas, háblales de los indios antropófagos y de las mujeres de tres tetas y de las bacinicas de oro del príncipe Quarica, mata sin contemplaciones al fraile Montesinos en cuanto éste se descuide, lo demás será cosa regocijada y sencilla, echa al mar el cadáver del fraile y torna sin dilación al puerto de Mompatare con el navío artillado en tu poder. ¡Anda presto, Munguía!

Pedro de Munguía escogió los veinte hombres, en primer término al jerezano Rodrigo Gutiérrez que era su compadre. Partieron de Pueblo de la Mar, con rumbo al norgüeste, en una inmensa piragua donde podrían caber treinta y cinco hombres, si era menester. Los seis marineros que guardaban el barco de Gaspar Plazuela en Punta de Piedra se rindieron en oyendo el trueno de veinte arcabuces. Pedro de Munguía ocupó el barco, y le envió en piraguas a Lope de Aguirre lo que contenía la bodega, que eran unas cuantas arrobas de pescado salado y tortas de cazabe. La traición vino después.

—Mi grande amigo y compadre Rodrigo Gutiérrez —dijo Pedro de Munguía a media voz, estaban solos sentados en la popa, el sol comenzaba a alumbrar las aguas quietas, ya el barco de Gaspar Plazuela que los llevaba había puesto la proa en Maracapana—, he pensado muchas veces que esta nuestra aventura en servicio de Lope de Aguirre no tiene otra salida sino el fracaso y la muerte. Ningún tirano que en las Indias se ha levantado en contra del Rey ha dejado de fenecer en horca o garrote, así fuese poderoso como Pizarro, feroz como Carvajal o generoso como Hernández Girón.

—Tienes razón de sobra —respondió a poco rato Rodrigo Gutiérrez sin alzar los ojos, pues siempre los llevaba mirando al suelo.

Aquel consentimiento le bastaba a Pedro de Munguía para pasar adelante en su perfidia. Habló del asunto a los soldados Antón Pérez y Andrés Díaz y éstos se mostraron bien dispuestos a hacer cuanto se les mandara, tal vez olieron la ocasión de salvar sus vidas que ya nada valían. Si el alférez Juan Martín, a quien Lope de Aguirre había dado la encómienda de matar por su propia mano al fraile Montesinos, intentare hacer resistencia, no habría otro recurso que aquietarlo a puñaladas.

Ninguno opuso su voluntad a la infamia de Pedro de Munguía, ni siquiera el alférez Juan Martín. Se arrimaron a la costa de Maracapana alzando banderas blancas, tal como Lope de Aguirre les había aconsejado, mas no para mudar luego la fingida amistad en acometida, sino para pasarse con gran desenfado al bando del rey Felipe. Para prueba de sinceridad y sumisión entregaron todos sus arcabuces, cotas y espadas, a un fraile dominico llamado Álvaro de Castro que se orinaba los hábitos de tanto susto que tenía. Y cuando se apareció el Provincial en persona le hicieron entera relación de la jornada emprendida en el Perú por el gobernador Pedro de Ursúa, y del alzamiento de Lope de Aguirre en Machifaro, y de las muertes que se sucedieron luego, echándole la culpa de toda esa sangre a la maldad del caudillo marañón, Pedro de Munguía no cesaba de llamar a Lope de Aguirre el cruel tirano, el cruel tirano, cien veces el cruel tirano.

Inquietóse sobremanera el Provincial al escuchar las espantables noticias que Pedro de Munguía y sus secuaces le daban, un calosfrío de sobresalto sacudió a Maracapana, más de cien hombres armados de arcabuces y picas subieron al navío artillado del Provincial, iban a rescatar la Margarita de las garras de aquella horrenda fiera aunque los sangrientos crímenes que relataba Pedro de Munguía eran como para helarle el corazón al más pintado.

Lope de Aguirre por su parte imaginóse al principio que la tardanza de Pedro de Munguía debíase a que éste había sido apresado y ahorcado por la gente del Provincial. Tal fe tenía en la lealtad de su capitán de la guardia que ninguna sospecha le vino al pensamiento. Para mayor desgracia, el chismoso Mandrágora, su demonio familiar, se había sepultado en un silencio de piedra. Lope de Aguirre juntó a sus capitanes y les habló con gran ira y coraje:

—Si llegare a hacerse verdad que mi fiel capitán y amigo Pedro de Munguía ha sido muerto por las manos perversas de este fraile indigno, juro ante vosotros que me lo tendrán de pagar todos los curas del universo, pues la sangre de cien monasterios vale menos que la de un soldado marañón. A ti, Francisco Montesinos, fraile criminal y bujarrón, te buscaré y te encontraré dondequiera que te escondas para desollarte vivo y hacer un tambor de tu asqueroso pellejo.

Mas aquel riguroso dolor que le causaba la supuesta muerte de Pedro de Munguía trocóse en luciferina rabia cuando el baquiano negro Alfonso de Niebla, el único de los diez y seis enviados que rehusó de quedarse en el bando del rey de Castilla, alcanzó a escapar de Maracapana en una canoa y llegó a la fortaleza con funestas novedades:

—El capitán de la guardia Pedro de Munguía se ha pasado al servicio de Su Majestad, el navío del padre provincial navega hacia este Norte y no a rendirse a Vuestra Excelencia sino a hacerle despiadada guerra, trae bombas de fuego y cañones y doscientos arcabuceros, Pedro de Munguía convertido en soplón y ayudante del fraile viene con ellos.

¡El capitán de la guardia Pedro de Munguía se ha pasado al servicio de Su Majestad! Jamás había sentido en mi pecho golpe tan recio, ni cuando doscientos azotes injustos me desollaron las espaldas en la plaza de Potosí, ni cuando me derribaron medio muerto en la batalla de Chuquinga, ni cuando la adversidad me obligó a matar a doña Inés de Atienza tan hermosa. El capitán de la guardia Pedro de Munguía se ha pasado al servicio de Su Majestad y su traición significa que en manos de mis enemigos se hallan agora todos mis designios e intenciones, que ya no podré asaltar de improviso a Nombre de Dios, tomar la provincia de Panamá, hacer parte de nuestras tropas a los negros cimarrones, formar un ejército de tres mil hombres, apresar galeras y cañones, caer sobre el Perú con una grande e invencible flota, abatir al rey de España con el estandarte de la libertad, todo paró en humo y sueño. Maldito seas tú, Mandrágora hideputa, que no me diste aviso de su traición, que te llevarás mi alma a los infiernos el día de mi muerte mas a quien en este tiempo de perfidias te arrojo de mi cuerpo, torpe demonio a quien abomino y escupo. Haré correr la sangre por los valles de la Margarita, la sangre de tus frailes disolutos y de tus ministros malvados, rey Felipe, ningún infortunio alcanzará a quebrantar mi ánimo de rebelde hasta la muerte, no importa que me desamparen y me vendan todos mis capitanes, mis marañones, mis hijos.

Por vez primera lo vio la niña Elvira tan fuera de juicio, por vez primera lo vio tan anciano, no era el fuerte caudillo de los marañones, no era el príncipe de la libertad, era solamente un viejo loco e infeliz aquel que daba voces confusas en el patio de la fortaleza. La niña Elvira se le acercó entonces y le dijo estas inauditas palabras: "Padre mío, bésame".

Lope de Aguirre tomó posesión de la Margarita durante cuarenta días y en este tiempo mandó hacer veinte y cinco muertes que han sido condenadas y vituperadas por letrados y romancistas. En la cuenta que le llevan sus enemigos aparecen las dichas muertes numeradas de esta manera:

1. *Muerte de Diego de Balcázar.*

Momentos antes de lanzar el áncora en las aguas de Paraguache, el cruel tirano dio orden de que le fuese dado garrote al capitán Diego de Balcázar, el cual atroz mandato fue cumplido por dos negros llamados Francisco y Jorge que hacían el papel de

—La sumisión y arrodillamiento del Diego de Balcázar ante monarcas y oidores era cosa repugnante —dice Lope de Aguirre. —En la ciudad de los Reyes jugaba a los naipes con el virrey Hurtado de Mendoza, él mismo hacía alarde de este servil privilegio. No me caerá jamás de la memoria aquel su destemplado gesto cuando a continuación de la muerte del gobernador Ursúa fuera nombrado el dicho Diego de Balcázar para justicia mayor del real y entonces él respondió con voz pública: "La vara la tomo en nombre del rey Felipe, nuestro señor, y no de otro". Intenté yo de castigar al poco tiempo aquel improperio, mas el villano escapó de mi justicia metiéndose bajo los faldones del príncipe Fernando y dando voces con gran desenfado, ¡Viva el Rey!, ¡Viva el Rey! Frente a la costa de la Margarita le llegó finalmente su última hora que para nosotros fue la de no seguir llevando vivo y contra su voluntad en nuestro bando a este empedernido lameculos del rey español.

2. *Muerte de Gonzalo Guiral de Fuentes.*

Apenas había acabado de expirar Diego de Balcázar, mandó el cruel tirano que también le diesen garrote a otro oficial del campo llamado Gonzalo Guiral de Fuentes, el cual había sido muy grandísimo amigo del príncipe don Fernando, y no obstante esto previno en cierta circunstancia a Lope de Aguirre de la celada que se tramaba contra él para matarlo. De nada le valió agora que hiciera memoria deste servicio, ni tampoco le concedieron la confesión que pidió cumpungido antes de morir; partióse la cuerda en su garganta y hubieron de rematarlo a puñaladas, y echaron su

—A fe mía —dice Lope de Aguirre— que este Gonzalo Guiral fue ciertamente uno de los que acudieron a revelarme la conjura que el príncipe don Fernando y sus difuntos capitanes preparaban para consumir mi vida. La traición contenta pero el traidor enfada, así dice el refrán. Estando recibiendo su sentencia Gonzalo Guiral pierde la color y me reprocha mi pecado de ingratitud. Sucede, le contesto, que se te adivina en los ojos el ánimo de hacerme traición en favor de otro al igual que le hiciste traición a don Fernando en favor mío. Cuanto a la cuerda, yo le juro a vuestra merced que se rompió porque el Guiral de Fuentes púsose a forcejear en vez de resignarse a morir como un soldado.

3. *Muerte de Sancho Pizarro.*

Aquella misma tarde de su llegada a Paraguache, envió el cruel tirano a un soldado de su campo, llamado Martín Rodríguez, a que fuese por tierra y guiado por un indio guaiquerí hasta la Banda Norte, donde había dado fondo el bergantín de Martín Pérez de Sarrondo. El dicho soldado Martín Rodríguez llevaba consigo un sumario recado que decía así: "Venga sin tardanza vuestra merced a juntarse con nosotros y ocúpese por el camino de dar muerte al capitán Sancho Pizarro". El sanguinario maese de campo Martín Pérez de Sarrondo ejecutó con suma complacencia y agrado las órdenes que había recibido. Tras bajar a tierra se apartó de la playa con cinco hombres, y en un montecillo le quitaron la vida a Sancho Pizarro, dándole muchas puñaladas y agujazos, tal como el cruel tirano había

—A aquel maldito Sancho Pizarro —dice Lope de Aguirre— lo llevaba yo clavado en la conciencia desde el principio de nuestra jornada. Considere vuestra merced que el dicho Sancho Pizarro era oficial estimado y querido del general Pedro de Ursúa y de Juan Alonso de La Bandera, y que ambos le confiaban las misiones más aventuradas, Sancho Pizarro era un trujillano astuto que sabía disfrazar sus intenciones, Sancho Pizarro era un bellaco alacranado que en un trance mortal no habría vacilado en vaciar la carga de su arcabuz sobre el pecho de su enemigo, ¡plugue a Dios que ese enemigo no se llame Lope de Aguirre!, era obligación ganarle de mano para impedir que tamaña desgracia sucediera.

4. *Muerte de Alonso Enríquez de Orellana.*

A los dos días que el cruel tirano desembarcó en la Margarita, dio orden de ahorcar en la plaza de la Villa del Espíritu Santo al capitán de munición Alonso Enríquez de Orellana porque le dijeron que el dicho Orellana habíase emborrachado la noche de la llegada y puéstose a dar voces para festejar la victoria. Este castigo se ejecutó a medianoche, sin permitirle al reo que alegara cosa alguna en su defensa ni concederle la confesión que piadosamente

—Bajo la vigilancia y mando del capitán Alonso Enríquez de Orellana se hallaban los pertrechos y la artillería de nuestro campo —dice Lope de Aguirre. —Sepa y entienda vuestra merced que el mismo día de nuestra entrada a la Villa del Espíritu Santo, sin conocerse aún todavía si quedaban en la isla secuaces del gobernador que se aprestaran a hacernos guerra para libertarlo, el dicho capitán Alonso Enríquez de Orellana abandonó su puesto en la fortaleza y se metió en una taberna del lugar a beber vino hasta que lo trajeron al real desmayado y sin sentido. El negro Hernando Mandinga, que ayudó a cargarlo en andas y que nunca jamás dice mentiras ni se vale de calumnias, testifica que Enríquez de Orellana en medio de su embriaguez amenazaba que se quería amotinar, bravatas que también oyó el bachiller Gonzalo de Zúñiga y se las calló. Hice ahorcar sin dilación al escandaloso capitán de municiones Alonso Enríquez de Orellana y me aproveché de la coyuntura para alzar hasta este oficio al más fiel de mis amigos, Antón Llamoso, el cual pese a su singular lealtad no había pasado de sargento.

5 y 6. *Muertes de Juan de Villatoro y Pedro Sánchez del Castillo.*

Dos días después huyéronse del campo del cruel tirano cinco soldados llamados Gonzalo de Zúñiga, Francisco Vázquez, Pedrarias de Almesto, Juan de Villatoro y Pedro Sánchez del Castillo. El general Lope de Aguirre, que rugía y bramaba con furor de tigre, hizo llamar al gobernador Villandrando y a los alcaldes, y los amenazó que si no aparecían los fugitivos los mataría a ellos. El Gobernador afligido y los alcaldes espantados dieron orden de escudriñar las casas y montañas de la isla hasta que fueran apresados los cinco marañones escapados, y tanta fue su diligencia que al cabo hallaron a Castillo y Villatoro y los trajeron encadenados, y antes se había rendido voluntariamente Pedrarias de Almesto que tenía una herida larga en un pie, en tanto que Zúñiga y Vázquez jamás fueron encontrados. El cruel tirano hizo ahorcar en un mismo árbol a Castillo y Villatoro, y le perdonó la vida inesperadamente a Pedrarias de

—¡Malditos sean todos los bachilleres de la tierra! —dice Lope de Aguirre. —Bachilleres son el Vázquez, el Zúñiga y el Pedrarias, y fueron ellos los únicos que salieron con vida de este episodio. Vuestra merced sabe perfectamente que siempre se han perdido las guerras rebeldes en el Nuevo Mundo porque los cobardes y perjuros se pasan al campo del Rey. El cordobés Juan de Villatoro y Pedro Sánchez del Castillo, que era de Badajoz, fueron ahorcados la misma noche de su prendimiento, y a Pedrarias de Almesto lo eximí del castigo por una causa que después diré o que quizá no diga nunca.

7. *Muerte de Joanes de Iturriaga.*

Al décimo día de haber entrado el cruel tirano a la Margarita se determinó de matar al capitán Joanes de Iturriaga, el cual hasta ahí había sido su amigo y paisano muy querido, y demás desto era respetado de todo el campo en virtud de sus dotes del alma. Hallábase el capitán Iturriaga cenando y brindando en compañía de otros varios marañones, cuando entró al aposento el maese de campo Martín Pérez de Sarrondo, seguido de diez ayudantes suyos, y entre todos le dieron muerte a arcabuzazos, diciendo que lo hacían por orden que llevaban del general Lope de Aguirre. La mañana que siguió a esta noche pareció pesarle al cruel tirano su criminal acción pues celebróle al capitán Joanes de Iturriaga un entierro con gran pompa, y el padre Pedro de Contreras cantó solemnemente el oficio de

—De esta muerte y de ninguna otra siento arrepentimiento —dice Lope de Aguirre. —Entiendo agora que la culpa de mi yerro la tuvo la perversidad de Martín Pérez de Sarrondo, mi maese de campo, a quien llenaba de envidia la afición que toda la gente le mostraba al bravo capitán vascongado Joanes de Iturriaga. En este tiempo yo desesperaba viendo la tardanza de Pedro de Munguía que habíase partido a apoderarse del navío del provincial Montesinos y tanto se tardaba en llegar que yo comencé a temer que jamás volvería a verlo. En mal hora vino el maese de campo a soplarme insidias, y yo que andaba ciego de ira las creí todas. Cuando reparé en mi desatino ya no había tiempo de volver atrás. Sólo me sirvió de algún alivio el hacerle al capitán Joanes de Iturriaga un enterramiento digno de sus nobles condiciones. La procesión fúnebre partió de la fortaleza, se detuvo más de una hora en la iglesia y concluyó en el cementerio. Adelante iba la cruz alzada sostenida por frailes y chantres, y a lomo de mula cuatro atabaleros golpeando apagadamente los timbales, seguidos de cajas y tambores de parches destemplados, en medio de todos iba yo Lope de Aguirre triste y enlutado, las banderas se arrastraban por el suelo en señal de duelo, las campanas de la iglesia doblaban en tristísimo son, las trompetas y chirimías se desgarraban en lamentos funerales, los altares se hallaban cubiertos de negros crespones, requiem aeternam cantaba el padre Contreras, mas ya el capitán Joanes de Iturriaga estaba muerto y no alcanzaba a percibir las glorias y honores que se le rendían.

8, 9, 10, 11 y 12. *Muertes de Juan de Villandrando, Manuel Rodríguez de Silva, Cosme de León, Pedro de Cáceres y Juan Rodríguez.*

Hallábase el cruel tirano aún desencajado por el coraje en que lo puso la huida de Pedro de Munguía, y su furor se acrecentaba ante la vecindad del navío del Provincial, que lo habían visto a una legua de Punta de Piedras, con cien arcabuceros y una nube de indios flecheros a bordo, sin contar los cañones y los versos. Primero de ir a combatirlos, el cruel tirano hizo ejecutar penas de muerte en las personas del gober-

nador Juan de Villandrando, el alcalde Manuel Rodríguez
de Silva, el alguacil mayor Cosme de León, el regidor Pedro de Cáceres y el criado Juan Rodríguez, a quienes mantenía prisioneros dentro de la fortaleza de Pueblo de la Mar.
Un día lunes los hizo subir de sus calabozos oscuros y subte-
rráneos, sin que les fueran quitados los grillos que llevaban
puestos, y les dio la palabra de respetar y cuidar sus vidas:
"Estad confiados, señores, que aunque el fraile Montesinos
traiga consigo el ejército más grande del Nuevo Mundo, y se
combatiese conmigo, y en la batalla muriesen todos mis compañeros, os aseguro que ninguno de vosotros peligrará ni morirá por ello". Se aquietaron bastante los ánimos de los prisioneros confortados por estas promesas, mas el pérfido tirano
jamás pensó cumplirlas. Apenas acababan de ser llevados de
nuevo los presos a sus celdas cuando entró tras ellos aquel inhumano Francisco Carrión que diera espantosa muerte a
doña Inés de Atienza en la selva marañona; luego al punto
bajaron la escalera dos negros armados de siniestros cordeles
y cuatro soldados con las espadas sacadas; Francisco Carrión
dijo a los infelices cautivos que se encomendaran a Dios pues
iban a morir y tiempo no quedaba para llamar al padre confesor; querellóse amargamente el gobernador Villandrando ale-
gando que el general Lope de Aguirre les había jurado momentos antes bajo fe y palabra que ampararía sus vidas; se la-
mentaron con ayes lastimeros los otros cuatro desventurados;
mas el malvado Francisco Carrión cerró los oídos a sus razones y mandó a los negros que les dieran garrote uno a uno,
primero al gobernador que era el más mozo, luego al alcalde
Manuel Rodríguez, seguidamente al alguacil mayor Cosme
de León, después al criado Juan Rodríguez y por último al regidor Pedro de Cáceres que por ser tullido y manco daba
gran lástima matarlo. En enterándose el cruel tirano de que

su sentencia había tenido cumplimiento, recibió gran contento e hizo enterrar los cinco cuerpos difuntos en dos hoyos que fueron cavados en un rincón de la fortaleza. Mas antes de darles sepultura, juntó a todos sus soldados en torno de la estera donde estaban tendidos los mortales despojos y les hizo este horrendo discurso: *"¡Mirad, marañones, lo que habéis hecho! Allende los males y los daños pasados que hicisteis en el río Marañón matando a vuestro gobernador Pedro de Ursúa y a su teniente Juan de Vargas y a otros muchos, alzando y jurando por Príncipe a don Fernando de Guzmán y firmándolo de vuestros nombres, agora habéis muerto también en esta isla al gobernador della y a los alcaldes y justicias, ¡védlos, aquí están! Por tanto cada uno de vosotros mire por sí y pelee por su vida, que en ninguna parte del mundo podéis vivir seguros sin mi compañía, habiendo cometido tantos delitos. Y no diga ninguno yo no lo hice, ni yo no lo vi, que un hombre solo soy, y nada dello hubiera podido hacer si no fuese por vuestro favor y"*

—Jamás había sido contada una historia usando tan luengas mentiras y falsedades como esa que vuestra merced acaba de escuchar —dice Lope de Aguirre. —Con aquel gobernador Villandrando y sus alcaldes me extremé una y otra vez en serles benigno; a poco de haberlos hecho presos les di la libertad; les permití que volvieran a sus casas y les pedí que me asistieran en el buen gobierno de la isla, amistad que ellos juraron y prometieron. ¡Ay!, al cabo de tres días vinieron mis espías a darme noticia que el Gobernador y sus alcaldes me estaban tratando con bellaquería; les había ordenado que prendieran y guardaran las piraguas de los indios aruacas que venían a la isla a hacer contrataciones; el gobernador Villandrando y su alguacil mayor Cosme de León, en lugar de acatar mi voluntad, aconsejaban a los aruacas que se huyeran a sus casas con sus piraguas y sus cuentos; entonces volví a ponerlos a todos en prisión y a echarles grillos. Después de esto les di otra vez palabra de conservar sus vidas, sí, cierto, mas llegóse a mí luego el soldado portugués Gonzalo de Hernández y me reveló nuevas alevosías de aquellos truhanes; el Gobernador y sus compañeros no habían apaciguado sus ímpetus en la cárcel, ¡válgales el diablo! permitíanse enviar mensajeros al navío del fraile Montesinos; "baje vuestra merced a tierra a combatirse con estos tiranos y destruirlos", le decían en un escrito. Mudóse al punto mi paciencia en cólera, y puse en manos del capitán Francisco Carrión la misión de aplicarles justicia, pues la mía no es una fiesta con ramos y flores sino una guerra a muerte con el rey de España y sus ministros. La sola parte verdadera de esa historia que oyó vuestra merced es aquella donde cuenta que yo junté a mis soldados cerca de los cadáveres de los cinco agarrotados, y les dije que ya ningún marañón podría volverse atrás ni pasarse al campo del enemigo, pues nunca jamás alcanzarían perdón para sus delitos que eran igualmente míos. El destino de sus vidas aunque vivan mil años es pelear a mi lado hasta la hora de sus muertes.

13. *Muerte de Martín Pérez de Sarrondo.*

Tras haber agarrotado al Gobernador y a sus alcaldes y justicias, partióse el cruel tirano a Punta de Piedras, en compañía de ochenta y cinco arcabuceros, con ansias de hacerle batalla y vencer al fraile Montesinos, y aprisionar vivo a Pedro de Munguía para darle cruel muerte. Dejó como principal y cabeza de la Villa del Espíritu Santo al maese de campo Martín Pérez de Sarrondo, el cual celebró esa misma noche una fiesta memorable. Fueron asadas a campo abierto tres terneras gordas, pasaron por los gaznates de la gente varias arrobas de vino, tocaron sin parar las trompetas y los atabales, se cantaron coplillas indecentes que aludían a las nalgas del fraile provincial. El cruel tirano no halló ni rastros del dicho fraile en las aguas de Punta de Piedras pues ya el navío de éste había alzado velas y puesto la proa para Pueblo de la Mar (se buscaban ambos a dos sin encontrarse); desandó entonces Lope de Aguirre con gran prisa el camino andado y tornóse a la Villa del Espíritu Santo, donde ninguno lo esperaba tan presto. En los alrededores del poblado se topó con el capitán de infantería Cristóbal García el cual le llevaba nuevas harto ingratas: su maese de campo Martín Pérez de Sarrondo se había valido de la fiesta y del vino para hablar extrañas palabras que descubrían obscuras ambiciones; dijo que en Francia no se castigaban los delitos y culpas cometidos en contra de España; dijo que si llegase a faltar por alguna circunstancia el viejo Lope de Aguirre ahí estaba él Martín Pérez de Sarrondo para hacer de general y caudillo de los marañones; Cristóbal García entendió que el maese de campo maquinaba una revuelta para matar a Lope de Aguirre y huirse a Francia con los navíos. Cristóbal García era un simple calafate a quien Lope de Aguirre había alzado a capitán, a Lope de Aguirre le debía todo lo que era, por esto vino a prevenirlo del peligro. En oyéndolo el cruel tirano se determinó de matar a Martín Pérez de Sarrondo, y en llegando a la fortaleza mandó acudir al maese de campo a su presencia; le pidió a un soldado de poca edad llamado Nicolás de Chávez que en cuanto el convocado cruzase la puerta le disparase su arcabuz contra la espalda, y el mozo se mostró orgulloso de hacerlo. El disparo del Nicolás de Chávez no alcanzó a matar de un todo al maese de campo aunque le dio una peligrosa y mala herida que lo hizo caer bañado en sangre, mas aquel villano que era duro de cuerpo se levantó dando alaridos que retumbaban cual bramidos de bestia endemoniada, y corrió enloquecido por la cámara manchando de sangre y entrañas el suelo y las paredes. A la postre tres oficiales del tirano lo acometieron a estocadas y puñaladas, y aun así se negaba a morir el que tantas muertes cargaba en la conciencia, y pedía confesión el que a ningún moribundo se la había concedido, y fue finalmente el mozo Nicolás de Chávez quien le dio la última puñalada y le segó la garganta con su

—Mil muertes como esa y muchas más merecía Martín Pérez de Sarrondo —dice Lope de Aguirre. —Jamás habría alcanzado el perdón del Rey, jamás alcanzará el perdón de Dios en el otro mundo; quiso hacerme una asquerosa traición que de nada le habría valido ante el Rey ni ante Dios; ¡vive el cielo! que desean y buscan mi desgracia aquellos hombres que yo creía más fieles por haberlos premiado y amparado, mi capitán de la guardia Pedro de Munguía, mi maese de campo Martín Pérez de Sarrondo; agora espero la traición de Antón Llamoso que me la anuncia el corazón y la verán mis ojos, ¿también vos, Antón Llamoso, queréis matar a vuestro hermano, queréis menoscabar la honra de vuestro padre?

Esto último lo dijo Lope de Aguirre con voz levantada y mirando a la cara de Antón Llamoso que se hallaba presente. Fue como si un rayo abrasador hubiese caído del cielo y ardido la rústica razón de Antón Llamoso. Con ojos desencajados se hincó de rodillas ante el cadáver destrozado del maese de campo y de este modo respondió a los denuestos de su caudillo:

—Insigne general Lope de Aguirre, príncipe de la libertad, hermano y padre mío, juro por los huesos de todos mis abuelos que jamás me ha venido al pensamiento la vil idea de desconocer tu autoridad. Encima del nombre de Dios y de los santos pongo yo tu venerado nombre, padre mío. Maldito sea por siempre y en el infierno se queme por todos los siglos el ánima de este infame Martín Pérez de Sarrondo que contra ti tejía traiciones y crímenes. ¡He de beberle la sangre, he de mascarle los sesos y el corazón!

Y juntando a su discurso la espantosa acción se abalanzó sobre el cuerpo muerto, sorbió con sus labios la sangre que corría de la garganta acuchillada, chupó con sus labios los sesos que brotaban de la cabeza rota.

—¡Basta ya! —gritó Lope de Aguirre.

14. *Muerte de Martín Díaz de Almendáriz.*

El cruel tirano llevaba en su compañía a un caballero de nombre Martín Díaz de Almendáriz, primo hermano del finado gobernador Pedro de Ursúa, al cual le había perdonado la vida y lo guardaba en el campo en son de preso. Por último diole licencia de quedarse libremente en la Margarita, si así lo deseaba, cuando los navíos rebeldes dejasen la isla para proseguir su aventura. Mas de repente el cruel tirano mudó en mala su buena intención y envió a Francisco Carrión con cuatro verdugos, los cuales fueron a la estancia donde se hospedaba Martín Díaz de Almendáriz y le dieron

—Martín Díaz de Almendáriz no podía ser amigo mío —dice Lope de Aguirre—, pues entre él y yo corría la sangre de su primo muerto. Vuestra merced debe saber que no es de buen general dejar enemigos a sus espaldas. Por las cuales razones lo hice matar.

15 y 16. *Muertes de Juan de Sanjuán y Alonso Paredes de Rivera.*

El navío del fraile Montesinos dio vueltas y revueltas en torno de la Margarita, amenazando unas veces que desembarcaría sus arcabuceros a hacer batalla, procurando otras ofrecer refugio a aquellos soldados que el tirano trajera consigo a regañadientes y tuviesen la tentación de abandonarlo. En uno desos vaivenes fueron descubiertos los soldados marañones Juan de Sanjuán y Alonso Paredes de Rivera, que escondidos estaban entre los cardonales de una playa. El cruel tirano los acusó de andar buscando la ocasión de huirse al navío del Provincial y los mandó ahorcar en el rollo de la

—¿Qué otra cosa ha de hacerse con aquellos que intentan pasarse al bando enemigo? —dice Lope de Aguirre. —¿Lo sabe acaso vuestra merced?

17 y 18. *Muertes de Jaime Domínguez y Miguel de Loaiza.*

De los doce amotinadores que en la remota tierra de Machifaro fueron a matar al gobernador don Pedro de Ursúa, solamente tres o cuatro quedan con vida, mi difunta Inés de Atienza. Uno dellos es Alonso de Villena, que ayer fuera maestresala del príncipe don Fernando y hoy es alférez general del cruel tirano y participante de todas sus maldades y delitos. Alonso de Villena comienza a adivinar perdida la temeraria empresa de Lope de Aguirre, Alonso de Villena intenta fabricar un descargo para defenderse mañana de las justicias reales, Alonso de Villena hace salir el rumor de que está trazando un alzamiento contra el tirano, claro está que van a buscarlo los negros agarrotadores, mas ya Alonso de Villena ha saltado las bardas del corral y escapado a lugar seguro. No alcanzó el cruel tirano a hacer escarmiento en la cabeza de Alonso de Villena; hubo de consolarse echando mano a dos de sus allegados; el primero llamado Jaime Domínguez pereció de siete puñaladas que le dio Juan de Aguirre, mayordomo y familiar del tirano; el segundo se decía Miguel de Loaiza y los cordeles de los negros le arrancaron la

—Tras las traiciones de Pedro de Munguía y Martín Pérez de Sarrondo se han sucedido otras en el campo, tal como el corazón me lo anunciaba —dice Lope de Aguirre.

—No sé si habrá llegado ya a oídos de vuestra merced la noticia de cómo el capitán Pedro Alonso Galeas me pidió prestado un brioso caballo que había sido del gobernador Villandrando, de cómo yo incautamente se lo presté, y de cómo él se valió de maña y disimulo para fingir que la bestia habíase desbocado, así desapareció de mi vista, llegó a una playa, y fugóse a Tierra Firme en una piragua que los indios guaiqueríes le habían preparado. Agora es este hideputa Alonso de Villena el que se huye de la ciudad dejando en los cuernos del toro a sus camaradas de conjura. Muchas traiciones más están escritas en las estrellas; tal vez me hallaré solo y desamparado en el trance de mi agonía; mas mi mano no cesará un instante de combatir con los poderosos y de castigar a los infames, lo juro ante Dios nuestro Señor.

19. *Muerte de Ana de Rojas.*

La más inhumana entre todas las muertes que hizo el cruel tirano en la Margarita fue, ¡ay Dios!, la de doña Ana de Rojas, bellísima y principal señora de la Villa del Espíritu Santo, a quien los poetas han de llamar "resplandor de lumbre clara". Un vecino insidioso fue a contarle al tirano que el amotinador Alonso de Villena, antes de ponerse en fuga frecuentaba la casa de la dicha dama, y que en la sala se fraguaban los propósitos de matarlo, y que doña Ana asistía a las conversaciones y les daba su beneplácito. La matrona fue encerrada al instante en prisión, y como hiciera resistencia a que le echaran grillos pues la afrentaba que los carceleros le vieran y tocaran sus hermosas piernas, el cruel tirano indignado ordenó que la sacaran a darle garrote. No se conmovió el corazón endiablado de Lope de Aguirre ante los ruegos del padre Contreras y de varias señoras de gran calidad que fueron a suplicarle clemencia. Doña Ana de Rojas fue ahorcada en el rollo de la plaza y luego de su muerte los arcabuceros hicieron puntería sobre el lindo cadáver que se estremecía movido por el viento del

—Era de cierto muy bella la doña Ana de Rojas con sus rubios cabellos y sus ojos azules, aunque nunca tanto como lo fuera doña Inés de Atienza, ¡válgame Dios! —dice Lope de Aguirre. —Este malvado querubín había determinado de matarme porque se sentía una nueva Judit, según ella confesó al pie de la horca, y veía en mi persona la de un Holofernes abominable que sojuzgaba a su patria. Movida por sus nefastas intenciones convidóme doña Ana a comer en su casa y brindóme allí unos pasteles de muy deliciosa apariencia en cuyo seno había puesto ponzoña bastante para exterminar a un ejército, como sin duda alguna hubiera perecido yo de no haber tenido aviso a tiempo (por medio de dos de sus esclavos negros) de la celada que la tierna y quebradiza dama me había tendido. Cuanto a esa historia de los arcabuzazos que dispararon mis marañones sobre el cadáver de doña Ana de Rojas, créame vuestra merced que es pura invención de mis enemigos los frailes para hacerme aparecer delante del mundo como más fiero y perverso de lo que en verdad soy. Jamás hubiera permitido yo que se desperdiciara pólvora y pelotas tirando sobre el cadáver desarmado de una mujer.

20 y 21. *Muertes de Diego Gómez de Ampuero y fray Francisco de Salamanca.*

Sepultada ya doña Ana en el cementerio del lugar, supo el cruel tirano que el marido de la bella ahorcada, un caballero principal llamado Diego Gómez de Ampuero, lloraba desconsoladamente la pérdida de su dama. El dicho Diego Gómez de Ampuero, en razón de estar viejo y demasiado enfermo, ha mucho tiempo que sus escasas fuerzas no le permitían gozar el cuerpo de su esposa, aunque veíase que no malgastó los tiempos pasados pues consiguió engendrar ocho hijos en el vientre della. Hallábase agora Diego Gómez de Ampuero en una estancia que está media legua de la ciudad, recobrando su salud ya que para lo otro no había esperanza de remedio, cuando se enteró el cruel tirano de las lágrimas que sin parar derramaba el viudo por la muerte de su mujer, y se resolvió en consolarlo dando cuenta de su vida. Para el caso envió a un tal Bartolomé Sánchez Paniagua, barrachel del campo, el cual era un sevillano de tan malas entrañas que antes de venirse a las Indias usaba de robar niños cristianos en los cortijos de Andalucía para vendérselos luego a los moros. Este bárbaro verdugo llegóse a la cercana estancia en compañía de dos alguaciles y le notificó a Diego Gómez de Ampuero que venía a ejecutar la comisión de matarlo, a lo cual respondió el caballero: "Fenecida la vida de doña Ana, a mí no me hace placer alguno el vivir", y suplicó que le dieran licencia para llamar a un cura que le tomase confesión. Consintió Paniagua que viniese al sitio el fraile Francisco de Salamanca, de la Orden de Santo Domingo, y sin más ni más les hizo dar garrote a ambos, primero al penitente y luego al confesor, no obstante que sólo tenía autoridad de Lope de Aguirre para torcer un

—Nuestro barrachel Bartolomé Sánchez Paniagua tornó a la fortaleza sumido en temerosa confusión pues habíase excedido en el cumplimiento de mis órdenes —dice Lope de Aguirre. —General Aguirre, díjome, vengo a pedirle a Vuestra Excelencia perdón de la muerte de este fraile que no entraba en cuenta, mas el insensato me miraba a la cara con enconados ojos, como si yo fuese Satanás en persona. No te entristezcas por el mal sucedido mi buen Paniagua, le respondí, mas si deseas alcanzar agora mi completa indulgencia debes andarte en busca de otro fraile de la misma Orden, llamado éste Francisco de Tordesillas, el cual por cierto me confesó anteayer viernes y se negó groseramente a darme la absolución. Y hazlo presto, Paniagua, para que tu diligencia permita subir al cielo a los dos monjes, juntos y en dichosa fraternidad.

22. Muerte de fray Francisco de Tordesillas.

Llegóse el barrachel Bartolomé Sánchez Paniagua a dar muerte a Fray Francisco de Tordesillas, de la orden de Santo Domingo, y lo halló rezando de rodillas delante el altar de la muy milagrosa Virgen del Valle. El taimado Paniagua lo sacó de la iglesia para excusarse del sacrilegio y lo llevó a empujones hasta una casa vecina. El virtuoso ministro del Señor entendió que había llegado al último trance de su vida; se arrojó al suelo boca abajo, y ahí tendido y con los labios pegados a la tierra rezó el salmo Miserere Mei, el Credo, el Páter Noster y otras devociones; y habría seguido rezando hasta el amanecer si no le advierten los verdugos que ya eran excesivas sus rogativas y que debía disponerse a morir, y manos a labor lo levantaron del suelo y le echaron el cordel al cuello para darle garrote. Suplicó entonces el santo fraile a los dichos verdugos que le diesen la muerte más cruel y dolorosa que pudiesen pues suspiraba por ofrecer ofrenda de su sacrificio a la misericordia de Dios, y purificar su alma desa manera. Concederé con tu demanda, díjole el perverso Paniagua, y le echó el lazo por la boca haciéndole torcer el garrote por detrás, con lo cual lo bañaron en sangre y le desfiguraron los labios y todo el rostro. Mas viendo que el infeliz mártir tardábase demasiado en morir, le volvieron el cordel a la garganta y lo hicieron fenecer ahogado tal como

—Era tan sólo un fraile —dice Lope de Aguirre—. Ante todas cosas dígole a vuestra merced que acato y mantengo todo lo que predica la santa madre iglesia de Roma, que tengo entera fe en los mandamientos de Dios, mas así mismo maldigo y aborrezco a los frailes con toda la firmeza de mi corazón cristiano, que no es poca. La disolución de los frailes es tan grande en estas tierras que ninguno dellos, Dios mediante, alcanzará a librarse de las llamas del infierno. No han venido a las Indias a salvar almas sino a hacer negocios de mercaderías, a atesorar bienes temporales sin tasa ni medida, a vender por menos de treinta monedas los sacramentos de la iglesia, a satisfacer su lujuria en mozas no muy viejas que encima de eso les sirven de cocineras, a aprovecharse sin paga ni caridad de los indios que trabajan en sus repartimientos. Estos frailes que acá en el Nuevo Mundo viven son enemigos de los pobres, ambiciosos de mando, glotones y lascivos, avarientos y holgazanes, sodomitas y envidiosos. Y soberbios, ¡santo Dios!, más soberbios que el mismo Luzbel. Este fray Francisco de Tordesillas que acaba de morir a manos del barrachel Bartolomé Sánchez Paniagua y que antes de morir hizo alardes de mártir, era el más soberbio entre todos y el más ruin. ¿Te arrepientes de haber dado muerte a don Pedro de Ursúa y a otros seres humanos en el río de las Amazonas?, me preguntó en mitad de mi confesión. Sí me arrepiento, le respondí. ¿Te arrepientes de haberle quitado la vida al Gobernador desta isla y a sus alcaldes y justicias?, me preguntó luego. Sí me arrepiento, volví a responderle. ¿Te arrepientes de haberte alzado y tomado armas contra tu rey natural, el glorioso Felipe de España a quien Dios guarde?, concluyó. De esto último no me arrepiento ni siento pesar pues no es pecado, le respondí. Negóme entonces la absolución diciendo que ante los ojos de Dios la rebeldía contra el Rey era culpa más horrenda que matar al prójimo. ¡Bien muerto estás, fray Francisco de Tordesillas!

23. *Muerte de Simón de Somorrostro.*

Simón de Somorrostro se llamaba un anciano de edad de

cincuenta años, el cual vino a la fortaleza en la hilera de naturales de la isla que se alistaron voluntarios en el ejército de los marañones. "Vengo a servirle a Vuestra Excelencia en esta jornada hasta verle señor del Perú o perder la vida en la demanda", así dijo Simón de Somorrostro, y el cruel tirano lo acogió enhorabuena y lo proveyó de lanza, traje y cota de soldado. Mas luego a los cincuenta días, el dicho Simón de Somorrostro arrepintióse del alocado paso que había dado, y fuese ante Lope de Aguirre a pedirle licencia de abandonar la milicia y quedarse en su casa tan igual como antes había vivido. El cruel tirano mandó llamar a sus negros Francisco y Jorge, y les dijo: "Llevad a este caballero, que dice estar demasiado cansado y viejo para la guerra, a un lugar seguro donde la justicia real no pueda hacerle mal, ni los vecinos enojarlo, ni quemarlo el sol, ni mojarlo la lluvia". Los dos negros entendieron cabalmente las maliciosas palabras del cruel tirano, se llevaron consigo a Simón de Somorrostro, y al primer árbol que toparon lo ahorcaron de sus

—Nadie le había pedido a Simón de Somorrostro, que por cierto no era tan viejo como él decía, que viniera a servir en nuestra jornada —dice Lope de Aguirre. —Llegó él por su propia voluntad y pretendió volverse atrás cuando se lo aconsejó su cobardía. No tengo yo la culpa si prefirió morir ahorcado a morir combatiendo contra el Rey.

24. *Muerte de Ana de Chávez.*

Por este tiempo, estando ya a punto de partirse para Tierra Firme, el cruel tirano mandó dar muerte a una desgraciada mujer vecina de la isla, a quien por nombre decían Ana de Chávez. La acusaron de dar posada a un soldado que habíase huido de la fortaleza, y de no avisar de lo que era sabedora, y de ayudar al fugitivo a esconderse en donde nunca lo encontraron. Y aunque la dicha mujer juró por todos los santos del cielo no haber sabido nada de aquella fuga, ni haberla encubierto, el cruel tirano no le creyó palabra y la hizo colgar del

—La grandísima bruja se hacía llamar Ana de Chávez, María de Chávez, Isabel de Chávez, mas la gente del lugar la conocía simplemente por la Chávez y nadie creyó nunca que tuviese un marido autorizado por la ley cristiana. En toda la Villa del Espíritu Santo se murmuraba que si hospedaba mozos en su casa no lo hacía para rezar el rosario sino para refocilarse con ellos. Jamás he tolerado a mis soldados que hagan fuerza ni deshonra a ninguna mujer, antes las tengo muy a recaudo y seguras de cualquier mal. A las que son mujeres honradas las honro mucho, mas a las putas y rameras como aquesta que llamaban la Chávez, les doy la deshonra y castigo que sus vicios y maldades merecen.

25. *Muerte de Alonso Rodríguez.*

Ya toda la gente estaba embarcada en el navío recién acabado, que había sido del gobernador Villandrando, y en los tres barcos que les habían sido quitados a los negociantes de la isla, cuando el cruel tirano hizo su última muerte en la Margarita, ejecutada por cierto en el almirante Alonso Rodríguez que era muy su amigo bien leal. Solamente quedaban en la playa del mar el general Lope de Aguirre y seis de sus capitanes; a la sazón llegóse a ellos el almirante Alonso Rodríguez a advertir que los navíos estaban cargados en exceso y que era menester bajar y dejar en tierra tres caballos y un macho que el caudillo marañón tenía en mucha estima. Replicóle el tirano que aquellas bestias habrían de ser útiles y provechosas en Tierra Firme, a lo cual alegó Alonso Rodríguez, que en la Borburata hallarían ocasión de coger cuanto ganado necesitasen. Lope de Aguirre le volvió la espalda y encaminó sus pasos hacia la piragua que se disponía a llevarlo hasta el bordo del navío, mas el desdichado Alonso Rodríguez, sin prevenir que en ello le iba la vida, dio alcance al cruel tirano para aconsejarle agora que se desviase a tierra pues de no hacerlo lo mojarían las olas. Apenas lo había acabado de escuchar el cruel tirano, se le nublaron los ojos de ira y le tiró un mandoble con su cortante espada que le dio en el brazo izquierdo y le abrió las carnes hasta el hueso. Arrepintióse al instante Lope de Aguirre de su demasía y ordenó al cirujano que le curase la herida, mas luego consultó consigo mismo y ordenó a los verdugos que lo acabasen de matar, diciendo que ya aquel Alonso Rodríguez sería por siempre su enemigo, y que él no estaba dispuesto a llevar enemigos en su

—Yo estaba viendo como visión fantasmal tendida sobre el mar la traición de Pedro de Munguía que me cerraba el paso, y en este momento vino el almirante Alonso Rodríguez a importunarme y contradecirme dos veces, ¡Dios lo haya perdonado! —dice Lope de Aguirre. —Últimamente tengo que decir a vuestra merced que esas veinte y cinco muertes que se afirma por verdad que yo hice en la Margarita, las cambiaría gustosamente todas por una sola: la tan deseada muerte del traidor Pedro de Munguía que la voluntad de Dios nunca me permitió gozar.

EL NAVÍO DEL fraile Francisco Montesinos trocóse en aparición que rondaba en torno de la isla, en cuervo funesto que llevaría a todos los puertos la revelación de los propósitos de Lope de Aguirre, en demonio maligno que malograría sus ambiciones de gloria y libertad. ¡Qué no daría el caudillo de los marañones por vivir la fecha de enfrentarse al fraile en batalla resolutoria, él podría morir en ella y a esto no le temía ya que también podría vencer y arrebatarle al Provincial su navío artillado y castigar como era debido la traición de Pedro de Munguía!

Aquella batalla con el maldito clérigo no tuvo efecto jamás. El navío apareció primeramente en el mar de Punta de Piedras; Lope de Aguirre corrió a encontrarlo con sesenta hombres de infantería y veinte y cinco de a caballo, mas ya el navío había zarpado rumbo a Pueblo de la Mar. A Pueblo de la Mar volvióse Lope de Aguirre a esperarlo; su ciega impaciencia tuvo recompensa viéndolo surgir por el horizonte al romper el alba de un martes, con banderas del Rey puestas en las gavias, con flámulas del Rey ornando popa y proa. Lope de Aguirre salió al punto de la fortaleza con sus ciento cincuenta arcabuceros, diez soldados arrastraban los cinco falconetes de bronce, la caballería se tendió por la playa en forma de combate. También empuñaban los hombres de Lope de Aguirre estandartes y banderas, mas no inflamadas por los colores imperiales de España sino quemadas por los símbolos rojinegros de la rebelión, dos espadas rojas se cruzaban sobre el tafetán negro, las mujeres de la isla las habían cosido con fiereza y amor, ahora las tremolaban los marañones gritando ¡Viva el Príncipe de la Libertad!

No, nunca hubo combate. Los ciento cincuenta arcabuceros de Lope de Aguirre hicieron una salva a modo de desafío; el fraile echó al agua cuatro piraguas que al parecer venían a tomar tierra, luego se quedaron en prudente distancia donde no las alcanzaban las pelotas de los arcabuces ni la munición de los falconetes; tampoco llegaban a la playa las balas y clavos que disparaban los versos del navío. De repente el fraile Montesinos hizo adelantar una piragua con bandera blanca de paz (en su interior venían veinte tiradores certeros con las mechas de los arcabuces encendidas), Lope de Aguirre no estaba para tales tretas, no les dio otra respuesta sino una rociada de pelotas que los hizo retroceder. Después de esto perdieron una hora los contrarios bandos cambiándose tiros que se hundían en el agua sin cumplir su destino. Lo cumplían sí las voces, los improperios, las duras palabras castellanas que no quiebran huesos:

—¡Traidores! ¡Iscariotes!
—¡Cobardes! ¡Faldetas!
—¡Esclavos del tirano!
—¡Bujarrones del fraile!
—¡Hideputas!
—¡Malparidos!
—¡Luteranos! ¡Caínes!
—¡Pedorros! ¡Cornudos!
—¡Untos de mierda!
—¡Puercos! ¡Alcahuetes!
—¡Grandes cabrones!
—¡Putos! ¡Sorbeletrinas!
—¡Puñeteros! ¡Capones!

¡Puras palabras sucias! Lope de Aguirre, convencido y persuadido de que los soldados del Provincial no bajarían nunca a hacerle batalla, y de que tampoco los suyos podrían subir al navío, se volvió a lo callado a la fortaleza y allí le dictó al atildado escribano Pedrarias de Almesto una carta para el "muy magnífico y muy reverendo señor fray Francisco Montesinos, Provincial", cuyo hereje y bastardo lenguaje hizo santiguar muchas veces al piadoso general de la Orden de Santo Domingo:

"Hacemos cuenta que vivimos de gracia, según el río y la mar y la hambre nos han amenazado con la muerte y ansí, los que vinieren a pelear contra nosotros, hagan cuenta que vienen a pelear contra los espíritus de los hombres muertos... Los soldados de Vuestra Paternidad nos llaman traidores, débelos castigar que no digan tal cosa, porque acometer a don Felipe, Rey de Castilla, no es sino de generosas y grandes ánimas... Aunque también querríamos que todos fuésemos juntos, siendo Vuestra Paternidad nuestro Patriarca, porque, después de creer en Dios, el que no es más que otro no vale nada."

"Cesar o nihil" era la divisa de Lope de Aguirre, y al final de aquella carta la estampaba otra vez.

Tras recibir la carta del tirano y responderla en forma cortés y razonada —"le ruego por Dios a vuestra merced que cese de hacer más daños en la isla y estime la honra de los templos y mujeres"— fray Francisco Montesinos se resolvió a ir en persona a llevar a la Audiencia de Santo Domingo la noticia de las ignominias que estaban viéndose en la Margarita. A Santo Domingo llegó con su navío, siempre acompañado de Pedro de Munguía y ocho de sus acólitos, ya que los otros seis marañones transfugas se quedaron en Maracapana.

Tan espeluznantes eran las relaciones del fraile y tanta confianza se tenía en su sinceridad que el presidente Cepeda juntó con urgente prisa a los oidores, la fortaleza se aprestó a defenderse, la artillería y las municiones fueron sacadas de los depósitos, en cada barrio se formaron escuadras y batallones. Uno de los oidores salió en un navío hacia Cabo de la Vela, Santa Marta, Cartagena y Nombre de Dios; otro oidor en otro navío tomó el rumbo de las islas de Puerto Rico, Jamaica y Cuba; llevaban cartas iguales para los varios gobernadores: "tome aviso Vuestra Excelencia de la presencia en la isla de Margarita de un monstruo de la naturaleza llamado Lope de Aguirre que se dispone a hacernos la guerra más perversa y sanguinaria".

—A Nombre de Dios y a ninguna otra parte se encaminará, porque es ése su camino para ir al Perú —decía Pedro de Munguía con entera seguridad.

Nombre de Dios extremó sus prevenciones en forma tal que cualquiera pensaría que esperaban allí la acometida de la flota de Solimán el Magnífico. Fue nombrado cabeza del ejército defensor el capitán Juan de Umaña, asistido del capitán Francisco Lozano que acudió desde Veragua con toda su gente; se fabricaron baluartes con toneles llenos de arena y piedras atadas con alambres; cuatro piezas de artillería apuntaban hacia el mar; detrás de cada una de las albarradas se guarecía un capitán con veinte y cinco soldados bajo su mando; pasaban de seiscientos los hombres de armas que guardaban la ciudad, sin contar ochocientos negros que llevaban consigo afilados machetes. Al correr de los días, a la luz del vino y al saltar de los dados, creció la arrogancia de los valentones, "yo solo me basto para destripar a ese mendigo cojo con pretensiones de tirano", "lleno de agujeros te han de ver mis ojos, Lopillo de Agarrapijas". Hasta una noche obscurísima en que el capitán Juan de Umaña, importunado y molesto por aquellas hinchazones que encubrían terrores y espantos, hizo tocar alarma falsamente: las campanas tañeron a rebato, veinte arcabuceros. dispararon una salva bronca, los durmientes se alzaron despavoridos de sus lechos, las mujeres gritaban ¡Ave María Purísima! y ¡Dios me ampare!, más de diez fanfarrones se escondieron en cocinas y cagaderos, "¡que viene Lope de Aguirre!", "¡que viene el inhumano marañón!", "que viene el cruel tirano a darnos garrote!".

—Lástima grande que Lope de Aguirre no llegara —dijo el capitán Juan de Umaña.

Volviendo a Santo Domingo vemos que la Audiencia se apresuró a juntar una armada que saliera a combatir y desbaratar al tirano dondequiera que éste se hallase. El almirante de ella sería Juan de Ojeda, militar a quien le daban renombre de atrevido. Era sin duda una flota poderosa, compuesta de cuatro navíos con hasta mil hombres armados, amén de las piezas de artillería y la bendición de Dios, y las muy eficaces cédulas de perdón para los traidores que quisiesen pasarse: "*Por la presente os damos poder y facultad para que en nuestro real nombre podáis perdonar y perdonéis a toda la gente y soldados que se pasen a nuestro servicio, cualesquiera delitos, traiciones y alzamientos, tiranías y muertes hayan cometido en el tiempo que andan debajo las órdenes del tirano. Yo, el Rey*".

La pujante armada tardaría varias semanas en hacerse a la mar. Cuando finalmente y con la ayuda del cielo se lograra su partida, ya el pobre tirano Lope de Aguirre estaría muerto.

El caudillo marañón viose forzado a mudar sus trazas de guerra. En desapareciendo por el horizonte el navío del fraile provincial, entendió con evidencia el rumbo que el dicho navío tomaría. El traidor Pedro de Munguía le soplará a todos los gobernantes y oidores del Rey mi propósito de asaltar de improviso a Nombre de Dios y Panamá para emprender desde allí la conquista del Perú. Todos los puertos de este mar anochecerán y amanecerán con los ojos y las armas alertas, Nombre de Dios más que ninguno.

—Ya no iremos a Nombre de Dios sino que caeremos sobre la costa de la Borburata que es la más descuidada —díceles Lope de Aguirre a Diego Tirado, Roberto de Zozaya y Juan de Aguirre que le escuchan pasmados de asombro. —Entraremos tierra adentro en la gobernación de Venezuela, le haremos batalla y lo venceremos y le daremos muerte al gobernador Collado en el Tocuyo, cruzaremos luego las montañas de los Andes para pasar al Nuevo Reino de Granada y desbaratar allí a las huestes del Rey que nos salgan al encuentro, atravesaremos por las partes de Popayán y Quito hasta llegar vencedores y triunfantes al Perú, y en el Perú ganaremos al rey de España la batalla definitiva que sellará la libertad de Chile y los Charcas, de Perú y Quito, de Nueva Granada, Venezuela y Panamá.

Parecía un lunático aquel hombrecito que anunciaba hazañas tan imposibles, mas era el caso que los rudos marañones le daban crédito a sus sueños.

—Nada temo a los ejércitos del Rey que tiemblan de miedo al oír nuestros nombres —dice Lope de Aguirre. —Témoles sí a las traiciones, más dañosas que todas las armas guerreras; a los infames perdones que el Rey ofrece y mañana quebrantará su palabra, como la quebrantó cuando hizo ahorcar a Martín Robles, y a Tomás Vázquez, y a Alonso Díaz, y a Juan de Piedrahita, y muchos otros. Vosotros, marañones que vais conmigo y que os desnaturasteis de España y que habéis dado muerte a varios ministros del Rey, no seréis perdonados nunca jamás. ¿Verdad, hijos míos?

Faltaba poco para que zarparan los barcos de Aguirre cuando vinieron a decirle que se había aparecido en la isla y en son de guerra un caudillo mestizo llamado Francisco Fajardo, nacido en la Margarita. El dicho Francisco Fajardo era hijo del noble caballero español Francisco de Fajardo y de doña Isabel, cacica de cacicas, nieta del cacique Charaima y prima del cacique Naiguatá. El ilustre padre de Fajardo, siendo teniente gobernador de la isla por la disposición de doña Aldonza Manrique, aprovechóse de su oficio para robar a los indios guaiqueríes, maltratarlos y venderlos como esclavos. En cuanto a la cacica doña Isabel, tan enamorada estaba de su marido que jamás se opuso a los excesos que él cometía contra la gente de la raza de ella.

Tal historia le contaron los vecinos a Lope de Aguirre. También le contaron que el hijo del gobernador y la cacica (este mismo Francisco Fajardo que ayer desembarcó en la isla con sesenta españoles y doscientos indios en busca del tirano Aguirre para echarlo o matarlo) se hizo mozo gallardo y avisado, de florido ingenio y atractiva presencia, valiente y fuerte a prueba de contrarios, y que todas estas virtudes las puso de entera voluntad al servicio del rey de España. Comenzó su empresa el dicho Fajardo muy pacífico y sosegado, iba de un cerro a otro aconsejando a los indios que se hicieran vasallos del rey Felipe, hablaba con elocuencia las lenguas cumanagota y guaiquerí, gracias a sus predicaciones muchos belicosos depusieron sus macanas y se ofrecieron a trabajar la tierra al lado de los conquistadores. Mas cuando los capitanes blancos la dieron en humillar y apalear a los naturales, y en violar a las mujeres indias que se resistían a sus requerimientos, y cuando uno de los caciques llamado Paisana se alzó contra los violadores y quiso tomar venganza de sus agravios, entonces el mestizo Francisco Fajardo no dudó en hacer alianza con los opresores. Su lealtad a la corona llegó a tal extremo que aprisionó al cacique Paisana, sin parar mientes en la bandera blanca que éste enarbolaba, y lo ahorcó en una viga junto con diez indios caracas que lo acompañaban.

Lope de Aguirre se echa a reír ásperamente. Resulta de esta historia que el bravísimo guerrero Francisco Fajardo, hijo y nieto de caciques indios, lucha a brazo partido por someter en vasallaje a sus hermanos de raza. Tal como yo, Lope de Aguirre, soldado vascongado y en mi prosperidad hijodalgo, me he desnaturado de España para poner mi vida por la libertad de los que en estas partes de Indias nacieron. Lope de Aguirre ha dado muerte a no sé cuántos capitanes españoles porque se negaban a renegar de su Rey; Francisco Fajardo ha dado muerte a no sé cuántos guerreros indios porque se levantaron contra el yugo real; Lope de Aguirre y Francisco Fajardo no hemos sido fabricados de la misma madera, ¿verdad hijos míos?

En pensándolo mejor, Lope de Aguirre le escribió una carta a Francisco Fajardo rogándole y persuadiéndole que dejase de servir al Rey y se viniese a confederar con los marañones. "He tenido noticia del brío y coraje que asisten a vuestra merced y he sabido así mesmo que las dichas cualidades las usa vuestra merced con la espada en la mano para defender la causa del Rey vuestro señor, lo cual me conturba y apesara. Se muestra orgulloso vuestra merced por ser hijo de una cacica india y dice amar tiernamente a la gente de su raza, ¿mas cómo puede hacerlo sirviendo a quienes dan esclavitud, tormento y muerte a sus hermanos de sangre? Los capitanes y ministros del Rey que oprimen estos lugares de Venezuela alimentan sus perros con entrañas de los indios que se las sacan vivos, atan sus prisioneros indios a los árboles y luego los queman, los entierran en la arena hasta el cuello y los dejan morir de sed, los arrastran amarrados a la cola de un caballo, les asan los pies y manos con plomo derretido, los descuartizan y empalan con increíble saña, todo lo cual vio vuestra merced por vista de ojos cuando lo hizo en su presencia el malvado extremeño Juan Rodríguez Suárez. Yo convido a vuestra merced a cobijarse bajo nuestra bandera y pelear juntos contra el rey español, procurando alcanzar la libertad de los indios, de los negros y de todos los hombres humanos que en estas partes del mundo viven. Ofrezco con voluntad sincera a vuestra merced la plaza de maese de campo, pues no he nombrado alguno desde que Martín Pérez de Sarrondo quiso traicionarme y hube de hacer en él un ejemplar castigo. Venga vuestra merced a nuestro bando marañón donde le haremos mucha honra, para ser nuestro maese de campo, y déjese vuestra merced de seguir dando lustre y provecho a villanos que lo desprecian y envidian y acechan la hora oportuna de cortarle la cabeza a vuestra merced y con esta muerte librarse de una persona mestiza que les es odiosa."

Respondió indignado Francisco Fajardo que no aceptaba ni admitía ofrecimiento alguno que de manos de un tirano viniese, decía el dicho Fajardo "de grosero entendimiento es quien dude de la lealtad que le profeso al Rey nuestro señor", decía "desafío a vuestra merced, señor tirano, a que nos veamos solos a pie o a caballo para disputar nuestro pleito con la lanza en la mano".

Lope de Aguirre no hizo caso de la bravata del hijo de la cacica. Encerró sus soldados en el fuerte y los sacó luego por un pasadizo que daba en la playa del mar, cometió su último delito en la isla que fue el ya contado de dar muerte al almirante Alonso Rodríguez, se embarcaron todos en los cuatro navíos y tomaron rumbo de la Borburata. Quitando los que se pasaron al Rey junto con Pedro de Munguía y los que se huyeron después, le quedaban a Lope de Aguirre ciento cincuenta marañones. Además, llevóse consigo doscientos indios e indias de servicio, ocho esclavos negros, algunos caballos, seis piezas de artillería y todas las armas y pertrechos que pudo tomar. También se llevó contra su voluntad, aunque dándole promesa de hacerlo obispo del Perú, al licenciado Pedro de Contreras, cura y vicario de la Margarita.

UN MARINO LLAMADO Pedro Barbudo, con grillos echados a los pies, sirve de piloto en el barco más grande y nuevo, a cuyo bordo va Lope de Aguirre. Las otras tres naves de la pequeña flota no llevan (el tirano no les permitió llevar) agujas que las guíen; cuando el sol alumbra siguen fácilmente la huella del navío de Lope de Aguirre; de noche se encaminan tras la luz de un farol que la nave capitana enciende en la popa. En dos días escasos se llega a la Borburata, dijeron en Pueblo de la Mar los que habían hecho antes la travesía. Ya habían pasado cuatro con sus noches y aún los barcos dormitaban detenidos por una calma insufrible, el mar parecía una inmensa laguna privada de olas y espumas, ¡voto a tal, grandísimo hideputa! Creyó al principio Lope de Aguirre que aquella quietud era una treta del piloto para estorbar el viaje, y estuvo a punto de matar al dicho piloto, mas luego entendió que la tardanza de los barcos no era sino obra de Dios, y entonces se encaró resueltamente al Ser Supremo.

—Yo, Dios bendito, que soy tu siervo más devoto, y soy además espada enviada por tu divina voluntad a castigar a los villanos, no merezco ser maltratado de esta manera. El rey Felipe es una encarnación del demonio, un monarca luciferino, alcahuete de frailes corrompidos y ministros viciosos; yo soy la ira de Dios, el mensajero ejecutor de tu cólera; no me niegues tu amparo en esta dura guerra que mantengo contra el Rey maligno.

—Dios todopoderoso, si algún bien me habéis de hacer,

agora lo quiero, y la gloria guárdala para tus santos, pues ellos te sirven en el cielo, y mi gloria, Señor, es de este mundo. En el cielo hay gente tan ruin y tantos bachilleres que yo no deseo ir a este paraíso, ni le tengo miedo a las llamas del infierno ni tampoco a la muerte, no me mueve mi Dios para creer en tu Santo Nombre sino mi aborrecimiento a los herejes que niegan tu existencia y a los fariseos que pecan escudándose en tu sacra religión. Delante de esta guerra que yo tengo con el Rey don Felipe, dime sin titubear, Dios misericordioso, ¿cuál partido defiendes Tú?

Algunos marañones lo escuchaban medio muertos de asombro, otros apoyaban a coro sus blasfemias, el padre Contreras balbucía trémolas avemarías desde una escotilla de la nave, Jeová mudó súbitamente sus designios, soplaron prósperos los vientos, era el octavo día de navegación cuando se dibujaron por el horizonte los contornos de la Borburata.

Blancura de los arenales, blancura de las salinas, blancura de las espumas rompiéndose en las rocas, son éstas las playas de la Borburata. Media legua adentro está el poblado, Nuestra Señora de la Concepción, primera estación de un camino que si Dios lo dispone conduce a Valencia, Barquisimeto, el Tocuyo, Mérida, Popayán, Quito, el Perú. Los vecinos y las autoridades, avisados como habían sido por el fraile Montesinos de la presencia de Lope de Aguirre en la Margarita, abandonaron sus casas en divisando desde lejos cuatro barcos que eran sin duda alguna los del cruel tirano. Los marañones desembarcaron, clavaron en la playa una espada y una cruz como símbolos de posesión, y entraron en el pueblo que hallaron desierto. Tan sólo se adelantó a recibirlos, andrajoso y barbudo, un hombre que resultó ser Francisco Martín, uno de aquellos soldados que se pasaron al Provincial en compañía de Pedro de Munguía, y que luego escogió quedarse en la Borburata cuando el navío del fraile vino a tocar en este puerto.

—Pedro de Mungía y Rodrigo Gutiérrez me engañaron con palabras mentirosas y me entregaron desarmado a la gente del Rey, soy un marañón leal y verdadero, quiero volver con vosotros —dijo Francisco Martín.

Lope de Aguirre lo abrazó conmovido, lo acogió en el campo con grande afecto, lo proveyó de armas y ropa, lo envió en busca de otros tres marañones fugitivos que por aquellos lugares andaban. Francisco Martín vagó dos días por entre bejucales y cardones sin topar a sus compañeros, volvióse al poblado sin haber podido entregarles la carta amigable que Lope de Aguirre les había escrito.

Entre tanto hizo el cruel tirano su primera muerte en Tierra Firme que fue la del portugués Antón Faría. Sucedió que el dicho Faría trató de huirse y le dieron caza cuando ya se alejaba casi una legua. Dijo, por descargo de su conciencia, que había querido aclarar por sus propios ojos si el mar los había traído a una nueva isla o si estaban realmente en Tierra Firme. Lope de Aguirre ordenó que lo colgaran del árbol más alto para que encumbrado tan arriba saliese de su incertidumbre.

Después de esto, Lope de Aguirre mandó a diez soldados con la orden de pegar fuego a los barcos que los habían traído de la Margarita y a otro que estaba surto en aquellas aguas. Sería como las seis de la tarde, y las llamaradas de los navíos se juntaron a las del crepúsculo.

—Mirad cómo arde la madera de nuestros barcos, mis marañones, y cómo en ellas se queman todas las esperanzas de volver atrás, si por ventura alguno de vosotros aún las tiene —dijo con voz levantada Lope de Aguirre. —Agora no nos resta otra salida sino la de combatir con las armas en la mano hasta morir en la demanda, o hasta triunfar de nuestros enemigos y conquistar el Perú y alzar en la ciudad de los Reyes nuestras banderas rojas y negras de la libertad. A la espalda tenemos un mar despoblado y profundo, o por mejor decir, la nada y el abismo. Delante de nosotros se tienden las llanuras y se elevan los cerros que hemos de cruzar, nos aguardan batallas contra los vasallos del Rey que jamás esquivaremos. Mirad cómo quedaron hechos cenizas nuestros barcos, mis marañones, y cómo su fuego al apagarse nos condena sin apelación a pelear y vencer.

Los dieciocho días que pasó Lope de Aguirre en la Borburata se le fueron procurando adquirir las cabalgaduras que requería para acarrear los pertrechos y las provisiones. Los marañones rastrearon hatos y estancias, y volvieron al cabo con veinte potrancas flacas y cerreras, por todo. Por fortuna el propio Lope de Aguirre sabía amansar caballos, era su oficio, y también sabía enseñar a los otros las mañas que son menester para hacer la domadura.

Varios soldados que tomaron trochas y veredas en busca de ganado, o a caza de conejos y palomas, volvieron con los pies destrozados por puyas tramposas que habían puesto los del Rey entre la maleza. En viéndoles llegar cojeando y sangrando, y algunos de ellos gravemente dañados por la ponzoña con que habían sido untadas las puyas, Lope de Aguirre montó en inmensa cólera, juntó a toda su gente en la plaza del pueblo y dijo:

—Los hombres se han matado entre ellos en todas las partes del orbe y en todos los tiempos de la historia, mis marañones, ocultando y callando las razones de sus matanzas, mas no es éste nuestro caso. Yo, Lope de Aguirre, que deseo poco vivir, decreto pública y francamente la guerra a muerte contra el Rey de Castilla, nuestro mortal enemigo.

Allende esto echó un bando solemne por las calles de la Borburata, anunciado por el sonido de los atabales y trompetas, dicho por la voz del pregonero que gritaba a todos los vientos: "Yo, Lope de Aguirre, la ira de Dios, el fuerte caudillo de los invencibles marañones, el príncipe de la libertad, prometo hacer la guerra cruel a fuego y sangre contra el Rey de Castilla y sus vasallos; todo español que no luche en favor de nuestra causa será castigado como traidor e irremisiblemente arcabuceado; todos los servidores del Rey español deben contar con la muerte aun en el caso de que sean indiferentes".

Nadie supo explicarse el cómo ni el porqué Lope de Aguirre se privó de aplicar su nuevo y flamante decreto aquella misma noche, cuando sus soldados le trajeron presos al alcalde de la Borburata, Benito de Chávez, y a su yerno el alguacil mayor, Julián de Mendoza, a quienes hallaron escondidos en una casería cercana. El cruel tirano los puso sin más ni más en libertad, pidiéndoles solemnemente que lo ayudasen en cuanto pudiesen a proseguir sin tardanza su jornada hacia el Sur.

Mas no procedió Lope de Aguirre con igual magnanimidad cuando cayó en sus manos un tal Pedro Núñez, que según se decía era un usurero avariento, y que para su desdicha trató de engañar con falsías al caudillo marañón. El primer diálogo entre el guerrero y el mercader fue el siguiente:

—¿Sabe vuestra merced por cuáles razones huyeron los

vecinos de la Borburata ante la aparición de nuestras naves?

—Huyeron porque tenían gran miedo de Vuestra Excelencia, señor general.

—¿Sabe vuestra merced sobre cuáles cimientos se fundaba tanto miedo?

—Los cimientos de tanto miedo eran las terribles noticias que de Vuestra Excelencia corrían en toda la Tierra Firme, señor general.

—¿Sabe vuestra merced de cuáles delitos me acusaban las dichas terribles noticias?

—De cierto que no lo sé, señor general.

—De cierto que sí lo sabe vuestra merced, y le aconsejo a vuestra merced que lo diga en voz clara si aprecia en algo su vida.

—Juro a Vuestra Excelencia por la Virgen pura que no sé nada, señor general.

—Hable vuestra merced con sinceridad que si tal hace yo le doy palabra que ningún daño le ha de suceder.

—Acogido a la promesa que Vuestra Excelencia me da, digo y declaro que lo que sé de esta pregunta es que a Vuestra Excelencia y a todos los que andan en su compañía se les acusa de crueles, tiranos y luteranos, señor general.

—¿Luterano yo que quisiera ver colgados a todos los Martines Luteros de la tierra? ¿Luterano yo que pretendo recibir martirio por los mandamientos de Dios? Un necio y mentecato de más de la marca es vuestra merced que se atreve a repetir tan asquerosa patraña. ¡Vive Dios!, que si no le descalabro a vuestra merced la cabeza con mis propias manos es por no quebrantar la palabra que acabo de dar.

Tres días después de esta plática, un soldado marañón desenterró en un zaguán una botija de aceitunas, y halló doce escudos de oro en su interior. Volvió, esta vez sin ser llamado, el mercader Pedro Núñez a la posada donde vivía Lope de Aguirre.

—Soy el legítimo dueño de la botija y requiero para mí como pertenencia lo que ella contiene y encierra, señor general.

—¿Por qué quiso fingir vuestra merced que la botija contenía meramente aceitunas, siendo la verdad que debajo de las aceitunas vuestra merced había metido monedas de oro?

—Lo hice para defender el oro de quien quitármelo quisiere, señor general.

—¿Por qué le dijo vuestra merced al soldado que la botija había sido tapada con brea, siendo la verdad que vuestra merced lo había hecho con yeso?

—A esta pregunta no la sé responder, y por ello le pido perdón de rodillas a Vuestra Excelencia.

—¡Válgame Satanás!, que mintió vuestra merced en jurando que la gente nos tenía por luteranos, y en afirmando que eran aceitunas los escudos de oro, y en diciendo que el yeso era brea, vuestra merced es el embustero más bellaco que he visto en mi vida. ¡Que le den garrote mando!

Y garrote le dieron sin confesión.

—Antes de dejar la Borburata hube de hace ejecutar la muerte de un soldado llamado Diego Pérez, por tibio para la guerra, por inútil y desaprovechado, y más que todo esto porque le adiviné la intención de huirse que tenía —dice Lope de Aguirre. —Anteayer vino a mi posada el padre Contreras trayendo una lista de enfermos que, según él, no podían seguir nuestra jornada, pues los abrasaba la fiebre y no se tenían en pie, los cuales soldados eran uno llamado Paredes y otro Jiménez y otro Marquina y el dicho Diego Pérez de esta historia, y yo les di licencia a todos cuatro para que quedaran curándose en la Borburata. Salí yo al día siguiente, a hora de las seis de la mañana, montado en una yegua recién domada, y en llegando a los contornos del poblado topé con Diego Pérez al margen de un arroyo y mirándose en las aguas como un nuevo Narciso. ¿Qué haces aquí, Pérez, que tan enfermo no estás como habías dicho? Sí estoy muy malo, señor general, me respondió con voz hipócrita y lastimera. Después de oír estas palabras volvíme al real y envié al barrachel Bartolomé Paniagua con dos negros y el encargo de que prendieran a Diego Pérez y lo colgaran de una ceiba, y así se curó de una enfermedad que nunca tuvo.

—Sucedieron dos muertes más en el campo, en vísperas de partirnos para Valencia —dice Lope de Aguirre. —La primera fue la de Francisco Martín, el marañón que había tornado a nuestro bando después de pasarse al Rey junto con Pedro de Munguía, el cual fue cosido a puñaladas por mi mayordomo Juan de Aguirre que nunca le dio crédito a su extraña relación (Juan de Aguirre encontró no sé dónde una probanza en la que este ruin Francisco Martín había escrito: "Lope de Aguirre es el mayor traidor y más cruel hombre que nació de mujeres"). La segunda muerte fue la del soldado Antón García, al cual lo mató otro soldado de nombre Francisco Arana, de un tiro de arcabuz que se le fue sin querer, aunque en opinión de terceros le disparó adrede pues le tenía manifiesto rencor. No tuve yo traza ni parte en ninguna de ambas muertes, mas me guardé de castigar a los culpables de ellas dado que Juan de Aguirre y Francisco Arana son marañones de mi mayor confianza y esperanza.

Ya estaban las yeguas cargadas de los pertrechos y bastimentos, ya Lope de Aguirre se había echado encima todas sus armas, ya daba voces ordenando la partida, cuando llegó Francisco Carrión a contar una novedad que estremeció de furia al caudillo marañón.

—¡Se han huido del campo dos soldados!

Eran ellos Pedrarias de Almesto y Diego de Alarcón, ¡mal rayo los fulmine! Pedrarias de Almesto habíase escapado por vez primera en la Margarita, y Lope de Aguirre mostró entonces la desmesurada generosidad de perdonarle la vida. Pedrarias de Almesto es un pendolista de airosa y clara letra, ha comenzado a copiar una carta para el rey Felipe II que Lope de Aguirre le dicta en las noches a la luz de un candil de barro.

Todos pensaron que Lope de Aguirre aplazaría la partida para salir en busca de los fugitivos, tanto era su enojo. Mas al cruel tirano le vino al pensamiento una estratagema harto más diabólica. Hizo traer al alcalde Benito de Chávez y a su yerno el alguacil mayor Julián de Mendoza, y junto con ellos a las honradas esposas de ambos, que estaban todos tranquilos en sus casas, y les habló del tenor siguiente:

—Me he de llevar al Perú a vuestra hija y vuestra mujer, señor alcalde, y agora caigo en que la hija del señor alcalde es la mujer de vuestra merced, señor alguacil mayor. Vosotros conocéis la tierra mejor que nadie y sabréis encontrar a Pedrarias de Almesto y Diego de Alarcón dondequiera que se hubiesen escondido. Yo os prometo llevar a vuestras mujeres muy bien guardadas y os prometo entregároslas sanas y salvas el mismo día y sitio en que me traigáis a mis perdidos soldados —y sin esperar respuesta de los atribulados maridos púsose en camino de Valencia.

La niña Elvira, María de Arriola, Juana Torralba y las dos damas de la Borburata encabezaban la marcha.

Cuán dura era aquella travesía entre la Borburata y Valencia, tras de cada cumbre se descubría otra cumbre más alta, las plantas se alzaban espinosas y torcidas, el sol caía violento sobre las piedras y sobre la tierra seca y sobre las cabezas de los hombres, las cabalgaduras se doblegaban bajo la opresión de las cargas y el fuego del cielo. Lope de Aguirre caminaba ceñido por una cota acerada, la cabeza cubierta por una celada de hierro, llevaba una daga y una espada en la cinta, el arcabuz empuñado en la mano diestra, su pequeña figura así agobiada se movía de un extremo a otro de la tropa, tomaba el pulso a los ánimos de la gente, ayudaba al cansado que estaba a punto de caer, sacaba con sus manos las bestias de los atolladeros, echaba sobre sus espaldas mucho mayor peso del que podían llevar, ¡Adelante, mis marañones!, ¡Ánimo, mi niña Elvira, que presto han de aparecer un río y una sombra!
—Yendo que íbamos llegando al tope de un cerro, penetró mi cuerpo una infernal enfermedad —dice Lope de Aguirre. —Sentí primero una enorme angustia que me apretaba el corazón como si me anunciasen que se iba a morir mi niña Elvira en estos barrancos, miraba sobre el camino colores encarnados y gualdas que allí nunca habían estado, mi frente ardía hecha una brasa encendida, de los ojos me manaban lágrimas hirvientes, y nada puedo acordarme de cuanto sucedió después.
—Se quejaba de un dolor que le quebraba el pecho —dice la niña Elvira. —Los indios lo llevaban cargado en una hamaca, la Torralba cosió las banderas e hizo un palio para taparle el sol que le cegaba los ojos, de repente comenzó a lla-

mar a la muerte, gritaba: ¡Yo soy el príncipe de las tumbas!, pidió cien veces a sus soldados que lo mataran, ¡Antón Llamoso te ordeno que me mates!, Antón Llamoso le mojaba la frente con pañuelos empapados en agua del río, mi padre quedóse tan dormido que yo creí que había muerto.

Diez días llevaban los marañones acampados frente a Valencia sin novedad alguna (salvo el ahorcamiento del soldado Gonzalo Pagador que se alejó a buscar papayas más allá de los límites fijados y permitidos por el general Aguirre) cuando vieron llegar a don Julián de Mendoza, alguacil mayor de Borburata, junto con cuatro soldados y una hilera de indios flecheros, trayendo entre todos a dos prisioneros atados con cadenas y colleras, que no eran otros sino los fugitivos Pedrarias de Almesto y Diego de Alarcón. Pedrarias de Almesto tenía una larga herida en el cuello por la cual sangraba copiosamente.

Julián de Mendoza era portador de una carta para el cruel tirano, enviada por el alcalde de la Borburata y cuyo sobrescrito decía de esta manera: "Al muy poderoso señor Lope de Aguirre, príncipe del Perú y del Mar del Sur". La dicha carta venía colmada de cortesía y obediencia, "con mi yerno Julián de Mendoza le mando a Vuestra Excelencia los dos pérfidos huidores", "le suplico por amor de Dios a Vuestra Excelencia que me sean devueltas mi mujer y mi hija".

Pedrarias de Almesto, que a pesar de su probada valentía era algo fanfarrón y hablador, púsose a contarles a sus viejos compañeros las aventuras con que se había encontrado:

—Tras escaparnos en la Borburata, Diego de Alarcón y yo nos escondimos en un matorral tupido, y de su maraña no salimos hasta haber inferido que ya Lope de Aguirre se había alejado dos o tres leguas del poblado. Entonces le dimos infinitas gracias a Dios, pues nos creíamos salvados, y nos fuimos derechos a la iglesia dando voces: "¡Quien está en el pueblo salga a servir al Rey, que a eso venimos, y álcese la bandera por el Rey nuestro señor!" Infinito fue nuestro desconsuelo cuando vinieron a nuestro encuentro el alcalde y sus servidores, y en vez de acogernos como hijos pródigos comenzaron a dar gritos afrentosos: "¡Sed presos, traidores! ¡Viva el general Lope de Aguirre!".

—Yo alcancé a defenderme con mi espada —sigue Pedrarias su cuento— y luego torné a huirme al monte, en tanto que Alarcón quedaba prisionero y cargado de grillos, mas tampoco anduve yo mucho tiempo en libertad pues vime forzado a volver al pueblo para que el hambre no me finase, y los sayones del alcalde me prendieron y me echaron cadenas junto con Diego de Alarcón, y nos dijeron que hacían esto para trocarnos luego por las dos señoras que el general Aguirre se había llevado consigo.

—En la mitad del camino entre la Borburata y Valencia —añade Pedrarias sin parar— quise escaparme de mis carceleros, mas el Alarcón negóse a acompañarme en aquella empresa pues, según dijo con lágrimas en los ojos, prefería morir como cristiano a correr tanto riesgo. Visto esto me eché en el suelo, juré por el nombre de Dios que no andaría un paso más, pues sabía de cierto que el general Aguirre me mataría, y consideré más prudente que me mataran ellos, y de este modo me ahorraría las leguas de áspero camino que me faltaban. Tanto protesté y supliqué, y con tanto tesón me resistí a levantarme, que don Julián de Mendoza afiló en una piedra la espada que traía y se resolvió en cortarme la cabeza como yo le pedía. "Reza el Credo porque vas a morir", me dijo, y yo comencé a rezarlo de esta guisa: "Creo en Dios Padre todopoderoso y creo asímesmo que sois un gran traidor y un Poncio Pilatos", con lo cual don Julián se ofendió mucho, me tomó por la barba y se aprestó a cortarme el gaznate, mas no estaba tan bien afilada la espada como él pensaba, pues no alcanzó a darme muerte sino a hacerme esta herida que traigo en el pescuezo. Pasé la noche vertiendo sangre como un gallo degollado, y al salir el alba vinieron don Julián y sus cuatro soldados a rogarme que me alzase del suelo y prosiguiese el viaje, y finalmente me persuadieron de ello, y aquí me hallo para que el general Aguirre me acabe de matar.

En este punto llegó Lope de Aguirre a visitar a los dos prisioneros y les dijo:

—¿Qué es lo que habéis hecho, mentecatos? Yo me tenía prometido hacer un tambor de vuestros pellejos, y agora se cumplirá; y veremos si el rey don Felipe, a quien fuisteis a servir, os resucita; que en verdad os digo que no ha resucitado aún al primer difunto.

—Señor general —respondió Pedrarias— yo me fui al Rey, y un alcalde de Su Majestad me prendió y me envió a vos. Yo juro a Dios que si me dais la vida, he de servir mejor que ninguno en vuestro campo, y no habrá tirano más cruel que yo, y no dejaré a vida alcalde ni servidor del Rey, que tan bien lo hacen con los que a él se pasan.

Lope de Aguirre lo miró fijo y sin mover pestaña, procurando descubrir si Pedrarias había dicho verdad en lo que había dicho. Tal vez a la postre le dio crédito sincero a sus palabras, o tal vez recordó que Pedrarias era su escribano y aún no había puesto término a la carta al rey Felipe que le estaba dictando, o tal vez influyeron otras razones que nadie conocía, mas lo cierto fue que después de quedarse por un rato en silencio, el cruel tirano dijo para asombro de todos:

—Me puse a leer en cierta ocasión un ilustre libro de historia y hallé un suceso que le había acontecido a un emperador romano muy magnífico y justo, a cuya presencia fueron llevados dos reos acusados de un mismo crimen. Mirándolos atentamente a los ojos, el dicho emperador adivinó que el uno se sentía ufano de lo que había hecho mientras el otro daría el alma por no haberlo hecho nunca, por lo cual perdonó a este último y mandó que el primero fuese echado a los leones del circo. Asimesmo quiero usar yo de mis poderes en este trance, y en virtud de ello ordeno que Pedrarias de Almesto siga viviendo sobre la haz de la tierra, y que Diego de Alarcón se confiese pues ha llegado el fin de sus días.

En oyendo la sentencia de muerte, Francisco Carrión y otros cuatro verdugos asieron fuertemente a Diego de Alarcón, luego lo pasearon por las calles del poblado antes de matarlo, y así decía la voz del pregonero: "Ésta es la justicia que manda hacer Lope de Aguirre, fuerte caudillo de la gente marañona. A este hombre, por servidor del Rey de Castilla, mándale hacer cuartos. Quien tal hizo, tal paga".

A ti no te dieron muerte, siempre afortunado Pedrarias de Almesto. A ti te dieron seis puntos en la herida, y sanaste tan presto que al cabo de cuatro días te hallabas con la péndola en la mano, copiando con tu hermosa letra la carta que Lope de Aguirre, el peregrino, le escribió al rey Felipe, hijo de Carlos invencible. Una carta (según la Historia de Venezuela) "cuyo contexto es la prueba más evidente de lo rústico de su natural grosero y de los desacatos a que llegó la desvergüenza, y el descaro de aquel bruto".

"Creo bien, excelentísimo Rey y Señor, que para mí y mis marañones no has sido tal, sino cruel e ingrato a tan buenos servicios como de nosotros has recibido... Por no poder sufrir más las

crueldades que usan estos tus oidores, visorey y gobernadores, he salido de hecho con mis compañeros, cuyos nombres después diré, de tu obediencia, y desnaturándonos de nuestras tierras que es España, para hacerte en estas partes la más cruel guerra que nuestras fuerzas pudieren sustentar y sufrir... Y esto cree, Rey y señor, nos ha hecho hacer el no poder sufrir los grandes despechos y castigos injustos que nos dan estos tus ministros, que, por remediar a sus hijos y criados, han usurpado y robado nuestra fama, vida y honra... Estoy cojo de mi pierna derecha de dos arcabuzazos que me dieron en el valle de Chuquinga con el mariscal Alonso de Alvarado, siguiendo tu voz y apellido contra Francisco Hernández Girón, rebelde a tu servicio, como yo y mis compañeros al presente somos y seremos hasta la muerte, porque ya de hecho habemos alcanzado en estos reinos cuán cruel y quebrantador de fe y palabra eres, y así tenemos en esta tierra tus promesas por de menos crédito que los libros de Martín Lutero... Mira, mira Rey español, que no seas cruel a tus vasallos ni ingrato, pues estando tu padre y tú en los reinos de España sin ninguna zozobra, te han dado tus vasallos a costa de su sangre y hacienda tantos reinos y señoríos como en estas partes tienes... Mira, Rey y señor, que no puedes llevar con título de Rey justo, ningún interés en estas partes donde no aventuraste nada, sin que primero los que en ellas han trabajado y sudado sean gratificados... Por muy cierto tengo que van pocos reyes al infierno, porque sois pocos, que si muchos fuérades, ninguno podría ir al cielo, porque creo que allí seríades peores que Luzbel, según tenéis la ambición, sed y hambre de hartaros de sangre humana... Y ansí, Rey y señor, te juro y a Dios hago solemne voto yo y mis doscientos arcabuceros marañones, conquistadores, hijosdalgo, de no te dejar ministro tuyo a vida... Aunque yo y mis compañeros, por la gran razón que tenemos, nos hayamos determinado a morir, y esto cierto y otras cosas pasadas, singular Rey, tú has dado la causa, por no te doler del trabajo de tus vasallos y no

mirar lo mucho que les debes... En fe de cristiano te juro, Rey y se-
ñor, que si no pones remedio en las maldades de esta tierra, que te
ha de venir el azote del cielo, y esto dígolo por avisarte de la ver-
dad, aunque yo y mis compañeros no esperamos ni queremos tu mi-
sericordia... Y pues, esclarecido Rey, no te pedimos mercedes en
Córdoba y en Valladolid, ni en toda España que es tu patrimo-
nio, duélete, señor, de alimentar a los pobres cansados en los frutos
y réditos desta tierra, y mira, Rey y señor, que hay Dios para to-
dos, igual justicia y premio, paraíso e infierno... Nos dé Dios gra-
cia que podamos alcanzar por nuestras armas el precio que se nos
debe, pues nos han negado lo que de derecho se nos debía... Hijo de
fieles vasallos tuyos en tierra vascongada, yo, rebelde hasta la
muerte por tu ingratitud. Lope de Aguirre, el peregrino.''

El caudillo Marañón cumplió con la palabra dada, restituyó al alcalde de la Borburata su mujer y su hija, ambas alzaron el vuelo con alma risueña en compañía del alguacil mayor Julián de Mendoza, se despidieron antes de la niña Elvira con besos y lágrimas. Cuanto a la carta que le había escrito al rey Felipe, Lope de Aguirre se resolvió en enviarla por medio del padre Pedro de Contreras, que pensando en encomendarle esta misión lo había traído cautivo desde la Margarita.

—Os doy licencia para que tornéis a vuestra vicaría, padre Contreras, con condición de que me juréis por el Santísimo Sacramento del altar que haréis llegar esta carta a las propias manos del rey don Felipe II.

Al padre Contreras le pareció un tanto descomedido aquel juramento que se le pedía, procuró esquivarse de hacerlo diciendo que debajo de su palabra llevaría la carta al Rey, mi palabra es suficiente fianza, señor general.

—Debajo de vuestra palabra no basta —dijo Lope de Aguirre. —Me lo juráis por el Santísimo Sacramento o no os daré la libertad.

Juró entonces el padre Contreras por la hostia consagrada, no había otra salida, y al punto Lope de Aguirre libró de prisiones al piloto Barbudo para que acompañase al sacerdote en su viaje y lo ayudara a llegar hasta la Real Audiencia de Santo Domingo.

Entretanto la sangrienta fama del cruel tirano se había

extendido por la entera gobernación de Venezuela, y por el Nuevo Reino de Granada, y había cruzado el Perú y los Charcas hasta llegar a Chile. Los agarrotados por el cruel tirano pasaban de un millar, así veía aparecer un fraile le arrancaba el balandrán y le cortaba la cabeza, ni los monacillos escapaban de su furia, hacía arrastrar mujeres desnudas amarradas a las colas de los caballos, Atila en las Galias no hizo tantos desafueros, Nerón en Roma no derramó tanta sangre de cristianos, no era un espíritu humano sino un enviado del infierno, hedía a zufre y a muerciélagos muertos, escondía pezuñas dentro de los borceguíes, *¡vade retro, exi foras!*

De don Pablo Collado, gobernador de Venezuela, se apoderó un miedo incurable. El licenciado Pablo Collado había hecho estudios de bachiller en Salamanca, quiso meterse monje pero el amor de una asturiana le malogró la vocación, casóse con ella y vínose a las Indias, sus buenas amistades y sus propias prendas lo elevaron al cargo de gobernador que hoy tiene en sus manos. Un domingo al salir de misa le dan graves avisos: el perverso tirano que se dice Lope de Aguirre ha desembarcado en la Borburata; ¡Dios sea conmigo!; la Borburata es una costa cercada por montañas; es cosa imposible ir a pelearlo con los escasos hombres de armas y la ninguna artillería de que puedo disponer. Luego vienen a decirme que el cruel tirano ha tomado Valencia; se encamina hacia estos lugares; anda obstinado en darme batalla y prenderme y degollarme. Y yo aquí en el Tocuyo, postrado con unas almorranas que no me permiten sentarme a la mesa, mucho menos subir a un caballo. Soñaba con irme a Cuicas a mejorarme destas dolencias, el clima es muy benigno, las aguas sanan como bálsamo. Por último sale el rumor de que el tirano se acerca a Barquisimeto con negras banderas desplegadas, lo siguen doscientos marañones de malas entrañas, y veinte negros que anudan a la garganta las cuerdas del garrote, ¡ampárame Santa Eulalia!

El estilo militar del gobernador Collado es fruto o trasunto de una prudencia nunca vista en la historia de las guerras:

—Cuando me escriban para anunciarme que el tirano está entrando en Barquisimeto, tomemos las mujeres e hijas por delante y la demás gente; y el tirano en Barquisimeto, y nosotros en el Tocuyo; y el tirano en el Tocuyo, y nosotros en Humocaro; y el tirano en Humocaro, y nosotros en Carache; y el tirano en Carache, y nosotros en Trujillo; que todo esto es camino derecho para el Rey.

Fue necesario que se presentase a la casa de la gobernación el capitán Gutierre de la Peña, que era un bravo soldado, para que don Pablo Collado recobrara parte de su perdido ánimo. Gutierre de la Peña había sido regidor de Coro, gobernador de la Margarita, y también gobernador de Venezuela antes de serlo Collado. El almorraniento licenciado, olvidando de un golpe las rencillas que los dividían, lo recibió de esta manera:

—Capitán Gutierre de la Peña, os doy la bienvenida y os nombro general de nuestro campo; a vuestra valerosa espada confiamos el encargo de combatir y vencer al traidor Lope de Aguirre.

—Señor gobernador de Venezuela, acepto complacido la ocasión que Vuestra Excelencia me ofrece de servir con las armas en la mano a Su Majestad el Rey —respondió Gutierre de la Peña sin sobresalto.

Seguidamente el gobernador Collado mandó llamar al capitán Diego García de Paredes, que se hallaba retirado en Cuicas y con el cual había tenido otros sinsabores, acuda vuestra merced a defender la causa del Rey en esta circunstancia tan angustiada. A los tres días llegó García de Paredes al Tocuyo, que es la ciudad capital, y apenas hubo llegado cuando lo nombré para maese de campo, no podía ser más arriba puesto que ya había alzado con gran prisa y brevedad a Gutierre de la Peña para el oficio de general.

El tercer capitán que acudió a la llamada de don Pablo Collado fue Pedro Bravo de Molina, justicia mayor de la ciudad de Mérida, quien se trasladó al Tocuyo con sus cuarenta hombres de a caballo, armados de lanzas y adargas. Sumando los que alcanzaron a juntar el gobernador Collado y Gutierre de la Peña en el Tocuyo, y los que trajeron García de Paredes de Cuicas y Bravo de Molina de Mérida, el ejército del Rey en esta parte se compone de doscientos soldados, casi todos ellos de caballería.

Podrían haber sido muchos más, no lo dude vuestra merced, pero el nombre de Lope de Aguirre infundía temor y espanto en todos los pensamientos. Tal como los vecinos de Valencia al acercarse el tirano se fueron a vivir en los manglares del lago Tacarigua, y los de Barquisemeto se ocultaron en arcabucos y quebradas, asimismo los hombres del Tocuyo echaron por delante sus mujeres y pertenencias y fueron a esconderse en donde hubiere lugar. Varios de los soldados que había alistado Pedro Bravo en Mérida quisieron volverse a sus casas en cuanto percibieron que los llevarían a combatir contra el cruel tirano.

—El que no quiera ir de grado lo llevaré por fuerza —tuvo que advertir Pedro Bravo para atajar el descontento.

Le juro a vuestra merced por la fe de quien soy que el miedo que le tenían a Lope de Aguirre en los bandos contrarios era el arma ofensiva más poderosa de sus huestes marañonas, sirva de claro ejemplo el de don Pedro Collado, a quien las malas lenguas dieron en decirle Pedro Cagueta.

Todas las providencias de sus enemigos llegaron en hora oportuna a los oídos del cruel tirano gracias a las noticias que le enviaba el alcalde de la Borburata, don Benito de Chávez, el cual hízose amigo suyo desde aquel día en que Lope de Aguirre le restituyó con humana gentileza su mujer y su hija. El caudillo marañón, impaciente de cólera y ansioso de gloria, salió al encuentro del destino que le aguardaba en Barquisimeto. Ya había comenzado el mes de octubre (que, según lo profetizó un demonio familiar llamado Mandrágora que en otro tiempo llevó dentro de su cuerpo, sería la fecha de su muerte) cuando el general Lope de Aguirre ordenó a los atambores que anunciaran la partida.

A la salida de la puerta de Valencia les hizo a sus soldados esta larga arenga:

—Ea, soldados, andad a derechas, mirad que entiendo vuestras maldades y sé lo que cada uno tiene en su corazón; mirad que conozco gente del Perú, que no entienden sino en tirar la piedra y esconder la mano; mirad, marañones, que sé que andáis por matarme o dejarme en la mayor necesidad, en viendoos en las haldas del Perú; mirad que sé que con mi sangre queréis restaurar la vuestra y vuestras maldades; mirad que tenéis las piedras del Perú tintas de la sangre de los capitanes que habéis muerto y dejado en los cuernos del toro, y tenéis por costumbre, después de haber destruido el mundo y gozádoos de él, libraros y restauraros con la sangre de los pobres capitanes, que siempre traéis engañados. Daos prisa en matarme que ¡por vida de tal! que os tengo que ganar por la mano; el que quisiera merendarme, que lo tengo que almorzar, y que no habéis de ser todos juntos parte para matarme, y yo solo sí para todos vosotros. ¿En qué andáis?, ¿no sabéis que habéis muerto Príncipe y gobernadores, tenientes y alcaldes, frailes, clérigos, comendadores y mujeres, que habéis robado y saqueado y muerto cuanto habéis hallado? ¿no sabéis que vamos haciendo la guerra a fuego y a sangre, y que el que de vosotros tomaren, la menor tajada ha de ser la oreja? ¿no sabéis que sin mí no tenéis vida, ni podéis escapar de nada en el mundo; y si queréis ser hombres de bien, que todo el mundo no será parte para enojaros, y el Perú y todo lo demás será vuestro? ¡por vida de tal! marañones, que si Dios nos da salud, que ninguno de vosotros ha de haber que no sea capitán en Perú de la demás gente, y que tengo de hacer que los reinos del Perú sean gobernados de la gente marañona, como los godos lo fueron en España por señores de ella. ¿Qué cosa es que por temor de la muerte dejemos de acometer lo que vemos que tan claramente es nuestro y nos lo tienen nuestros hados guardado? Mirad que en los templos del Cuzco dicen todos a una los indios hechiceros, que de unos montes y tierras escondidas han de salir unas gentes que han de señorear a Perú, y somos nosotros; mirad que lo sé yo muy cierto.

Tres días después de haber dejado atrás la dicha ciudad de Valencia, llegó el ejército marañón a unos ranchos que rodeaban un campo de minas de oro, lugar conocido por el nombre de Valle de Chirua. En las zanjas de aquellas minas trabajaban diversas cuadrillas de esclavos. Por el camino dijo Lope de Aguirre:

—Me placerá sobremanera topar a esos cien negros que trabajan en las minas de Chirua, pues los libertaré de su esclavitud tal como he hecho con los veinte que van en esta jornada, y quien sabe si también los de Chirua se juntarán con nosotros para hacerle la guerra al Rey que los desprecia y a los amos que los tienen en cadenas.

Mucho le desagradó hallar las minas desamparadas, los

picos y palas esparcidos por el suelo, las gallinas en los gallineros, el maíz en los trojes, ni un alma humana en todos los contornos, los capataces habían huido llevándose consigo a los esclavos negros.

—En los reinos del Perú que nosotros gobernaremos —dijo Lope de Aguirre— esa porción desgraciada de hombres que gimen en la esclavitud será libre; la naturaleza y la justicia nos ordenan emanciparlos; yo imploro la libertad absoluta de los esclavos como imploraría mi vida y la vida de mi hija.

Cargaron con los puercos, las gallinas y el maíz, y prosiguieron su derrota, caminando derechos hacia las cerradas nubes que oscurecían el horizonte. De súbito comenzó a caer un aguacero tan terrible como el diluvio de Noé, los relámpagos amenazaban que rasgarían las entrañas del cielo, los truenos retumbaban en el corazón de los cerros y hacían temblar de miedo a la niña Elvira, el camino mudóse en rosario de charcas y lagunas, las cabalgaduras se atascaban en los barrizales y resbalaban en las cuestas, los morriones pesaban como turbantes de plomo, llegó la tarde y seguía lloviendo recio, llegó la noche y el aguacero no amainaba en una gota, una yegua se espantó de la luz de un relámpago y se despeñó hasta la profunda negrura de un barranco, se oyó la voz desafiadora de Lope de Aguirre:

—¿Piensa Dios que porque llueva no tengo de ir al Perú y destruir el mundo? ¡Pues engañado está conmigo!

Un trueno más pavoroso que todos los anteriores respondió a su blasfemia. Mas el mal cristiano, en lugar de humillarse ante el rigor del firmamento, levantó el grito:

—¡Si se opone la naturaleza a nuestros designios, lucharemos contra ella y la haremos que nos obedezca!

Como por ensalmo de brujas cesó la tempestad. Abriéndose paso por entre la lluvia y la sombra los marañones habían escalado la cumbre de un monte, ahora aclaraba una mañana limpia de grises, allá abajo se abría una llanura verde y apacible, era el Valle de las Damas.

—¡Adelante, marañones! —gritó Lope de Aguirre, y comenzó a bajar de la cuesta primero que ninguno, renqueando y maldiciendo.

El capitán Pedro Alonso Galeas, aquel marañón que huyó del campo de Lope de Aguirre en la Margarita usando la treta de apartarse cada día más y más del pueblo en un caballo brioso, ¿lo recuerda vuestra merced?, ese mismo capitán Pedro Alonso Galeas convirtióse luego para Lope de Aguirre en un adversario tan dañoso como el traidor Pedro de Munguía. Pues si es cierto que el dicho Pedro de Mungía entregó a los ministros del Rey las trazas y propósitos militares del caudillo marañón, Pedro Alonso Galeas por su parte les dio noticia fidedigna de la gente y armas que Lope de Aguirre llevaba consigo, y del verdadero ánimo de sus soldados. Pedro Alonso Galeas fue el primero en llegar a Borburata, enviado en una canoa por un mestizo servidor del Rey llamado Francisco Fajardo, con recados de alerta para la autoridades reales. De ahí se mudó a Barquisimeto donde su aparición llovió del cielo, pues restauró el sosiego en muchas almas conturbadas.

—Solamente ciento cincuenta hombres trae consigo el cruel tirano, dellos sesenta escasos le son leales sin condiciones, el resto se ha de venir al mando de Su Majestad en hallando la coyuntura para hacerlo, a este perverso rebelde no es menester acometerlo, basta ponérsele cerca y hacer tiempo para que se pasen a nosotros los temidos marañones.

No era insólito el vaticinio que hacía Pedro Alonso Galeas, en esa misma forma habían acabado todas las revoluciones en el Nuevo Mundo, la de Gonzalo Pizarro la de Sebastián de Castilla la de Hernández Girón, tras el primer fracaso la gente se acogía a las cédulas de perdón, al caudillo lo dejaban solo con su bandera, entonces los verdugos lo prendían y le cortaban la cabeza, Lope de Aguirre no escaparía de esa estrella.

Pedro Alonso Galeas no era un espía del cruel tirano, como muchos sospecharon al principio, sino un tránsfuga serio que daba noticias útiles y precisas. Así lo entendió sin tardanza el general Gutierre de la Peña, y le restituyó el grado de capitán que le diera el gobernador Pedro de Ursúa antes de emprender la jornada de los Omaguas, y lo envió al Tocuyo en busca de don Pedro Collado que escribía cartas lastimeras para esquivarse de venir a Barquisimeto, "tengo la boca llagada del gran fuego que me sale, la calentura me abrasa, las almorranas me destierran, me es forzoso salir mañana a Trujillo por ser tierra fría para tomar algún aliento de salud". Pedro Alonso Galeas tuvo de irlo a detener a medio camino de Trujillo, mitigóle los temores que le causaban las fuerzas del tirano exageradas por su imaginación, mejoraron sus calenturas y sus almorranas, el aliquebrado gobernador se ajustó finalmente a llegarse a Barquisimeto en compañía de Pedro Bravo de Molina y sus cuarenta jinetes.

En Barquisimeto se juntaron a consejo todas las autoridades del campo, cuando ya Lope de Aguirre atravesaba por el Valle de las Damas rumbo derecho a la ciudad.

—El cruel tirano trae consigo ciento cincuenta arcabuceros, nuestro ejército consta y se compone de ciento ochenta hombres de a caballo, los arcabuceros enemigos podrían convertir cada casa en un bastión y disparar desde allí con gran ventaja, propongo que nos apartemos de la ciudad y tendamos nuestra caballería a campo abierto —dijo el maese de campo García de Paredes.

El capitán general Gutierre de la Peña y el teniente general Pedro Bravo de Molina fueron de parecer que tenía razón el viejo soldado, y entre todos tomaron la resolución de retirarse con armas y provisiones, y establecer el campo media legua más atrás, en las barrancas del río.

El caudillo marañón entró a la desamparada ciudad de Barquisimeto el veinte y dos de octubre, en la avanguardia iban cuarenta arcabuceros con las armas en alarde, luego marchaban las banderas negras orladas de oro con dos espadas desnudas ensangrentadas puestas una contra otra, las trompetas y los atambores tocaban sones de amenaza y victoria, repentinas salvas de mosquetería atronaron el cielo, ¡Viva el fuerte caudillo de los invencibles marañones!, ¡Viva el Príncipe de la libertad! Los hombres de a caballo de Gutierre de la Peña los ojeaban de lo alto de una loma; en viéndolos Lope de Aguirre puso su gente en forma de combate; entonces los del Rey volviéronse a sus cuevas y quebradas junto al río, a esperar que la gente del cruel tirano se pasase a ellos, tal como Pedro Alonso Galeas les había prometido.

Alojóse el cruel tirano en una casa inmensa que se extendía por toda una cuadra, cercada de altas paredes de adobes y coronada por almenas, que el capitán Damián de Barrios se había hecho construir para establecer en ella su vivienda. Tenía tanto aspecto militar la dicha casa que los soldados la bautizaron con el nombre de "la fortaleza" y del mismo modo la siguieron llamando hasta el acabamiento de esta tragedia.

Lope de Aguirre le destinó a la niña Elvira el mejor de

los aposentos, colgó su propia hamaca en los corredores entre la de Antón Llamoso y la de Juan de Aguirre, puso centinelas en las puertas y entre las almenas, y les dio licencia a los soldados para que saqueasen el poblado, ¡andad con cuidado, marañones!, guardad con rectitud la honra de las mujeres (si topáis alguna) y respetad la santidad de la iglesia y sus altares.

No hallaron cosa digna de ser saqueada, las casas habían quedado desiertas pues inclusives los paralíticos y potrosos se fueron con los soldados, tampoco hallaron provisiones sino cuatro cerdos chillones y unas tantas ristras de ajo, lo que sí había en abundancia eran cédulas de perdón dejadas en las mesas y en los suelos por los sirvientes del Gobernador, "toda la gente y soldados que se pasen a nuestro servicio serán perdonados, cualesquiera tiranías y muertes hayan cometido en el tiempo que andan debajo de las órdenes del tirano", y firmaba don Pablo Collado, como firmaba igualmente el Gobernador una carta para el general Lope de Aguirre en la cual le decía "torne vuestra merced al servicio del Rey, que yo le serviré a vuestra merced de tercero para solicitar la clemencia de Su Majestad".

Carta y cédulas les fueron traídas a Lope de Aguirre. Antón Llamoso tomó en sus manos uno de aquellos papeles, se sirvió de él para hacer un gesto obsceno y dijo:

—¡Mirad, gobernadorcillo Collado, lo que hacemos los marañones con vuestras cédulas de perdón: nos limpiamos las partes bajas!

Mas Lope de Aguirre sabía, ¡por vida de tal!, que no todos sus hombres se hallaban dispuestos, como el zafio y tosco Antón Llamoso, a limpiarse las partes bajas con aquellos papeles "que debajo de su buen color y gusto tenían muy cruel ponzoña". Por ello juntó a toda la gente en el patio de la fortaleza y les habló de esta manera:

—Mirad, marañones. Yo como hombre experimentado en estas cosas os quiero desengañar de las promesas que os hace el Gobernador en estas fementidas cédulas de perdón que habéis hallado. Bien se os debe acordar que vuestras muertes y tiranías han excedido en número y calidad a cuantas en España e Indias hayan cometido hombres alzados contra los poderes reales; el propio Rey de justicia no os podría perdonar, cuanto más un licenciado de dos nominativos como este Pablo Collado; ni aun si el mismo Rey os quisiera perdonar y os perdone, los deudos y amigos de los que habéis muerto os han de perseguir y procurar quitaros las vidas. Yo os profetizo que si me desamparáis y os pasáis al Rey, sola una muerte me darán a mí, pero a vosotros tres mil géneros de muertes y abatimientos; procuremos vender nuestras vidas muy bien vendidas, marañones, y hagamos lo que somos obligados, que si agora peregrinamos es para ir a parar a la tierra que pretendemos, que es el Perú, donde todo nos es debido, y llegado a él, cada uno habrá premio de su trabajo.

Después de este discurso dio orden de pegar fuego a varias casas del poblado, aquellas que pudiesen servir de parapeto a los soldados del Rey en el trance de un asalto. "¡Procurad que las llamas no hagan daño a la iglesia!", dijo a grandes voces, mas las casas eran de paja y la iglesia también lo era, por lo que una centella que saltó de lejos la hizo arder como yesca, y entonces el cruel tirano mandó sacar en volandas los ornamentos y los santos por librarlos de la destrucción. Gutierre de la Peña, por su parte, hizo quemar las pocas casas que el primer fuego dejó en pie por evitar que los marañones se aprovecharan de ellas, y al cabo de ambos incendios no quedó en Barquisimeto sino los cuatro muros detrás de los cuales Lope de Aguirre y su gente se habían guarecido.

El caudillo marañón hizo llamar al pendolista Pedrarias de Almesto, lo convidó a sentarse en la mesa del comedor de Damián de Barrios, y le dictó su respuesta a la carta del gobernador Pablo Collado. Lope de Aguirre nunca dejó sin contesta una carta de nadie, en ninguna manera iba a quebrar la regla en esta ocasión, que era la última.

"Una carta de vuesa merced recibí y merced muy grande por las promesas y ofrecimientos que por ella me promete, aunque yo al presente y en artículo de muerte y después de muerto, aborrezco el tal perdón del Rey y aun su merced me es odioso, cuando más los perdones de vuesa merced no llegan al primer nublado... Dice vuesa merced que mil vidas perderá en servicio de Su Majestad, guarde vuesa merced una sola, bien que si ésa pierde el Rey no la resucitará. Vuesa merced tiene mucha razón de servir al Rey, pues a costa del sudor de tanto hijodalgo y sin ningún trabajo anda comiendo el sudor de los pobres... Malditos sean todos los hombres chicos y grandes, pues consienten entrar un bachiller donde ellos trabajan y no matarlos a todos, pues son causa de tantos males... Y pues vuesa merced ha rompido la guerra, apriete bien los puños que aquí le daremos harto que hacer, porque somos gente que deseamos poco vivir... Y Dios nuestro Señor guarde y aumente la muy magnífica persona de vuesa merced como vuesa merced desea."

Pasaron tres días con sus noches sin que un solo soldado muriera en combate, tampoco había sido herido alguno. Los espías y corredores de los bandos contrarios se topaban de súbito en un enredo de matorrales o en la obscuridad de la noche, y unos y otros huían sin trabar pelea, o disparaban desde lejos sus pelotas a la ventura. (Las dos armas que determinaban las mayores victorias españolas en la conquista de las Indias, eran el arcabuz y el caballo; en esta sazón los marañones de Lope de Aguirre tenían los arcabuces; el ejército del Rey disponía de los caballos). (Otras dos armas poderosas eran el miedo y la traición; Lope de Aguirre se aprovechaba del miedo espantable que infundía en la gente del Rey su fama de perverso tirano; los del Rey sacaban fruto de la traición que florecía en el campo de Lope de Aguirre como clavel ponzoñoso). Ambos ejércitos tenían de su parte a soldados de arrojada valentía; entre los oficiales del Rey se contaban Gutierre de la Peña, García de Paredes, Pedro Bravo de Molina, Pedro Alonso Galeas, Hernando Serrada, Pedro Gavilla, García Valero, Francisco Infante, Gómez de Silva y el propio gobernador don Pablo Collado que había mejorado por milagro de sus sanguinosas dolencias y ahora pedía que la suerte de esta guerra se resolviera entre él y el tirano "en singular batalla". En el partido de los marañones andaban Lope de Aguirre, Diego de Tirado, Juan de Aguirre, Roberto de Zozaya, el almirante Juan Gómez, el genovés Juan Jerónimo de Espíndola, el viejo alférez Blas Gutiérrez, Cristóbal García, Custodio Hernández, Bartolomé Paniagua, Francisco Carrión, Antón Llamoso, Hernando Mandinga que ya no era negro esclavo sino sargento bravo y fiel, y muchos más. Pero se cumplieron tres días sin que la caballería del Rey acometiera la fortaleza y sin que la arcabucería rebelde saliera a desafiar a sus enemigos. Esta madrugada, ¡voto a tal!, se pasaron al bando del Rey tres soldados, Juan de Talavera, Pedro Guerrero y Juan Rangel, que habían pedido licencia para abrevar sus caballos en el río; se pasaron al Rey y aparecieron luego los tres dando voces desde la barranca lejana, incitando a los demás marañones a seguir su torcido ejemplo. Tú entendiste al punto, Lope de Aguirre, que mantenerse encerrado en la fortaleza era ponerse a riesgo de que otros igualmente cobardes y traidores corrieran a aceptar las cédulas de perdón que el gobernador Collado les ofrecía. El caudillo marañón ordenó al capitán de su guardia Roberto de Zozaya y al capitán de infantería Cristóbal García que cayeran de improviso en el campo enemigo con sesenta arcabuceros y, si por mala fortuna no alcanzaban a desbaratarlos en la embestida, se acogieran luego al abrigo de una arboleda que era jaral difícil de ser penetrado por los caballos. De este modo lo hicieron, y al cabo de un tiempo salió Lope de Aguirre de la fortaleza con el resto de la gente, y se juntó a sus compañeros en la maraña del monte. Ha sonado finalmente la hora de ganar la victoria o morir en la demanda, Lope de Aguirre, rebelde forjado en el yunque perulero, guerrero herido en el valle de Chuquinga, general y cabeza de los invencibles marañones, tú has de probar en este trance último que eres un legítimo nacido de la raza vascongada, un digno émulo del feroz Miguel Arcángel, el brazo ejecutor de la ira de Dios. Gloria eterna dará a tu nombre el vencimiento del esclarecido rey Felipe, en estos lugares representado por oscuros parciales. ¡Adelante, marañones! ¡Apuntad al pecho y a la frente de esos villanos! (Los disparos de los marañones picaban en los terrones, o cruzaban los aires por encima de las cabezas contrarias). ¿Qué pasa, marañones? ¡A las estrellas tiráis! (Eran más de un centenar nuestros arcabuceros y ninguna de sus pelotas daban en los cuerpos de los jinetes del Rey, ni siquiera en las ancas de sus cabalgaduras). De repente sucedió una desgracia inaudita. El capitán de caballos Diego de Tirado, que era uno de tus amigos más íntimos y preciados, un auténtico y verdadero marañón de alma alacranada, el capitán Diego de Tirado convirtió en fuga deshonrosa lo que parecía una arremetida de su yegua, el capitán Diego de Tirado se pasó al campo de Su Majestad en mitad de la batalla y tú, Lope de Aguirre, supiste en ese instante con certidumbre que tu causa habíase perdido y que tu muerte era un acontecimiento muy cercano. El capitán Diego de Tirado es el primero en desembarcar en la Margarita, el capitán Diego de Tirado le arrebata las armas al gobernador Villandrando, el capitán Diego de Tirado monta de un salto sobre el alazano del alcalde Rodríguez de Silva, el capitán Diego de Tirado cruza a todo galope las calles de la Villa del Espíritu Santo dando voces: ¡Viva el general Lope de Aguirre, príncipe de la libertad!, el capitán Diego de Tirado me acompaña solícito en todas mis obras de muerte y castigo, "si este Diego Tirado me es leal, el mundo he de tener por mío" (esto lo decía yo cada mañana), el capitán Diego de Tirado se pasa al campo de Su Majestad en mitad de la batalla, media hora después lo diviso en la barranca montado en el caballo del gobernador Collado y diciéndonos a gritos: ¡Ea, caballeros, a la bandera real, al Rey que hace mercedes! (Los disparos de los marañones siguen deshaciendo terrones o perdiéndose en las nubes; los soldados del Rey no tienen con ellos sino cinco arcabuces, mas ya han herido a dos hombres de los nuestros, le dan un balazo en la frente a la yegua negra que monta Lope de Aguirre, la tumban sin vida.) Tú, Lope de Aguirre, que ya miras tu muerte como un acontecimiento inevitable y muy cercano, te alzas de los lomos de la yegua muerta, y gritas de nuevo: ¡A ellos, marañones! ¡No tiréis a las estrellas, marañones, tirad al pecho del enemigo! ¡Yo solo me bastaría para hacer una guerra y vencer a esta gente de poco más a menos, mas ninguna guerra puede hacerse con traidores!

Lope de Aguirre sabe ya de cierto que ha perdido su primera y última batalla contra el rey de España, hace recoger a los dos soldados heridos, da la orden de retirarse todos a la fortaleza. Apoyado por Roberto de Zozaya, Cristóbal García, Juan de Aguirre, y Antón Llamoso, apremia a los marañones con sus voces, los amenaza con su espada ¡A la fortaleza, caballeros, muera el Rey!, los lleva a empellones y los obliga a entrar en la inmensa casa de Damián de Barrios, ¡Muera el Rey, marañones, muera el Rey!, Lope de Aguirre cierra con sus propias manos las pesadas puertas.

(Un corredor en la casa de Damián de Barrios convertida en fortaleza. En los extremos cuelgan dos hamacas. Al centro platican vivamente varios oficiales marañones. Al fondo hay una puerta ancha que da a la calle; a la izquierda otra que da al aposento de la niña Elvira; y a la derecha una tercera que da al interior de la casa.)

JUAN DE AGUIRRE: —Recio golpe ha sufrido su pecho con esta fuga de Diego de Tirado al campo del Rey. Desde aquella traición de Pedro de Munguía no le había visto yo tanta furia que se le sale de los ojos.

ROBERTO DE ZOZAYA: —¿En qué nuevos pensamientos andará sumido agora? *(Señala la puerta de la izquierda).* Entró por esa puerta hace bastante rato y no ha vuelto a salir.

JUAN GÓMEZ: —Sospecho yo que lo rindieron al cabo el sueño y la fatiga. ¿Sabéis cuánto tiempo hace que no duerme?

ANTÓN LLAMOSO: —La persona de Lope de Aguirre no tiene necesidad de dormir, ni de descansar, ni de comer.

PEDRARIAS DE ALMESTO: —Más de un mes hace que no duerme. Dice que el sueño no tiene sentido, que él se hartará de dormir después de su muerte.

CRISTÓBAL GARCÍA: —Es un enano cojo con fuerzas de gigante. Para subir las cuestas se carga las espaldas de armas y bagajes.

HERNANDO MANDINGA: —No le dan miedo las pelotas de los arcabuces, ni el filo de las espadas, ni el Rey, ni la muerte, ni el infierno. Tiene dentro de su cuerpo un demonio familiar que nunca lo abandona.

JERÓNIMO DE ESPÍNDOLA: —Todas las cosas que habéis dicho son ciertas, caballeros, mas las dichas potencias de su alma no han impedido que nos hallemos agora en el trance irremediable de perdernos, encerrados en esta casa lúgubre, acosados por los jinetes enemigos, comiéndonos los perros y las mulas para no morir de hambre, contando como avarientos las gotas de agua para no morir de sed, esperando las mañanas sin otra esperanza que la horca y las penas infernales.

ANTÓN LLAMOSO: —Mientras el príncipe Lope de Aguirre viva, el caudillo Lope de Aguirre piense, el general Lope de Aguirre combata, no estamos perdidos, amigos míos. Él hallará el modo de sacarnos de esta oscura sima, él pondrá en fuga a nuestros sitiadores, él nos llevará a señorear el Perú para dar justo premio a nuestro trabajo.

(Al comienzo de las palabras de Antón Llamoso entra Lope de Aguirre por la puerta de la izquierda, y se detiene luego en el

umbral dándole tiempo para concluir.)

LOPE DE AGUIRRE: —Únicamente las traiciones pretenden malograrnos la victoria; las sucias traiciones del pasado, del presente y del porvenir. ¿En qué modo podíanse comparar con nosotros, marañones, este gobernador muerto de miedo, estos dos viejos capitanes con cinco arcabuces escasos, y estos cien soldados que a lo más son vaqueros de zamarros de oveja y rodelas de vaca y mohosas espadas? ¿En qué modo podíanse comparar con nosotros, marañones, que somos un ejército intrépido y libertador? Voto a tal, que jamás se ufanarían de haberlo hecho de no ser por el peso de las traiciones que les dan su ayuda. *(Saca un papel de la faltriquera.)* He escrito esta lista formada por los nombres de aquellos que nos han de traicionar mañana, que son los que se fingen enfermos para esquivarse de combatir, los que andan tibios y melancólicos por los rincones, los que desvían la mirada cuando los miro, los que en vez de jugar por la noche a los dados se ponen a rezar como monjas en claustro; yo percibo el olor de mierda que exhala de aquellos que cavilan traiciones. Quiero de todo corazón, capitanes, impedir que se cumplan las cincuenta felonías de estos cincuenta hombres menguados que entre nosotros andan. Yo os propongo darles muerte breve, reducir de esta manera nuestro bando a cien empedernidos marañones decididos a dar toda su sangre para que campee la justicia. Yo os propongo luego, capitanes, volvernos a la mar con ese ejército de cien furiosos invencibles, ya que tan imposible se nos ha hecho llegar al Perú por esta vía de llanos y montañas. Volvernos a la mar, hacernos de un navío, y caer con el dicho barco de improviso sobre Cartagena o sobre algún otro puerto donde nadie nos espere. *(Pausa.)* A poner por obra tales empresas se inclina mi entendimiento, caballeros, y he aquí la lista de los que deben morir para librarnos nosotros de su perfidia y para salvarlos a ellos de incluirse en la historia con título de traidores.

JUAN GÓMEZ: —¡Cuerpo de Dios, señor general! Si los tres huidizos que mató Vuestra Excelencia a la salida de Valencia hubieran sido treinta, a buen seguro que agora la gente lo pensaría mucho antes de pasarse al Rey. Confíe Vuestra Excelencia en mí, que yo lo acompañaré en todo, y en ser piloto del navío que ha nombrado.

(Todos los demás capitanes, excepto Antón Llamoso, miran con discrepancia y desagrado al almirante Juan Gómez.)

ROBERTO DE ZOZAYA: —¿Dar muerte a cincuenta hombres más, señor general, no vendrá a ser una crueldad inútil y sin provecho?

CUSTODIO HERNÁNDEZ: —Con la sangre de esas muertes agravaremos nuestras culpas tan enormemente que el propio poder de Dios no conseguirá la hazaña de salvarnos de la horca.

CRISTÓBAL GARCÍA: —¿Quién puede asegurarnos que con tan atropellado proceder no le quitaremos la vida a no pocos inocentes? Pensad que ayer el capitán Diego de Tirado se nos lucía el más resuelto de los marañones, y este juicio nuestro no le impidió pasarse al campo del Rey. Otros hay, por el contrario, que hemos tenido siempre por medrosos, y siguen dando muestras de coraje y lealtad.

LOPE DE AGUIRRE: —Dudáis y vaciláis, caballeros, porque en algún desván de vuestros corazones late aún la ilusión de rehuir el naufragio, de que el Rey os perdone las tiranías y maldades que habéis cometido en el río Marañón y en la isla de la Margarita. Vana esperanza albergáis, pues Dios mediante moriréis todos en la horca y seréis descuartizados como lo seré yo mismo. Si vivimos hoy este desastrado suceso, culpables de ello son los remisos y...

JERÓNIMO DE ESPÍNDOLA: —Culpables somos todos, culpable es en primer lugar Vuestra Excelencia, señor general. Es mi opinión que en la Margarita hemos debido dejar a todos aquellos que preferían quedarse, sin traerlos contra su voluntad, pues son ésos, que obligados andan, los mismos que Vuestra Excelencia propone matar agora.

LOPE DE AGUIRRE: —Señores capitanes, desde el día en que me alzasteis para general y cabeza de esta jornada, ¡voto a mí!, que es la primera vez que os oigo discrepar de mis palabras. ¿Qué os sucede, Roberto de Zozaya? ¿Os acobarda la cercanía descarnada de la muerte, Cristóbal García? Cuanto a vos, Jerónimo de Espíndola, que con manera tan atrevida y desvergonzada habéis osado hablarme, os advierto que jamás he tolerado a algún hombre humano ese lenguaje, y que os condeno a muerte para castigar tanta insolencia.

(Ninguno se mueve a ejecutar la sentencia. Sólo Antón Llamoso lleva la mano al puño de la espada, mas lo detienen las miradas de los otros capitanes. Lope de Aguirre camina desconcertado hacia la puerta de la izquierda. De golpe se vuelve atrás y da órdenes tajantes.)

LOPE DE AGUIRRE: —¡Capitán de munición Antón Llamoso, encárguese vuestra merced de preparar la partida hacia la Borburata, haga vuestra merced cargar las armas en los carruajes y cabalgaduras, avise vuestra merced a toda la gente que debe estar pronta y aparejada antes de que amanezca el día de mañana! ¡Capitán de infantería Francisco Carrión, mando a vuestra merced que acompañado del barrachel Bartolomé Paniagua y del sargento Hernando Mandinga, despojen de sus armas a los cincuenta sospechosos cuyos nombres están en esta lista, y que los mantengan desarmados y debajo de gran cuidado y vigilancia!

(Salen Antón Llamoso, Francisco Carrión, Bartolomé Pa-

niagua y Hernando Mandinga.)

LOPE DE AGUIRRE *(a los otros oficiales)*: —No estamos perdidos, caballeros. Ningún hombre está perdido en tanto que tenga el propósito y brío de no estarlo. Hemos de partir hacia la mar de madrugada, cuando el enemigo no sospeche ni imagine nuestra intención. Gutierre de la Peña saldrá a perseguirnos más tarde con su caballería, y nosotros los esperaremos emboscados en un paso de montaña, y los descabezaremos con nuestros arcabuces. Tras proveernos luego de caballos en los hatos del llano, un ejército de cien marañones curtidos y probados será el nuestro que llegará a la Borburata. Asaltaremos los navíos que allí hemos de hallar ancorados, tomaremos sin tardanza el rumbo güeste, caeremos sobre Santa Marta o Cartagena, volveremos a nuestra traza primera de irnos al Perú por el camino de Panamá, como lo hicieron Almagro y Pizarro. ¡Tened fe, capitanes, en Lope de Aguirre, fuerte caudillo de los invencibles marañones!

VOZ DEL CENTINELA *(desde lo alto de las almenas)*: —Los jinetes del Rey se acercan a nuestros muros, más y más en cada vuelta. En la barraca enemiga se asoman dos guerreros que por sus ademanes deben ser el maese de campo y el teniente general.

LOPE DE AGUIRRE *(arrebatándole el arcabuz a uno de los capitanes)*: —¡Vive el diablo, que yo tengo mejor puntería que todos mis ciegos arcabuceros, y he de probarlo agora mesmo!

(Intenta salir por la puerta que da a la calle. Se detiene al ver entrar de tropel, desde el fondo de la casa, a varios soldados.)

PRIMER SOLDADO: —Vuestra Excelencia, señor general, nos ha despojado de arcabuces y lanzas, y se dispone agora a llevarnos desarmados hasta la mar, marchando sin defensa por los cerros, infelices y desvalidos a merced de nuestros contrarios. ¿Quiere acaso Vuestra Excelencia que nos den muerte a todos?

SEGUNDO SOLDADO: —Vuélvanos Vuestra Excelencia las armas, pues no nos place ir como ovejas al matadero.

SOLDADOS *(a coro)*: —¡Queremos nuestras armas!

LOPE DE AGUIRRE *(sacando su daga y apuntándose con ella al pecho)*: —Con esta daga me saquen el corazón si alguna vez llego a verter sangre de un soldado marañón, y no lo tratase como a mi propia persona. Juro por Dios Todopoderoso, Adorado y Glorificado, que aquí adelante no haré más que lo que cada uno de vuestras mercedes mandare. Perderemos o ganaremos esta guerra, mas ha de ser con parecer de todos, que mío solo no.

SOLDADOS *(a coro)*: —¡Queremos nuestras armas!

LOPE DE AGUIRRE *(ha ido envejeciendo y encorvándose al paso que sus capitanes y soldados le pierden el respeto y el temor)*: —Si hasta aquí ha habido algunas muertes, hijos míos, entended que las hice para salud de todos y para asegurar vuestras vidas. Y a todos digo desde agora que, por el juramento que tengo hecho, y por el amor de Dios, no permitáis que seamos vencidos por esta gente de cazabe y arepa. Y si pensáis pasaros al Rey, que sea en el Perú, y dese modo yo, ya que muera, moriré en aquella tierra gloriosa donde gozarán y descansarán mis huesos de lo que mi cuerpo tanto trabajó y ha padecido.

SOLDADOS *(a coro)*. —¡Queremos nuestras armas!

(Lope de Aguirre va tomando arcabuces, lanzas y espadas, de las manos de Antón Llamoso y Francisco Carrión que han entrado con ellas entre los brazos, y se las va entregando a los soldados de uno en uno.)

LOPE DE AGUIRRE: —¡Tomad, hijo mío, vuestro arcabuz! ¡Tomad, hijo mío, vuestra alabarda! ¡Perdonadme el yerro de haberos quitado estas armas. Con ellas venceremos al rey

Felipe. Aún queda tiempo para hacerlo, hijos míos.

VOZ DEL CENTINELA *(desde lo alto de las almenas)*: —Vienen bajando de la barranca los jinetes enemigos en forma de combate! *(Se oyen disparos y sones de trompetas y tambores afuera de la fortaleza.)*

LOPE DE AGUIRRE *(con violencia arrebatada)*: —Moriremos en este sitio, marañones, defendiendo nuestro honor como fieros leones. Ya no iremos a mar alguna ni asaltaremos barco alguno. Moriremos en este sitio como rebeldes obstinados. ¡Antón Llamoso, ordenad que desensillen las bestias, que descarguen los carruajes, que mi niña Elvira no suba a su caballo! *(El corredor se ha llenado de soldados venidos del fondo de la casa, unos con arcabuces, algunos con espadas o lanzas, otros con las manos vacías.)* ¡Muera el Rey, marañones! ¡Capitán Jerónimo de Espíndola, salga vuestra merced con diez hombres a escaramuzar el enemigo!

(Sale Jerónimo de Espíndola hacia la calle seguido por diez arcabuceros que él escoge. Suenan nuevos disparos).

VOZ DE DIEGO DE TIRADO *(desde el otro lado de la muralla)*: —¡Pasaos al Rey, caballeros, que hace mercedes!

VOZ DE PEDRO ALONSO GALEAS *(desde el otro lado de la muralla)*: —Desamparad al tirano, marañones, que el Rey os dará el perdón.

LOPE DE AGUIRRE: —¿Habéis oído, marañones? Son las voces de Diego de Tirado y Pedro Alonso Galeas, las voces de los traidores que os convidan a vender vuestro honor de soldados. No hagáis caso, marañones, que la traición es cosa más triste y pestilente que la muerte.

(Afuera de la muralla suenan trompetas y tambores. Se hace luego un silencio que es roto por la voz de Jerónimo de Espíndola.)

VOZ DE JERÓNIMO DE ESPÍNDOLA *(desde el otro lado de la muralla.)*: —Os hablo yo, marañones, vuestro capitán Jerónimo de Espíndola que también me he acogido a la clemencia del Rey. No perdáis vuestras vidas, que una sola tenéis en este mundo. ¡Muerte al cruel tirano Lope de Aguirre! ¡Venid con el Rey, marañones, que todas vuestras culpas os serán perdonadas desque dejéis el bando de la tiranía! Os lo digo yo, Jerónimo de Espíndola, vuestro capitán y compañero.

LOPE DE AGUIRRE: —¿Espíndola? ¿También tú, Espíndola? ¿Tú, el genovés que juraba por las llagas de Cristo serme leal hasta la muerte? ¡Tú, infame, desvergonzado, pícaro y canalla! *(Se pasea sombríamente de un extremo al otro del corredor mientras afuera suenan nuevos gritos y disparos. Se detiene de pronto para increpar a los oficiales y soldados.)* ¡Idos todos al diablo con el Rey! *(Señala la puerta con gesto furioso)* ¡Idos todos al diablo con el Rey he dicho!

SOLDADO PRIMERO *(saliendo apresurado por la puerta que da a la calle)*: —¡Viva el Rey! ¡Viva el Rey que hace mercedes!

DOS SOLDADOS MÁS *(saliendo como el anterior)*: —¡Viva el Rey! ¡Viva el Rey!

LOPE DE AGUIRRE: —¿Qué espera vuestra merced, capitán Roberto de Zozaya para desampararme como los otros? ¿Qué escrúpulo detiene a vuestra merced, capitán Juan de Aguirre? ¡Pásense vuestras mercedes al Rey que la misericordia de Su Majestad es infinita! Y también vuestras mercedes, Juan Gómez, Francisco Carrión, Hernando Mandinga, Antón Llamoso. ¡Qué no quede conmigo uno solo de mis marañones!

ROBERTO DE ZOZAYA *(saliendo)*: —¡Viva el rey Felipe II!

JUAN DE AGUIRRE *(saliendo tras él)*: —¡Muera el tirano Lope de Aguirre!

(Van saliendo atropellada y confusamente todos los otros, dando vivas al Rey, excepto Antón Llamoso que no se ha movido de su rincón. El último que se dispone a escapar es Pedrarias de

Almesto, el cual ha mirado los sucesos con gran calma.)

LOPE DE AGUIRRE *(deteniéndolo con un gesto)* : —Suplico a vuestra merced, señor Pedrarias de Almesto, que no se vaya todavía. No quiero recibir mi muerte sin haber hablado primero con vuestra merced lo que debo de hablar.

PEDRARIAS DE ALMESTO: —¿Conmigo, señor general?

LOPE DE AGUIRRE: —Sí, señor Pedrarias de Almesto, con vuestra merced. Vuestra merced sabe perfectamente que le he perdonado tres veces la vida, y sabe asimesmo cómo toda la gente imaginó que mi clemencia debíase a las cartas que yo le dictaba a vuestra merced, y vuestra merced copiaba con hermosa letra de escribano. Mas a fe mía que no era tal la razón. Títulos de sobra había para dar muerte tres veces a vuestra merced, pues vuestra merced quiso defender con la espada en la mano al gobernador Pedro de Ursúa, y procuró huir de nuestro campo en la Margarita, y volvió a procurarlo en la Borburata. A la clara se veía que no venía vuestra merced de grado en esta jornada sino por fuerza, y que nunca ha sido vuestra merced un marañón sincero sino un vasallo de mi enemigo el rey Felipe II.

PEDRARIAS DE ALMESTO: —No obstante esto, Vuestra Excelencia me perdonó tres veces la vida. ¡Vive el cielo que ño entiendo!...

LOPE DE AGUIRRE: —Le perdoné a vuestra merced tres veces la vida, y no porque tenga buena letra, ¡juro a Dios!, sino porque era vuestra merced la única persona en el mundo capaz de librar a mi niña Elvira de ser violada y ultrajada por mis enemigos después que salgan vencedores. En ese horrible tiempo venidero todos los marañones recibirán garrote o serán colgados en la horca, menos vuestra merced que probará ante los tribunales de justicia que ha sido siempre leal servidor del Rey, y que intentó pasarse dos veces a su bando, y que vino contra su propia voluntad en esta tiranía. Tengo a vuestra merced por caballero ilustrado y de noble corazón. Si vuestra merced tomase a mi niña Elvira bajo su amparo y guarda, ningún desalmado osará poner las manos encima de su cuerpo. Yo le ruego humildemente a vuestra merced, y me hinco de rodillas si es necesario, que salve a mi hija de la violencia y la preserve de la putería. ¿Lo hará vuestra merced en cambio de las tres veces que le he perdonado la vida?

PEDRARIAS DE ALMESTO: —No lo haré, general Lope de Aguirre, Dios me entiende que no lo haré. Si Vuestra Excelencia me perdonó tres veces la vida, lo hizo sin duda alguna por evitar tres veces que Vuestra Excelencia mismo me diera muerte. ¡Tres veces le debo la vida porque tres veces iba a deberle la muerte, en paz hemos quedado, señor general! No he de recibir en protección a la hija de Vuestra Excelencia, pues mañana es menester que haga la prueba de mi inocencia ante unos jueces que querrán sentenciarme animosamente a muerte, y mal podré escapar de ese rigor llevando debajo de mi amparo a la prenda más querida de un perverso tirano. ¡Adiós, Lope de Aguirre, maldito seas!

(Se aleja sin prisa hacia la puerta. Antón Llamoso saca su daga y se abalanza a matarlo.)

LOPE DE AGUIRRE: —No, Antón Llamoso, déjalo marchar en paz. Deseo perdonarle la vida por cuarta vez.

PEDRARIAS DE ALMESTO *(saliendo)*: —¡Viva el Rey, caballeros! ¡Viva el glorioso Felipe II, mi Rey y señor!

LOPE DE AGUIRRE: —Agora quedamos nadie más que tú y yo, Antón Llamoso, en el esperar de nuestras muertes. Mas no olvides que tú todavía puedes escapar de la horca acogiéndote al remedio de huir por esta puerta gritando: ¡Muera Lope de Aguirre, el cruel tirano! *(Pausa.)* Pásate tú también al bando del Rey, capitán Antón Llamoso, ¡yo te lo ordeno!

ANTÓN LLAMOSO: —No me pasaré, general Lope de Aguirre, hermano Lope de Aguirre. Yo he sido tu amigo en la vida y nadie me impedirá que siga siéndolo en la muerte. Moriré a tu lado, Lope de Aguirre, y estaré contigo hasta el instante en que las hachas del Rey hagan pedazos de nuestros cuerpos.

LOPE DE AGUIRRE: —Y luego, luego que nos hagan pedazos, nuestras almas volarán juntas al infierno, hijo mío. Mas te aviso y advierto que no deben atribularnos demasiado las llamas infernales, pues hemos de compartirlas con Alejandro, César, Pompeyo y los sabios de Grecia, lo cual será cosa de mucha gloria y honra para nosotros. En esta víspera de mi agonía, yo me quejo tan sólo de Dios, al igual que lo hizo su Hijo en la cruz, puesto que me ha abandonado. Tú puedes contar mejor que ninguno, Antón Llamoso, que mamé la fe católica en la leche, que he vivido piadosamente en el amor de Dios, que he acatado todos sus mandamientos menos aquel que nos prohíbe matar, pues sin matar no es posible hacer la guerra, y Dios mismo me dispuso para ser guerrero y valer más con la lanza en la mano. Prediqué a mis soldados que hicieran en la tierra lo que les aconsejase el corazón, alejando de sus actos el miedo al infierno, pues yo pensaba de buen juicio que la sola creencia en Dios bastaba para ir al cielo. Confié de la infinita equidad de Dios que lo forzaría a ponerse de nuestra parte en la lucha que hacíamos contra el rey Felipe y sus ministros que son modelos de injusticia y perversión. Agora entiendo claramente, Virgen de Aránzazu, que el Padre Eterno se hizo banderizo del rey español y dispuso desde su empíreo mi perdición. Si la voluntad de Dios lo quisiera, Virgen Santa, serían abatidos los soberbios y los poderosos, y triunfaría la causa de los flacos y los humildes. Cuando a malas penas he llegado a saber que no lo quiere, encomiendo al demonio mi alma y cuerpo, mis piernas y brazos, mi pija y cojones. No me desespera, estando vivo como aún lo estoy, conocer que mi ánima arde ya en los infiernos. Y como el cuervo no puede ser más negro que sus alas, me consuela de mi maldición el entrever que la fama de las cosas terribles que he hecho quedará para siempre en la recordanza de la gente. *(Bajando la voz.)* Sálvate, tú, hijo mío, pásate al Rey. *(Subiendo de nuevo la voz.)* ¡Capitán Antón Llamoso, es una orden!

ANTÓN LLAMOSO: —Por vez primera desobedezco un mandato de Vuestra Excelencia, general Aguirre. *(Bajando la voz.)* He tomado la resolución de morir a tu lado, Lope de Aguirre, y Dios delante que llegó la hora de cumplirla.

(Suenan disparos y gritos fuera de las murallas.)

LOPE DE AGUIRRE: —Si tengo de morir desbaratado en esta gobernación de Venezuela, como de cierto ha de suceder al instante, digo y proclamo que ya no creo en la fe de Dios, ni tampoco en la secta de Mahoma, ni en Lutero, ni en los dioses de la gentilidad, y tengo para mí como sola creencia que el hombre no nace en la tierra sino para nacer y morir, sin haber porvenir ni pasado. *(Suenan nuevos disparos.)* No le temo al Rey, ni a la muerte, ni al infierno. El único peligro que hace temblar mis carnes de pavor y miedo es el de preguntarme qué será mañana de mi niña Elvira. Me martillan el pensamiento las palabras del Eclesiastés: "La hija mantiene desvelado a su padre, pues el cuidado de ella le quita el sueño por el temor de que sea manchada su virginidad". Dentro de breve término he de morir, habemos de morir, amigo Antón Llamoso, y no habrá espada de hombre que defienda la integridad de su cuerpo cuando entren de tropel los bellacos infames a violar a la hija del cruel tirano, *(casi llorando)* a violar a mi niña, Antón Llamoso. *(Se repone, toma un arcabuz que*

*está tirado en el suelo, se dirige hacia la puerta de la izquierda, la
entreabre y grita con voz atronadora.)* ¡Elvira! *(Pausa)* ¡Elvira!

*(Entra la niña Elvira seguida por sus dos sevidoras, María
de Arriola y Juana Torralba, y caminan las tres hasta el centro del corredor. Lope de Aguirre cala la cuerda y enciende la mecha del arcabuz.)*

LOPE DE AGUIRRE: —Hija mía, toma un crucifijo y encomiéndate a Dios, que te voy a matar.

JUANA TORRALBA *(enloquecida)*: —No haréis eso, señor,
por quien Dios es, os ruego que no hagáis eso. La niña Elvira
es inocente y pura como un lirio del campo. No la matéis, señor, que el diablo os ha engañado al aconsejaros un crimen
tan horrendo y fiero.

LOPE DE AGUIRRE: —Es del diablo y sus garras que quiero
librarla con su muerte, Juana Torralba. Presto habrán de entrar por aquella puerta los sayones del rey Felipe, sedientos
de cometer en ella la grandísima afrenta que han cometido
siempre en las hijas de los rebeldes vencidos. Le arrancarán
las ropas a jirones, violarán en nuestra presencia sus carnes
vírgenes, quedará luego entre mis enemigos a ser puta, ¡puta
la hija de Lope de Aguirre!, ¡colchón de bellacos mi niña Elvira! *(Pausa.)* Encomiéndate a Dios, hija mía, que te voy a
matar.

MARÍA DE ARRIOLA: ¡Tened piedad, señor! No temáis de
su virtud que nosotras cuidaremos della. La niña Elvira se
meterá monja, consagrará la voluntad y la vida a Nuestro Señor Jesucristo. ¡Tened piedad, señor!

*(Lope de Aguirre apunta a la niña Elvira con el arcabuz.
Juana Torralba corre hacia él, tratando de cubrir a la niña con
su cuerpo, forcejea con el padre para arrebatarle el arma, Lope de
Aguirre le deja finalmente el arcabuz y saca una daga de su
cinta.)*

337

LOPE DE AGUIRRE: —¡Apartaos, malditas mujeres, si no queréis que os mate a vosotras primero! Dejadme en paz, huid como hicieron todos los marañones, que si no me obedecéis, haré yo correr al punto vuestra sangre.

(Avanza hacia las dos mujeres con la daga en alto. María de Arriola y Juana Torralba huyen despavoridas por la puerta que da a la calle. La niña Elvira no se ha movido del centro del corredor, ni tampoco Antón Llamoso del ángulo donde se ha arrinconado.)

ELVIRA: —¡Padre mío! *(Lope de Aguirre se acerca a ella y le da dos puñaladas en el pecho. La sangre de la niña Elvira empapa la saya y el corpiño de raso amarillo. La hija cae de rodillas a los pies del padre que la mata.)* ¡Ya basta, padre mío, ya basta!

LOPE DE AGUIRRE *(con voz desgarrada)*: —Falta una nada más, hija mía.

(Le da una tercera puñalada. La niña Elvira muere entre sus brazos. Detrás de las murallas menudean los disparon y arrecia la gritería.)

VOCES DE SOLDADOS *(desde el otro lado de la muralla)*: —¡Viva Felipe II, nuestro Rey y Señor!

LOPE DE AGUIRRE: —¡Viva Lope de Aguirre, rebelde hasta la muerte, príncipe de la libertad!

(Van entrando de tropel por la puerta que da a la calle varios de los marañones que antes se habían pasado al Rey: Pedro Alonso Galeas, Diego Tirado, Pedrarias de Almesto, Juan de Chávez, Cristóbal Galindo, Custodio Hernández. En pos de ellos entra la gente del Rey: el maese de campo García de Paredes, el capitán Pedro Bravo de Molina, Hernando Serrada, Francisco Infante y muchos más. Todos vienen armados de arcabuces, espadas, lanzas, alabardas, picas y puñales.)

FRANCISCO LEDESMA *(un salmantino que forja espadas en el Tocuyo pero que jamás las ha ceñido propiamente, señalando a*

338

Lope de Aguirre): —¿Y este hombre pequeñito y anciano es el famoso tirano Lope de Aguirre? ¿Éste es aquel que todos habían miedo de él? ¿Éste es el enviado de Satanás, el sanguinario matador de gobernadores y frailes? ¡Juro a tal que si yo me viese en pendencia con éste lo cogiera y lo hiciera pedazos!

LOPE DE AGUIRRE *(mirándolo con gran desprecio)*: —¡Andad de ahí, despojo de hombrecillo! ¡A diez y veinte mentecatos como vos diera yo no estocadas sino veinte zapatazos! *(Ledesma atemorizado da un paso atrás.)*

GARCÍA DE PAREDES *(Con la mano en el puño de la espada se acerca al cadáver de la niña Elvira)*: —No me espanta tanto, Lope de Aguirre, que os hayáis alzado contra el Rey nuestro señor, ni todas las crueldades que habéis hecho entre los hombres. Me espanta mucho más la muerte perversa que habéis dado a esta inocente que era casi una niña.

LOPE DE AGUIRRE: —Señor maese de campo, lo hice porque era mi hija, y lo pude hacer.

GARCÍA DE PAREDES: —Cien veces merecéis que la justicia del Rey os corte la cabeza.

LOPE DE AGUIRRE: —¿Cortarme la cabeza? ¿Se imagina y piensa Vuestra Excelencia que en habiéndome cortado la cabeza, y hecho cuartos mi cuerpo, y echado mis despojos a los perros, borraron mi figura de la memoria de los hombres? ¿No adivina Vuestra Excelencia que la relación de mis maldades y hazañas hará sonar mi nombre por toda la tierra y en el noveno cielo? ¿No entiende Vuestra Excelencia que el rey Felipe II ha de aparecer en la historia con el título de Tirano, y a Lope de Aguirre se le llamará Príncipe de la Libertad?

GARCÍA DE PAREDES: —¡Vive Dios que no puedo sufrir tan grande insolencia! *(Saca su espada.)* Me forzáis a que os mate agora mesmo, Lope de Aguirre.

LOPE DE AGUIRRE: —Señor maese de campo, guárdeme Vuestra Excelencia el término de tres días que marca la ley para oírme, y no me mate tan presto que quiero decir con bravo juicio grandes cosas. Yo he de declarar, primero de morir, quiénes y cuántos destos marañones arrepentidos han sido leales a su rey de Castilla; y he de declarar también quiénes están hartos de matar gobernadores y frailes, y de quemar y asolar pueblos, y de hacer pedazos las cajas reales. He de descubrir el engaño de quienes creen que todas sus culpas y crímenes les serán perdonados con pasarse a carrera de caballo y a tiro de herrón al campo del Rey. He de decir los nombres...

(En tanto que habla, los marañones tránsfugas, lo van apuntando con sus arcabuces de mechas encendidas. Cuando dice las palabras "he de decir los nombres", uno de ellos llamado Juan de Chávez dispara su arma y le da un balazo de soslayo en el brazo.)

LOPE DE AGUIRRE *(tambaleándose y buscando arrimo en el catre o barbacoa que está a su espalda)*: —¡Mal tiro, traidor bergante!

(Otro marañón llamado Cristóbal Galindo dispara su arcabuz y le da al caudillo en el centro del pecho.)

LOPE DE AGUIRRE: —¡Ése fue un buen tiro, hijo de puta!

(Se lleva la mano al corazón, cae sobre el catre y muere. En medio de un gran silencio, Custodio Hernández se adelanta y le corta la cabeza a Lope de Aguirre con su espada. Sale luego por la puerta que da a la calle, empuñando los cabellos grises de la cabeza cortada y sangrante. Todos lo siguen, con García Paredes al frente de ellos.)

PEDRARIAS DE ALMESTO *(que es el último en salir)*: —¡Viva el Rey, que es muerto el tirano!

(Antón Llamoso ha permanecido inmóvil en su rincón.

Cuando todos se han marchado sin hacer cuenta de su presencia, Antón Llamoso se acerca a los cadáveres del padre y la hija, los contempla largamente con grave mirada, se persigna y santigua, y luego escapa como una sombra por la puerta que da al fondo de la casa.)

Después de tu muerte cayó sobre tus ojos tanta obscuridad que te creíste sepultado en el socavón infinito de la noche montañas de azabache y carbón pesaban sobre tu pensamiento helados círculos de tinieblas se enroscaban alrededor de tu cuerpo como serpientes muertas el gran silencio que te envolvía era una niebla de musgo pegajoso y lívido pasaste más de un siglo sumido en ese sueño descolorido te despertó de súbito la luz casi solar de un relámpago el estampido torrencial de un trueno que deshiló la madeja de tus nervios un clamoroso cataclismo resquebrajó las rocas que cubrían tu mínima figura tu pobre alma rodó por erizados precipicios y páramos azules atravesó desiertos circundados de aullidos de lobas feroces y leones acosados diste en la orilla de un río de espumas negras donde el gigante greñudo que hacía de barquero te llevó al lado opuesto escupiendo blasfemias y salpicándote de lodo con sus remos los aires que respirabas volviéronse en hedor nauseabundo como si tu cabeza se hundiese en nimbos de excremento y carroña llegaste a una ribera vigilada por inmensos buitres que acechaban ávidamente tus entrañas un enjambre de moscas verdinegras siguió tus pasos millares de gusanos de anillos viscosos y peludos subieron por tus tobillos y penetraron en los agujeros de tu cuerpo descendiste a un valle cuyas hierbas humeaban una soledad desamparada que dolía en el corazón a lo lejos retumbó el galope de un tropel de bestias mitad hombres mitad caballos que te cercaron con las patas delanteras en alto uno de ellos te tomó en sus brazos nervudos y te condujo hasta la copiosa corriente de un río que era de fuego y sangre ¡en sus ondas hirvientes gemiré sumergido por los siglos de los siglos! tú Lope de Aguirre rebelde hasta más allá de la muerte pugnaste por escapar de aquel oprobioso suplicio cuantas veces lo intentaste los centauros te patearon con sus cascos y te hirieron con sus flechas una piara de diablos gruñidores hincó en tu pecho sus arpones entre todos te arrojaron de nuevo a la linfa quemante te forzaron a tragar de nuevo sorbos repugnantes de sangre dulzona y grumosa aquel que por la justicia divina es abatido a los círculos infernales jamás ha de zafarse de sus honduras en la puerta del infierno deja toda esperanza es eterna la tortura son eternos el dolor y el llanto el rico que vestía de púrpura en la vida terrenal no logró de Abraham una gota de agua para refrescar su lengua ardida por las llamas ni le permitieron tornar por un instante a la tierra para advertir a sus hermanos que mil tormentos les estaban reservados si no mudaban su condición pecadora nadie alcanza a salir de estos abismos Lope de Aguirre ¡yerra vuestra merced! yo salgo en la imaginación de los pueblos que no me deja morir yo cruzo los mares de la Margarita montado en un caballo blanco que viene galopando desde la raya del horizonte yo anuncio la madrugada con un revoleo de tambores que cae de las nubes yo estampo al llegar la medianoche mis huellas cojitrancas en la arena las alas de los alcatraces son cuchillos que mis manos afilan para cortar la luz el silbido de la tormenta es mi voz animando a los marañones con gritos de guerra la vislumbre de las rocas lejanas soy yo la ira de Dios que traigo colgada del puño diestro la bella cabeza cortada de doña Ana de Rojas los pescadores me vuelven la espalda se arrodillan en sus barcas y rezan un padre nuestro ¡Líbranos Señor de todo mal! salgo en las sabanas de Barquisimeto buscando sin esperanza la sombra triste de mi niña Elvira mi fantasma ronda los matorrales donde antaño se elevó la casa de Damián de Barrios hogaño es una maleza cundida de murciélagos y culebras un cementerio de cabras y jumentos desde estos huesos zafios me levanto en las noches de luna menguante mis cabellos son una tea encendida que los vientos no apagan mis pies son llamas errantes que pasan sobre los pajonales sin quemarlos a mi lado renquea una perra blanca que aúlla cada vez que en lo interior de una choza llora un niño en pos de mis huellas traquea el carromato de la muerte tirado por el esqueleto de un caballo en las alturas dobla desconsolada una campana sin campanero mis manos tremolan una bandera negra signada por lenguas rojas el hombre humano que osare mirarme a los ojos perderá para siempre la memoria me alejo media legua y vuelvo luego fatalmente a las ruinas de la casa de Damián de Barrios mis rugientes quejidos desgarran la piel de la noche no me queda de mi niña Elvira sino el recuerdo de la sangre que empapaba su corpiño amarillo.

ÍNDICE

Impreso en el mes de febrero de 1979
en I. G. Seix y Barral Hnos., S. A.
Avda. J. Antonio, 134-138
Esplugues de Llobregat
(Barcelona)